EXPO
100 STORIES
1851-2025

万博100の物語

久島伸昭

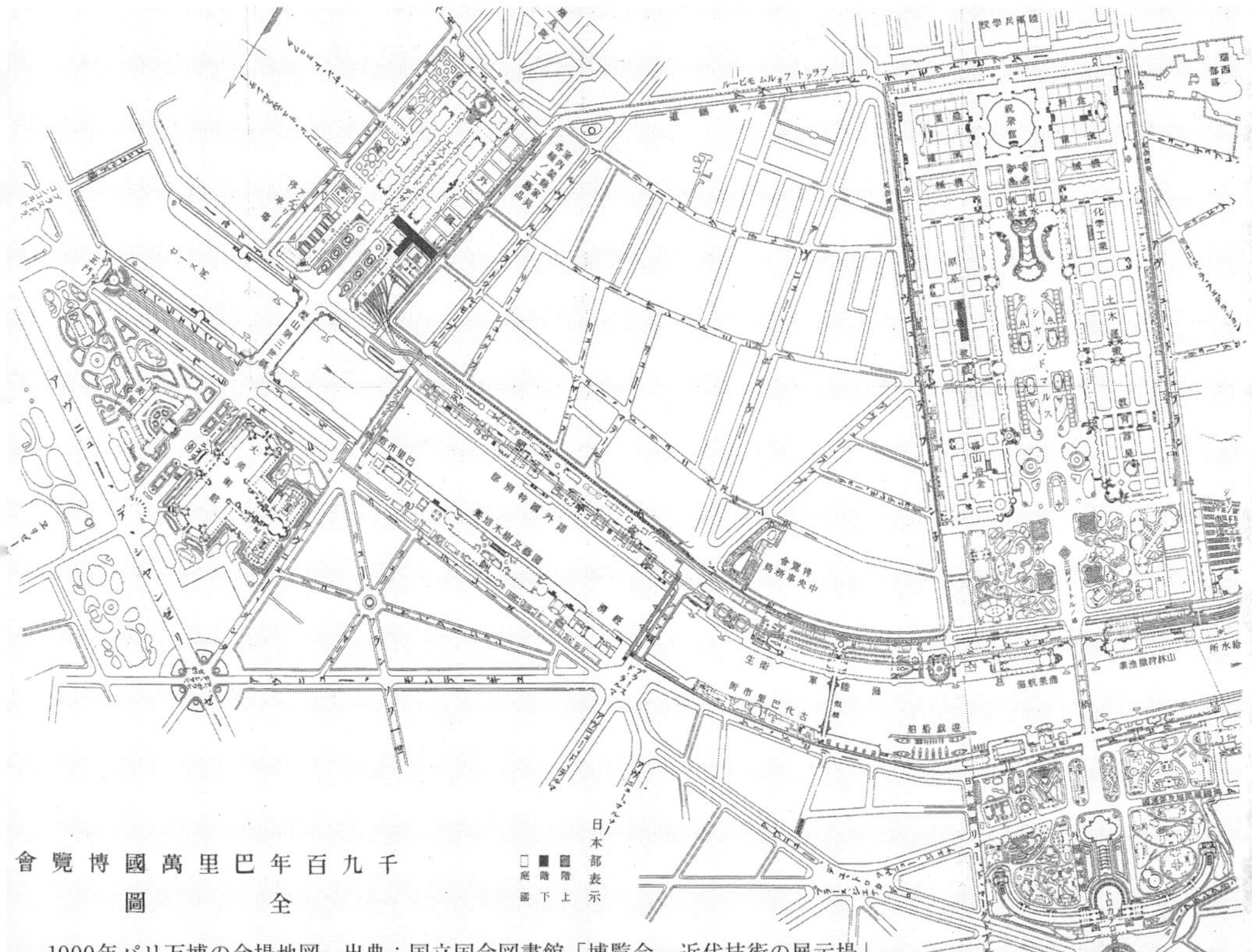

1900年パリ万博の会場地図　出典：国立国会図書館「博覧会—近代技術の展示場」

序文

「万博」という言葉はそれこそ小学生だって知っている。海外の文化がダイレクトに流れ込み未来を示唆《しさ》した1970年の大阪万博、21世紀に入ってすぐにおこなわれた愛知万博を通して、万博は多くの日本人に夢を提供し、様々な体験をさせてくれたが、では万博がいつ始まったのかとか〝万博〟というのはどういう構造で成立していくかなどに答えられる人はほとんどいない。

すでに170年以上にもわたって存在している万博が誕生した1851年のロンドンから、2025年の大阪に至る過去、現在、未来をつなぐ長い旅。万博から生まれたものと万博が及ぼした多大な影響。そういったことを、実際に愛知万博に関わることで万博史研究を始めた久島伸昭氏は見事に解き明かし、へエーと驚かせ、そうだったのかと膝《ひざ》を叩かせてくれる。

この本のもとになっているのは愛知万博が始まる２００５年の前年の12月に発行された『「万博」発明発見50の物語』だが、その時に僕が〝万博博士〟と呼ばせていただいた久島氏は、それから17年という時が経過する中で〝万博探偵〟という呼び名を追加したくなる存在となって、万博に関することを僕たちに教えてくれる。

そのおもしろさは超Ａ級。久島氏は〈あとがき〉の中に「万博に参加することは歴史に参加することなのである」と書いているが、万博を知ることは夢を見る大切さを知ることでもあると僕は思う。最高に知的で楽しい時間旅行の扉が開く。

立川直樹

万博100の物語

EXPO 100 STORIES 1851-2025

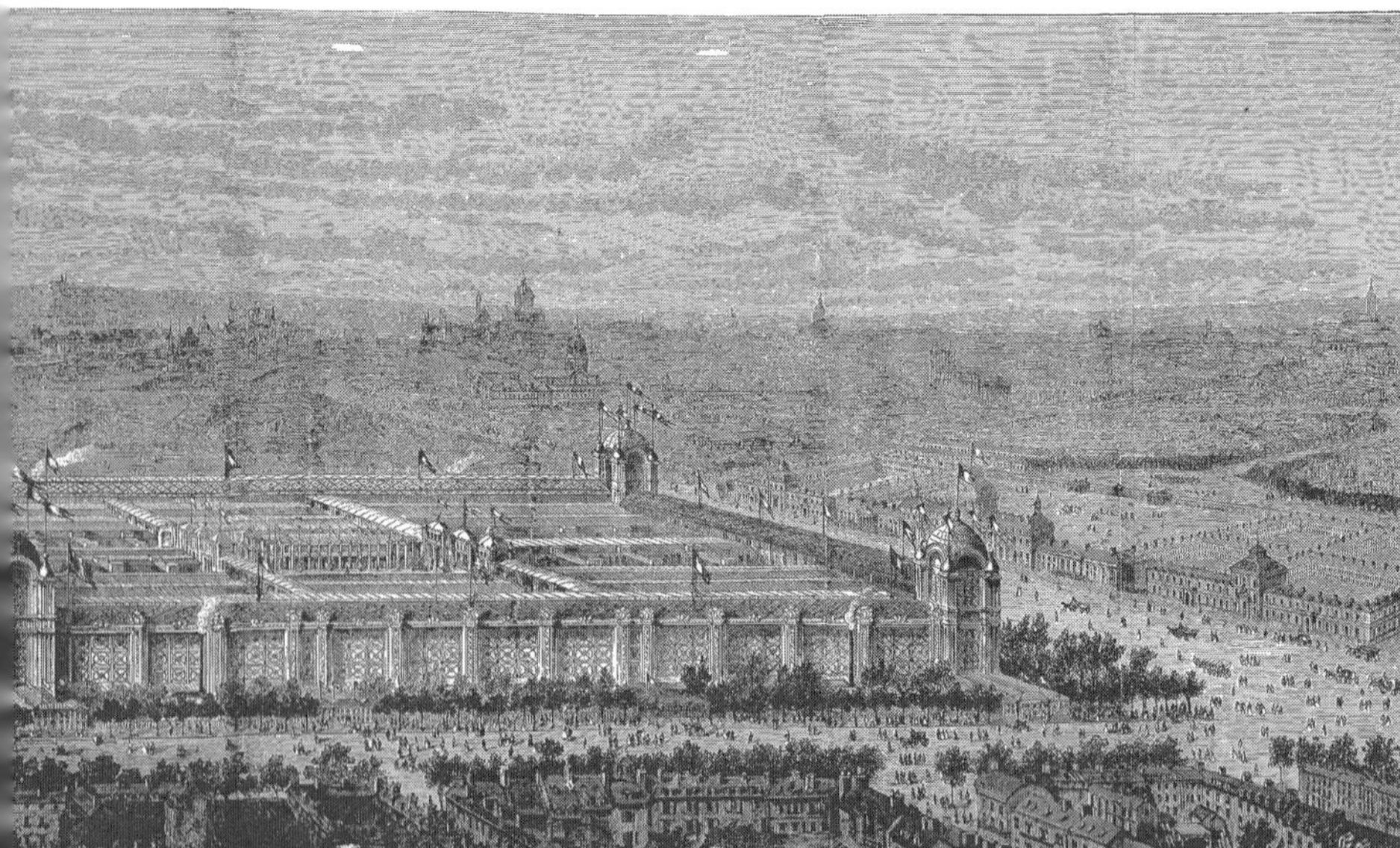

MP-DE-MARS ET DU TROCADÉRO.

CONTENTS

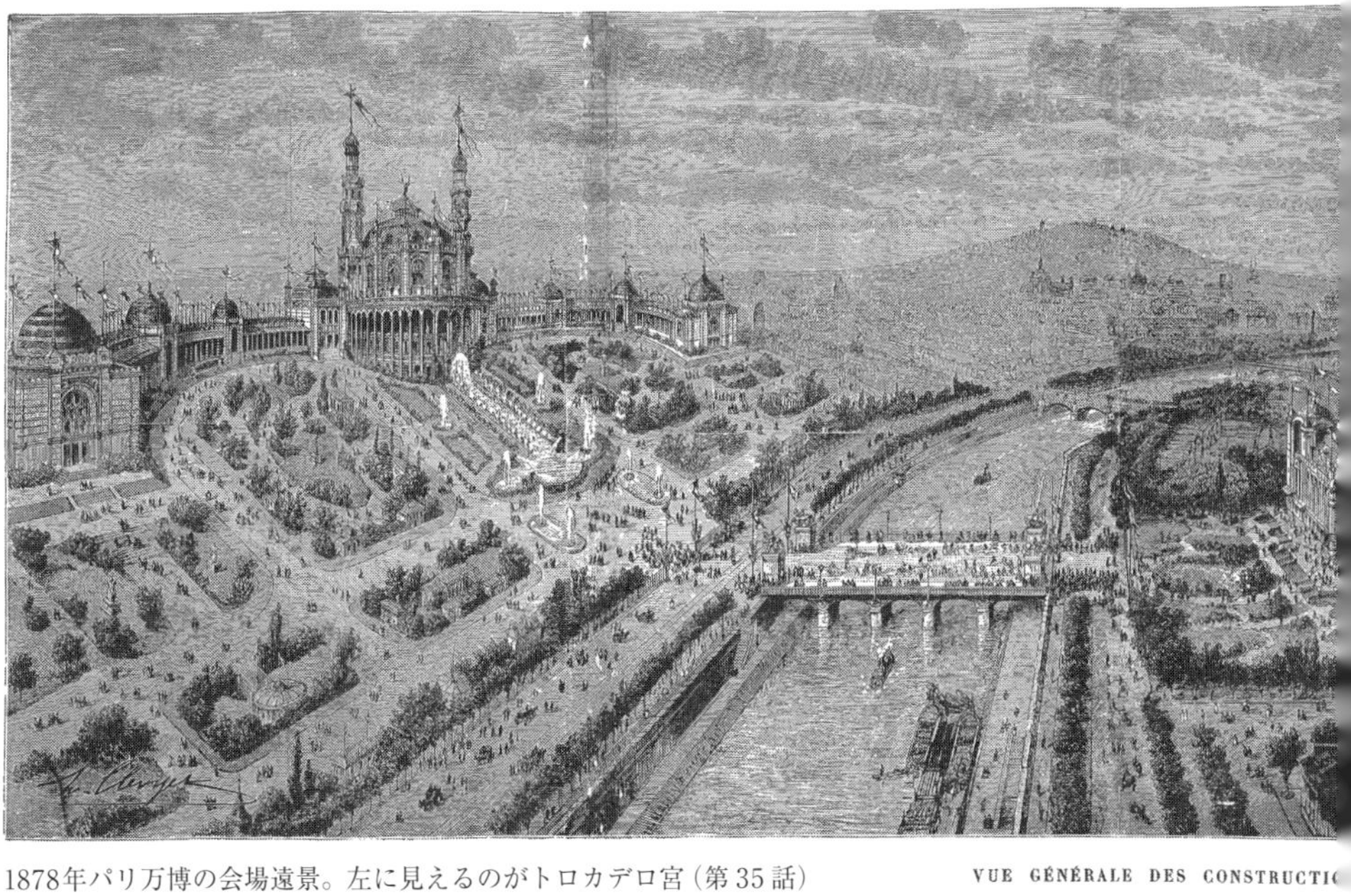

1878年パリ万博の会場遠景。左に見えるのがトロカデロ宮（第35話）
出典：国立国会図書館「博覧会―近代技術の展示場」

はじめに

日本人にとっての初めての「万博」は、今から半世紀前に開催された1970年大阪万博であった。

戦後の高度経済成長期を象徴する国際的ビッグイベントだった大阪万博は、6421万8770人という巨大な入場者数を誇ったものであった。これは同時に世界の万博史上でも、2010年上海万博まで40年間も破られなかった大記録なのである。1日でいちばん入場者が多かった9月5日には、83万5832人もの人が万博会場に押し寄せ、関係者一同を恐怖に陥《おとしい》れたという。「人類の進歩と調和」をテーマに掲げたこの大阪万博は「太陽の塔」「月の石」「ソ連館」「お祭り広場」などのノスタルジックな思いとともに、多くの日本人の記憶にいまだにはっきりと残っているのである。

しかし、もちろん万博自体は1970年に大阪で始まったものではなく、19世紀半ばにヨーロッパで誕生したものであった。最初の万博の開催は1851年ロンドンにまでさかのぼる。それからアメリカ、フランス、オーストリア、スペインなどの国々の大都市を中心として開催されてきた。19世紀はヨーロッパでの開催が多かったが、20世紀になってからはその主役をアメリカに譲るようになった。そして、20世紀後半からはアジアでの開催も見られるようになった。1970年大阪万博はアジアで開催された初めての大規模な万博でもあった。

万博はこのようにすでに170年以上の歴史がありながら、実は、その実態はあまり知られていない。1970年大阪万博や2005年に開催された「愛・地球博」のことは比較的よく知られているが、万博そのものの歴史や、万博が私たちの生活に与えた影響については、少なくとも日本では、一般の人々に対してあまり紹介されていないように思える。

実は、私たちの現在の生活には、万博がきっかけとなって広まったものや有名になった人、万博がきっかけとなって始まったイベントなど、さまざまな「万博に由来《ゆらい》するもの」が満ちあふれている。意外なものが実は万博から世に出たものであったりする。万博は私たちの生活に息づく多くのもののインキュベーターなのである。

筆者は、万博というものに関心を持ってもらい、それを理解してもらうためにはそういった、私たちの生活に近いところから入っていくのがよいのではないかと考えた。そこで、今でも人々が知っている、あるいは関心のあるトピックスに焦点をあてて記述する方法を取ることとした。すなわち、アート、ブランド、飲食物、コミュニケーション、乗り物、アトラクション、音楽、人物などである。そしてさらにそれを読みやすいように100の短いエピソードとして紹介することとした。一つ一つは短い物語であるが、全体としては万博の文化史を概観できるようにつとめたつもりである。

小難しい歴史論やイベント論はこの際ちょっと横において、あの人も万博に関係していたのか、これも万博から生まれたのか、と少しでも万博に関する新たな発見をしていただき、万博がこの170年余りにわたって私たち人類に与えた影響力の大きさを感じていただければ幸いである。

それではさっそく、過去への扉を開け、170年にわたる万博史への旅を楽しんでいただくことにしよう。

CONCOURS
INTERNATIONAUX
D'ESCRIME
FLEURET
ÉPÉE

NAPOLEON III
EMPEREUR

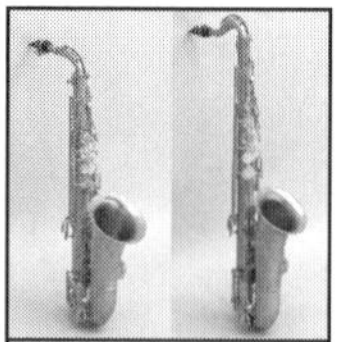

PLEASURE OF MIXING
1783
Schweppes

10000

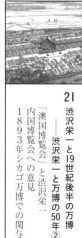

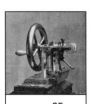

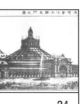

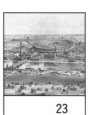

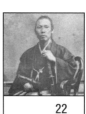

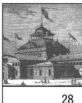

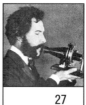

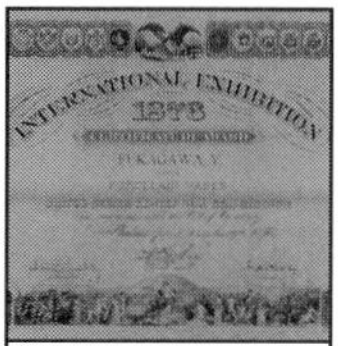
INTERNATIONAL EXHIBITION
1876

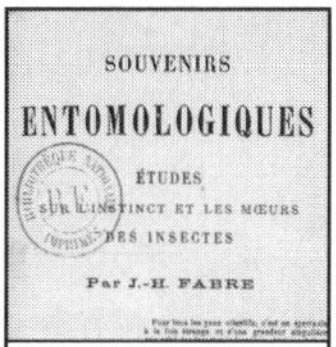
SOUVENIRS
ENTOMOLOGIQUES
ÉTUDES
SUR L'INSTINCT ET LES MŒURS
DES INSECTES
Par J.-H. FABRE

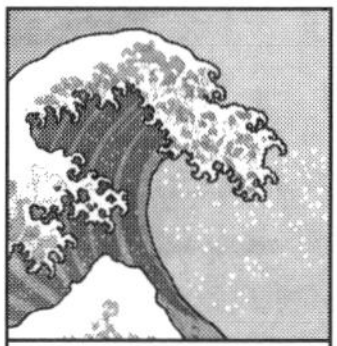

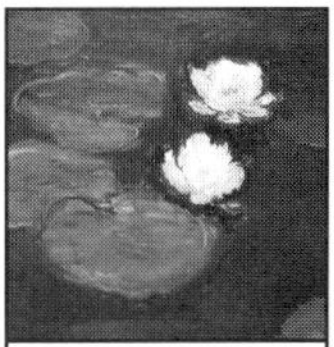

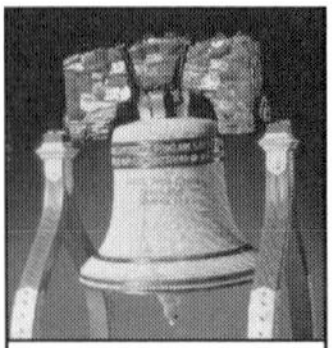

AMERICAN FOOD 2.0

Japón

AURORA
城市
Better City
Better Life

万博100の物語

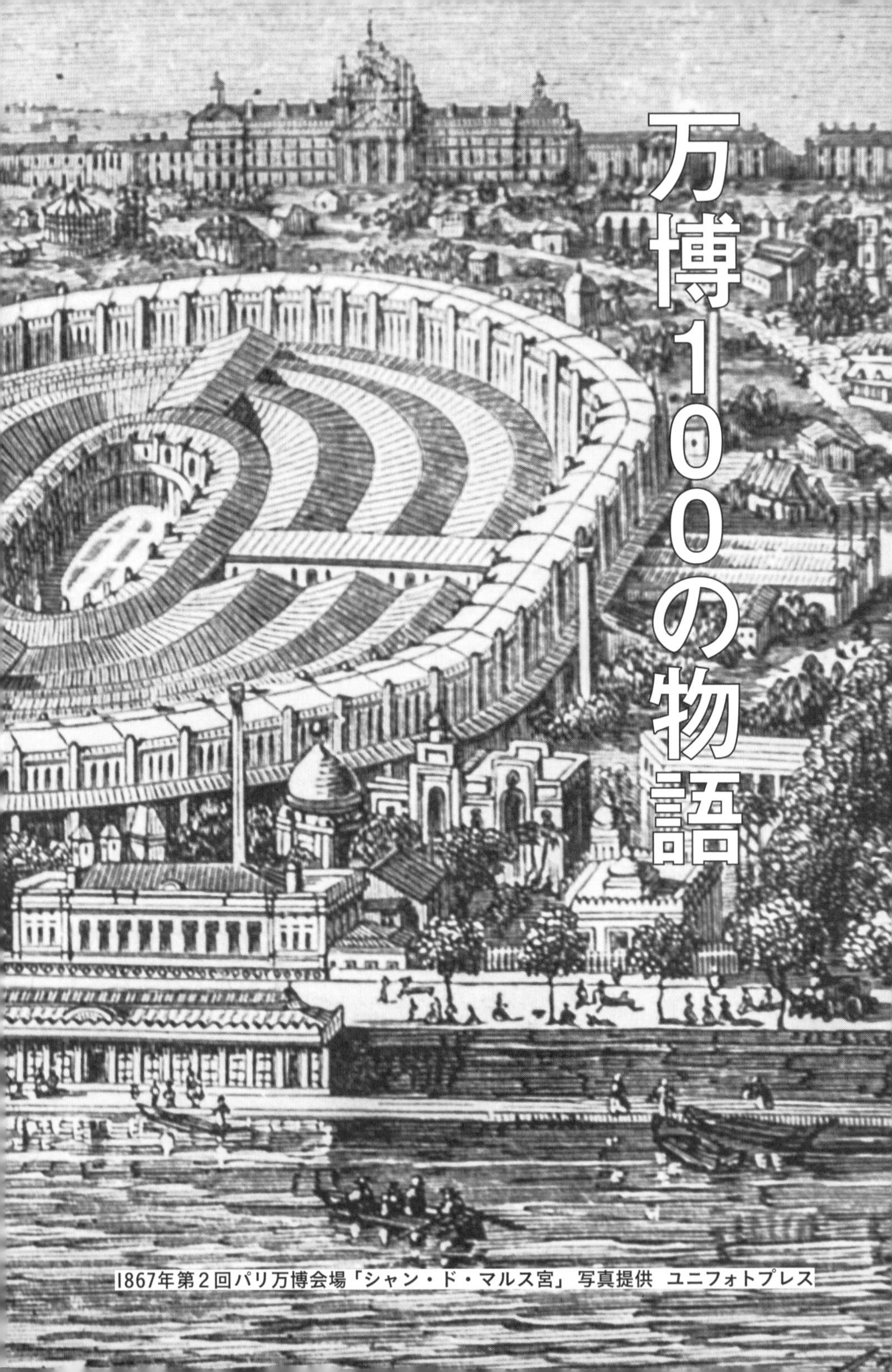

1867年第2回パリ万博会場「シャン・ド・マルス宮」 写真提供 ユニフォトプレス

Ⅰ　最初の万博会場「クリスタル・パレス」の誕生と現在

世界初の万博

やはり万博の歴史を語るには、この万博から始めなければならないだろう。記念すべき世界初の万国博覧会、それは１８５１年5月１日から開催された「ロンドン万博」である。

博覧会というと英語ではExpositionが使われることも多いが、この万博の正式英語名称は「The Great Exhibition of the Works of Industry of all Nations」——直訳すれば「全ての国家の産業の業績の偉大なる展覧会」というものだった。「の」が多すぎる感じだが、もともとの英語に「of」が多すぎるので仕方がない。短くすれば「全世界参加の産業業績大展覧会」という感じだろうか。ちなみに「全ての国家」と言っているが実際に参加したのは25カ国だった。それでも当時としてはよく集まったという感じだろう。

さて、この第1回ロンドン万博の会場となったのが「クリスタル・パレス」（水晶宮）。この「クリスタル・パレス」は、開催の前年、１８５０年7月30日に起工し、51年の1月に完成という実質6カ月間というおそろしく短いスケジュールで建てられたものだった。

この万博は、英国のヴィクトリア女王（1819～1901）の夫、アルバート公（1819～1861）の強力な推進力によって開催されたのだが、公が総裁を務める「王立実行委員会」

の下部組織、「会場建設委員会」は、１８５０年に万博会場の設計コンペをおこなった。
現在なら1年前にコンペなどというスケジュールは想像もできないが、ともあれ、そこには２４５もの案が送られてきた。ところが当選案が出ず、「会場建設委員会」の委員の一人ブルネル氏が自分の案を強引に提出してきたりして、会場計画は大混乱することとなる。

そんな中、開幕まであと10カ月（！）と迫ったところでようやく、デボンシャー公爵邸の庭園技師で、数々の温室を設計した実績を持つジョセフ・パクストン＊（1801～1865）の設計図が採用されることになったのである。

パクストンの温室構造の大建築物

パクストンは戦略家であり、当時のメインメディアであった新聞をうまく利用した。自分の設計に絶対の自信があったパクストンは、１８５０年７月６日の「イラストレーティッド・ロンドン・ニュース」に自作の設計図を公開したのである。これを契機として世論はパクストン案に大きく傾き、結局彼の設計が採用されることとなる。

パクストンのその建物は、彼の得意な温室構造を巨大にしたものだった。そして、もっとも驚くべきは工期の短さだった。それまでの石や煉瓦《れんが》を積み上げる建築とは異なり、当時の最新技術である鉄とガラスを駆使し、工場で製造された部品を現地で組み立てるというプレハブ工法を用いたからこそ可能な工期だった。

＊１８０３年生まれという説もある。

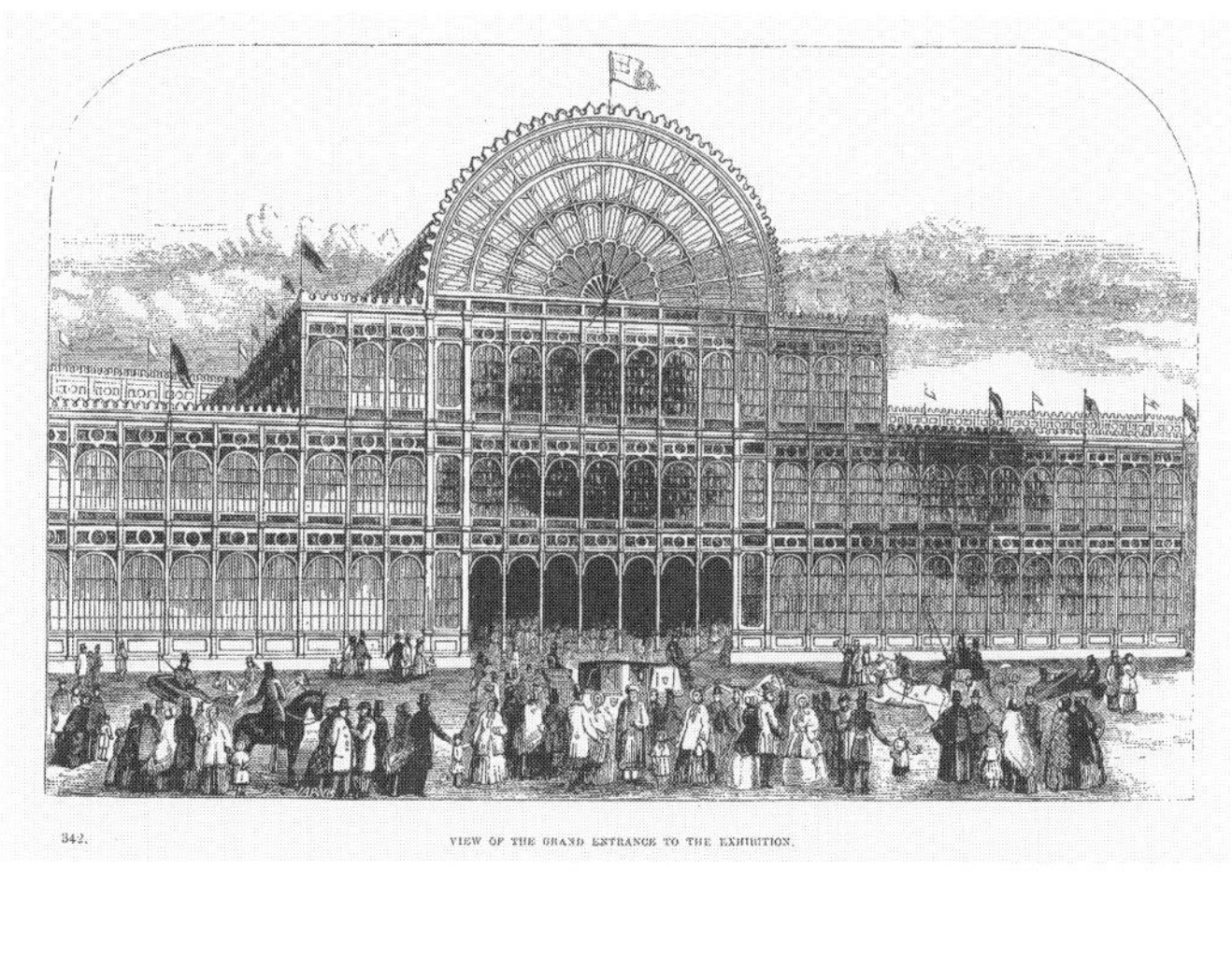

１８５１年ロンドン万博の会場となった「クリスタル・パレス」
出典：国立国会図書館「博覧会—近代技術の展示場」

7月30日に起工し、8月に基礎工事が始まる。9月26日には最初の柱が打ちこまれ、11月には下層の鉄柱部が完成。12月には屋根ができ、いよいよ大量のガラス張りの工程に入る。こうしてわずか半年の工期で、何とか万博開催に間に合わせることができたのである。

絵入り風刺雑誌「パンチ」誌によって「クリスタル・パレス」と名づけられることになったこの建物は、実に長さ564メートル（初めは1848フィートで設計されていたが、後で、万博開催年にちなんで1851フィートに変更された）、幅124メートルもあり、使った鋳鉄《ちゅうてつ》が3800トン、ガラスが30万枚という大建築物だった。この画期的な工法は大評判になり、建設委員会は工事の見物料として5シリングを取って、かなりの収入を得たという。工事自体が当時の建築技術の先端的実験場であり、その会場自体が第1回万博の最大の目玉展示物といってもよかった。

ロンドンに行けば、誰もが一度は訪れるであろうハイド・パーク。その中にあるサーペンタイン池の南側一帯が第1回万博の会場跡地で、そこにこの巨大な「クリスタル・パレス」が建てられていた。今でも、ハイド・パークからサウス・ケンジントンに向かう道には、万博にちなんだ「エキシビション・ロード」という名前が残っている。

「クリスタル・パレス」のその後

その「クリスタル・パレス」も、今はもうない。しかし、実はできてから80年以上もの間、別のところで存在していたのである。

『装飾の文法』の著作もある建築家オーウェン・ジョーンズ（1809～1874）が色彩関係を担当し、赤、青、白、黄色で鉄とガラスの素材を塗り分けた美しい「クリスタル・パレス」。万博終了後、取り壊されるのを惜しむ声が多かったため、「常設の万博」を実現すべく一度解体され、1854年にロンドン郊外のシデナムの地に移設されることになった。これもプレハブ工法という新しい技術だからこそ可能なことだった。

シデナムに再建された「クリスタル・パレス」は、サイズも大きくなり、塔もつけ加えられるなどして、市民の憩《いこ》いの場になっていた。ヴィクトリア女王とアルバート公夫妻もしばしばここを訪れた。

また、福沢諭吉《ふくざわゆきち》も日本の文久使節団の一員として、1862年にシデナムで現物の「クリスタル・パレス」を見ている。福沢の日記『西航記』には、5月5日に「キリスタル・パレース」を訪れたことが記されている。

しかし、この「クリスタル・パレス」は1936年に警備員の火の不始末から、無残にも焼け落ちてしまうことになる。そしてその跡地が今もシデナムに残っているのである。

ロンドンの中心ヴィクトリア駅から南部の郊外へ向かって30分ほど電車に揺られると、その名も「クリスタル・パレス」という駅がある。駅員といえば券売ブースに1人しかいない、田舎《いなか》風の小さなこの駅から少し歩くと、広

クリスタル・パレス駅

シデナムに残るパクストン像

い公園へと出る。数々のスポーツ施設があるかと思えば、妙に古びた恐竜の像があちこちに立っていたりするゾーンがあり、さらに行くと、草に覆《おお》われた広大な土地が忽然《こつぜん》と姿を現す。ここに、かつて移設された「クリスタル・パレス」が建っていたのである。

今も残る苔《こけ》むした石のテラスや、半分地面に埋まった建物の基礎部分らしき大きな石、寂しげに佇《たたず》む焼けた彫刻の女性像などから、われわれは世界で初めての万博を想像するしかないのだ。

シデナムに残るクリスタル・パレスの跡地

2　オリンピックも万博が産みの親？

万博と近代オリンピック

「万博業界」の中では、「近代オリンピックは万博から生まれた」というのはほぼ常識、と言ったら皆さんは驚かれるであろうか。

万博の中で第1回近代オリンピックはおこなわれなかった、という意味では正確には万博から生まれた、ということにはならない。しかし、その生まれた過程でいうと、この、「近代オリンピックは万博から生まれた」という表現もあながち間違いとはいえないのである。

近代オリンピックの創始者クーベルタン

近代オリンピックの創始者ピエール・ド・クーベルタン（1863～1937）は１８６３年１月１日、フランス貴族として生まれた。そのクーベルタンが「師」と仰《あお》いだ人物が、１８５５年の第１回および１８６７年の第２回パリ万博の総括委員長を務めたフレデリック・ル・プレ（1806～1882）であった。フレデリック・ル・プレは、社会を科学的、実証的にとらえるサン・シモン主義者で、労働者を具体的な事物に沿いながら教育していくことの重要性を提唱していた。そんなル・プレが、万物の最先端の展示ともいえる万博の推進者だったのは自然なことで、第１回、第２回パリ万博の重要な目的は、「労働者の教育」でもあった。そしてクーベルタンも、ル・プレの教えのもと、万博に関心を持ち始める。

クーベルタンと万博

クーベルタンが体験した初めての万博は、１８７８年、15歳のときの第３回パリ万博だった。そしてその11年後、１８８９年の第４回パリ万博で、クーベルタンはとある国際会議を開催する。

フランス革命１００周年を記念する第４回パリ万博では、「思想の万博」にしようという目的で、芸術、科学、経済などさまざまなテーマで69もの国際会議が開かれた。有名な細菌学者、ルイ・パスツールも国際会議の調整委員会委員長を

１９００年パリ万博の行事の一つとして開催されたオリンピックのポスター

務めたほどであり、万博における公式の国際会議はこの万博で存在感を大きくしたのだが、このクーベルタンの会議も、そのとき開かれたものの一つであった。

クーベルタンの会議は、「運動競技に関する会議」というもので、「乗馬」「体操と射撃」「ボートと水泳」「トラック・競歩などの陸上競技」「郵便による英語圏でのアンケートのクーベルタンによる結果報告」という5つのジャンルに分けられていた。そして、会議の一環として、スポーツのデモンストレーションもおこなわれたという。


この経験を通して、クーベルタンはますます万博に魅了されていった。また、のちに1900年第5回パリ万博でオルレアン新駅（のちのオルセー駅）を設計することになるヴィクトール・ラルー（1850～1937）は、この1889年パリ万博で「芸術宮」内に古代オリンピアの建物や記念碑のレプリカを展示していた。それらが、クーベルタンに古代オリンピックへの思いを強くさせたのではないかといわれている。

翌1890年、クーベルタンは「ルヴュー・アトゥレティーク」誌に、その名も「運動博覧会」という文章を書いている。このことは、クーベルタンが近代オリンピックを創設するにあたり、万博をモデルとしていたことを如実に物語っている。

そして彼は海を渡り、1893年、アメリカで開催されていたシカゴ万博も訪れる。その際、万博行事の一環として開催されていた「教育会議」と「世界宗教会議」に出席し、「インターナショナリズム」の重要性を認識したことから、その精神が近代オリンピックに取り入れられることになるのである。さらに、万博が「事物の自由貿易」を促進したものだとするなら、「肉体の自由貿易」もあるべきだという考え方にいたることになる。*

万博の行事として企画された近代オリンピック

クーベルタンはシカゴ万博の翌年、1894年6月にパリで開かれた「国際スポーツ会議」で、オリンピック復興を満場一致で可決させ、13カ国から選ばれた15人をメンバーとして、「国際オリンピック委員会」を創立した。

そのとき、もともとは「第1回近代オリンピックを1900年のパリ万博で開催する」という話だったが、6年も待つのは長すぎるという議論が起こり、最終的には、「1896年ギリシャのアテネで第1回近代オリンピックを開催する」ということが決まったのである。

第1回近代オリンピックがアテネで成功裡に終わり、その4年後、第2回オリンピックは1900年パリ万博での行事の一つとして開催される。このときはまだ、参加国20という小ぢんまりした大会だった。優勝者にはタイピンとペンシル、「自分で」メダルを買うための100フランが与えられただけであったという。ただ、実際に100フランでメダルを買う人はほとんどいなかったという話だが……。

その後、オリンピックは、1904年のセントルイス万博、1908年のロンドンで開かれた仏英博覧会と一緒に開催された。しかし、オリンピックを万博の付属イベントとして開催することで、運営面などでの弊害《へいがい》があらわになり、第5回ストックホルム大会以降は万博を離れ、独自の道を進むことになったのである。

＊ by-line フォーラム44回（鹿島茂）

3　金・銀・銅メダルも万博から

1801年にさかのぼるメダルの歴史

さて、オリンピックといえば金・銀・銅のメダルであるが、実はこのメダルでの褒賞《ほうしょう》こそ、オリンピックが万博から生まれたことの名残《なごり》でもある。

そもそも博覧会における各種コンクールとそれに伴うメダルの授与は、1801年、第2回フランス内国博覧会（フランス国内だけの、外国参加のない博覧会）で、ナポレオンによって制度化されたといわれている。そのときは、金メダル10個、銀メダル20個、銅メダル30個が授与された。そして、このフランス内国博覧会は、1849年まで続くこととなる。

万博でのメダル制度

その後、第1回の万国博覧会である1851年ロンドン万博では、さまざまな議論ののち、2階級の銅製メダルが授与された。

この件については、『水晶宮物語』（松村昌家著、ちくま学芸文庫）に詳しい。同書によると、メダルのうち一つは、「『材料または製法において、考案ないしは適用上、相当の重要性をもった斬新《ざんしん》さが発揮できているもの、あるいは、美的にすぐれたデザインを伴った創意性』の顕著なもの」という基準で選ばれる「評議員碑《カウンシル・メダル》」、これが170個。もう一つは、「賞碑《プライズ・メダル》」で、「対象物の性質に従って、その有効性、美しさ、廉価《れんか》性、特定市場への適合性、その他のメリットを考慮に入れて、製品ないしは製作技量に相当水準の優秀さが達成されていると認められる場合」に与えられ、1918個が授与されたということで

1855年パリ万博のメダル
出典：国立国会図書館「博覧会―近代技術の展示場」

ある。

何か説明文が長くてわかりにくいが、簡単に言えば、一番いいメダルが「評議員碑《カウンシル・メダル》」、「評議員碑《カウンシル・メダル》」ほどではないものが「賞碑《プライズ・メダル》」ということだろう。

1855年パリ万博では、部門別に金、銀、銅、選外佳作のメダルが授与されることになっていた。しかし、結果的には金の上にグランプリがもうけられた。

のちには、たとえば1873年ウィーン万博では「美術」「新趣向」「進歩」「協力」「栄誉」の5種のメダルとされたり、1876年フィラデルフィア万博ではブロンズメダル1種類のみだったり、といろいろありながらも褒賞制度は続いていく。

近代オリンピックでメダルの授与が始まったのは、このような万博の褒賞制度の影響からなのである。

20世紀に入り、1939／40年*のニューヨーク万博ではメダル制度は実施されないことになったが、1958年ブリュッセル万博では復活。1967年モントリオール万博では、前年に開催された会議で、メダル制度をおこなわないことが決定され、それ以降、万博においてコンクールやメダル制度はおこなわれていなかった（AIPH《国際園芸家協会》との共催による花博等は除く）。

しかし、この褒賞制度、2005年「愛・地球博」で約半世紀ぶりに復活することになるのだが、これについてはまた後ほど（第88話）述べることにしたい。

＊このニューヨーク万博は1939年4月30日〜10月31日、1940年5月11日〜10月27日と、2回に分けて開催された。本書ではこのような場合「1939／40年」と表記した。また、1853年7月14日〜1854年11月1日まで続けて一つの会期として開催されたニューヨーク万博のような場合は「1853〜54年」と表記した。

4 万博を仕切る謎の組織「BIE」とは

パリに存在する国際組織

「万博」という言葉を知らない人は少ないだろうが、その万博をどこが取り仕切っているのかまで知っている人は、案外多くないだろう。

万博は「博覧会国際事務局」、フランス語で「Le Bureau International des Expositions」、略して「BIE」という組織が取り仕切っている。IOC（国際オリンピック委員会）やFIFA（国際サッカー連盟）が、主催団体としてよく知られているのに比べれば、BIEはどこか謎めいている。しかし、パリのイエナ街34番地に存在するこの組織が、万博のすべてを決めているのである。

その前に、現在の「万博」の定義だが、たとえば、1980年代以降ブームとなり、規模も万博に引けを取らないものもでてきた「地方博」。これと万博との違いはなんだろうか？——答えは、万博には「多くの外国政府や国際機関の公式参加」があること、そしてそれはすなわち、「BIEが公式に認めたもの」、ということである。

「万博」は「政府」がそのメンツにかけておこなう「国事」であり、正式な外交ルートにより参加招聘《しょうへい》がおこなわれ、世界の数十から多いときには200以上の国や国際機関が「公式に」参加するという、唯一かつ世界最大の平和的文化祭典なのである。

オリンピックはIOC、ワールドカップはFIFAという非政府組織・法人が主催するものだが、実質的に政府が主催し、正式な外交ルートを通じておこなわれるのは「万博」しかない。そういった意味で、「万博」ではあくまでも各国政府や国際機関のパビリオンが主役である。それ以外にも企業パビリオンがあるが、各国政府が「公式参加者」として招かれるのに対し、企業はあくまでも「一般参加者」として扱われる（実際のパビリオン人気度や集客力はまた別の話だが）。ちなみに「公式参加者」の中に含まれる「国際機関」だが、「初めて万博に参加した国際機関」は、１９３９年ニューヨーク万博に出展した今はなき「国際連盟」だった。

解体した「国際連盟」の下部組織？

さてあらためて、このような万博を取り仕切る「ＢＩＥ」とは、そもそもどういう組織なのだろうか。これについてはマルセル・ガロパン著『20世紀の国際博覧会と博覧会国際事務局』（１９９７年 博覧会国際事務局）に詳しい。ガロパン氏はフランスの元高級官僚であり、１９８３年から１９９５年までＢＩＥのフランス政府代表となり、さまざまな万博でフランス陳列区域政府代表を務めた万博の専門家といってよい人物である。

この本によると、こういった国際的な博覧会に関する機関の設立についての話し合いは19世紀から何度も行われており、早くも１８８５年にはパリにて「主導委員会」（comité d'initiative）が創設されていた。その後いろいろと動きがあり、ついに１９２８年、フランスの招請に応じた40カ国によって会議がおこなわれ、「国際博覧会に関するパリ条約」が31カ国の代表団により調印された。そしてその条約を保持するために設立されることになったのがＢＩＥということになる。

そして、ＢＩＥは１９３１年5月、「国際連盟」（1920～1946）の下部組織として位置づけられた。国際連盟が国家間条約第24条に従って、この法人をその権限下に置くことを承諾したのである。その後第2次世界大戦の終戦後、国際連盟は解体した。そして「国際連合」が発足して現在にいたる。

ところが……。今でもＢＩＥは国際規約上、「国際連盟」という、もはや存在しない国際機関の下部組織であり続けている。「国際連合」の下部組織に、ＢＩＥは存在していないのだ。

以下同書より引用しよう。「ＢＩＥに関してさらに奇妙なことは、国際連合の特別機関になる機会に一度も恵まれたことがないということである。従って、ＢＩＥはすでに解体してしまった上位機関　―国際連盟―　と締結された協定の一部にその合法性を見出せる依然孤立した国際機関である！」ということになる。やはりどこか謎めいている。

しかし、国際法上の権限については改善されたようだ。「１９７２年の議定書によって、『与えられる権限を行使するため、協定を国及び国際機関と締結する能力』を獲得し、ＢＩＥの国際法上の権限が強化された」とある。

ＢＩＥホームページによると、ＢＩＥには２０２２年3月現在１７０カ国が加盟している。ちなみに日本のＢＩＥ加盟は、１９７０年大阪万博開催5年前の１９６５年だ。

ＢＩＥ発足の背景

しかし、そもそもなぜこういった万博の国際条約や国際組織が必要だったのだろうか？

最初のロンドン万博開催の１８５１年以来、19世紀中、ヨーロッパを中心とする各国は自由に万博を開催してきた。そして国際経済が発展するにつれ、万博を開催したいという国も急速に増えてきた。多いときには、１年に３つ以上の万博が開催されたこともあった。

開催するほうは、ホスト国として、できるだけ多くの国に参加してもらいたい。招かれたほうも、自国で開催するときに参加してもらいたいし、また、過去に出展してもらったという「借り」もあってつき合わざるを得なくなる。下手《へた》をすると１年に３つ以上の万博に出展することになり、出展費用がかさみとても経済的にもたなくなる。

また、もともと「人類の新しい発見や事物、芸術を披露《ひろう》し合う場」だった万博が、毎年のように開催されることとなると、展示すべき「新しい発見」が少なくなり、開催する意義がなくなってしまう。

そういうわけで、万博の開催年と開催国とを国際的に調整する必要がでてきたために、ＢＩＥという組織が発足したのである。

ちなみに、１９２８年の「国際博覧会に関するパリ条約」成立以降、ＢＩＥが認定した初めての万博はベルギーで開催された１９３５年ブリュッセル万博である。

実はそれ以前に開催された万博は条約に基づくものではなく、独自に「万博」（に類する各国語）と呼んでいたものである。条約成立以降開催された大型の万博はほとんどＢＩＥ公認のものだが、例えば１９６４／65年ニューヨーク万博など、ＢＩＥ非公認の博覧会も存在する。

日本人学生によるロゴマーク

さて、このＢＩＥには「ＢＩＥ機関曲」というものが存在する。

その「ＢＩＥ機関曲」とはドヴォルザーク交響曲第９番『新世界より』である。万博によって新世界を開いていこうというＢＩＥに相応しい曲といえるだろう。この曲は各万博開催時の開閉会式や、「ＢＩＥデー」でのＢＩＥ旗掲揚時などにかけられている。２０２１年10月１日、新型コロナウィルスの影響で１年遅れでようやく開会の日を迎えたドバイ万博の開会式でも、ＢＩＥ旗掲揚時にこの曲が流れていた。

そしてそのＢＩＥ旗であるが、１９６９年から使用されている。万博で初めて使われたのは１９７０年大阪万博ということになる。ＢＩＥ旗のアイデアは日本からＢＩＥに提案され採択された。17カ国から推薦のあった47点の中から選ばれたのは、当時東京教育大学４年だった松島正矩《まさのり》氏の作品だった。＊

このロゴマークは、

「将来の人類の進歩、技術の発展、物質的進歩のみならず、精神的進歩、よりよい世界に向けた発展を連想させる。円は民族間の平和、友愛及び文化の交流を象徴している。横の線は限りなき進歩の未来へ向かう歩みを表している。紫がかった青は、追求する目的の崇高さを示しており、広大な海と空の色である。これは世界を、そして宇宙を思い起こさせる。不可侵の純粋さを持つ白の線は、正義を表している。」

（マルセル・ガロパン著『20世紀の国際博覧会と博覧会国際事務局』）

ということで、このロゴマークのデザインはＢＩＥの崇高な使命を象徴するものとなっているのである。

＊「日本万国博覧会公式記録」による。

ＢＩＥのロゴマーク。１９７０年大阪万博で初めて使われた

5　万博で「女王の婿殿《むこどの》」から脱却した男

ヴィクトリア女王とアルバート公

１８５１年第１回ロンドン万博は、アルバート公の力で強力に推進された。

その妻であるヴィクトリア女王が即位したのは１８３７年6月20日、彼女がまだ18歳のときだった。当時のイギリスは決してよい時代とはいえなかった。特にロンドンでは産業革命後、人口が急増し、そのわりには経済が活性化せず、人々の生活は苦しかった。ヴィクトリア女王は日記を書き残しているが、その日記からは、即位当日からこのイギリスをよくしていかなければ、という強い使命感を女王が抱いていたことがわかる。

さて、１８４０年、ヴィクトリア女王21歳のときにドイツのザクセン・コーブルク家から婿としてやってきたのが、アルバート公である。アルバート公はヴィクトリア女王の母方

ヴィクトリア女王とアルバート公

のいとこであったが、イギリス国民から見ればあくまでも「外国人」であり、大歓迎されてイギリス入りしたわけではなかった。その役割も女王の婿というだけで、明確な仕事があるわけでもなかった。アルバート公が自由に使える給料も、議会で値切られてしまうような状況だったのである。

しかし、アルバート公はさまざまな活動を通じて、自らの文化的領域への関心を深めていく。そういった中で国際的な博覧会の開催実現を目指すようになる。ヴィクトリア女王もそれを後押しした。そして、アルバート公の給料の減額を議会で主張するなどしていた議員、チャールズ・シブソープ大佐らの強硬な反対を押し切り、ヘンリー・コールなどの協力を得て、世界初の万博開催を実現したのである。ちなみに、ヘンリー・コールは世界で初めてクリスマス・カードを発案したことで知られている。

アルバート公が開催したこのロンドン万博、実は必要資金はすべて寄付と入場料等によってまかなわれていた。こういった国家的行事に税金をまったく投入しなかったわけだが、それでもこの国際的な巨大イベントが実現できるであろうという発想こそが、ある意味画期的であった。ヨーロッパ大陸出身の、国際的な感覚に恵まれたアルバート公であってこそ、初めて実現できた事業といえよう。

今も残る万博成功の足跡

結果的にこの万博は大成功をおさめた。６００万人以上の人々が訪れ、52万２１７９ポンドの収入があり、利益は18万６４３７ポンドにものぼった。そして、その利益をもとにしてできたのが、170年以上たった今もなおサウス・ケンジントン一帯に残る、その名もヴィクトリア・アンド・アルバート・ミュージアムやロイヤル・アルバート・ホール、そしてサイエンス・ミュージアムなどの文化施設である。

ロンドン万博の大成功により、アルバート公はようやく「外国人」ではなくなり、こういった文化施設に名を残すほど敬意を集める人物になれたのである。

ヴィクトリア夫妻は、二人で成し遂げた万博の名残《なごり》「クリスタル・パレス」を、移設されたシデナムまでたびたび一緒に訪れたという。

1861年、第2回の1862年ロンドン万博を待たずしてアルバート公が亡くなった後は、深い悲しみに沈んだヴィクトリア女王だったが、二人の間には4人の王子と5人の王女がもうけられていて、ヨーロッパの諸王家と婚姻を結び、大英帝国の基盤を創ることになった。

6 ベルリオーズが賞賛した「サックス」

ロンドン万博でメダルを獲得

ジャズやブラスバンド好きな方にはおなじみの楽器、「サックス」（サクソフォーン）。

実は、一見何の関係もなさそうな「万博」で、栄誉あるグランプリを受賞していたのである。

アドルフ・サックス（1814～1894）は、ベルギーのディナン生まれの楽器製作者であった。25歳のときにパリに移り、一連の吹奏楽器群を作ったことで名を馳《は》せた。その後サクソフォーンを発明して、１８４６年、パリで特許を取る。サクソフォーンは真鍮《しんちゅう》などの金属で作られるが、発音体の特質から木管楽器の仲間とされ、甘く豊かで艶《つや》のある音色と機敏な運動性があって、木管楽器とも金管楽器とも相性が良かった。

サックスは、この楽器を１８５１年ロンドン万博に出品し、賞碑《プライズ・メダル》を獲得した。この万博での成功は一大センセーションを巻き起こし、イギリスでその後、ブラスバンドブームが生まれるきっかけを作った。さらに、サックスは、１８５５年第１回パリ万博にも改良したものを出品し、このときは、グランプリを受賞している。

こういった万博での成功を通じて、サクソフォーンは世界に広まっていくことになる。

世界初の万博の審査員

ところで、１８５１年ロンドン万博でのサックスの受賞には、ある有名な作曲家がかかわっていた。

それはフランスの作曲家エクトル・ベルリオーズ（1803～1869）。ベルリオーズは、１８３０年、標題音楽の嚆矢《こうし》とされる『幻想交響曲』を発表し、１８５１年にはフランスだけではなく、ドイツやロシアでも活躍する国際的な作曲家として、すでに大変な名声を得ていた。

そのベルリオーズが、万博開催の直前、1851年4月に、ロンドン万博での楽器部門の国際審査員フランス代表に選ばれたのである。このロンドンの地でも「ロンドン、ムッシュー・ベルリオーズ」宛というだけで手紙が届くほど有名人だったというベルリオーズは、世界中から持ち込まれたさまざまな楽器を、音楽の専門家として審査する役割を与えられたのである。

このとき、ベルリオーズが審査員として書いたレポートが、1854年と55年に出版されている。

これによると、楽器部門の審査員はイギリスから5名、ドイツ関税同盟から2名、オーストリア、フランス、アメリカから各1名という構成で、フランスからの1名というのがベルリオーズであった。その他の審査員は、音楽家というより、大学教授のような人物が多かったようだ。

「イギリスの審査員が多くてもイギリスをえこひいきせず、審査員は非常に公平で、その結果、フランスの出展者がいちばん多くの賞をもらうことになった」とベルリオーズは書いている。第1回目の万博であるにもかかわらず、審査員を外国からも招聘して公平に審査しようというのは、さすがイギリスの万博関係者は、国際的な視点をもって運営に臨んでいたことがうかがえる。

そして、フランスの出展者の中でも、ベルリオーズは特に、ピアノの開発を続けていたエラール社と並び、サックスを第一級の発明者としてほめたたえていたというわけで

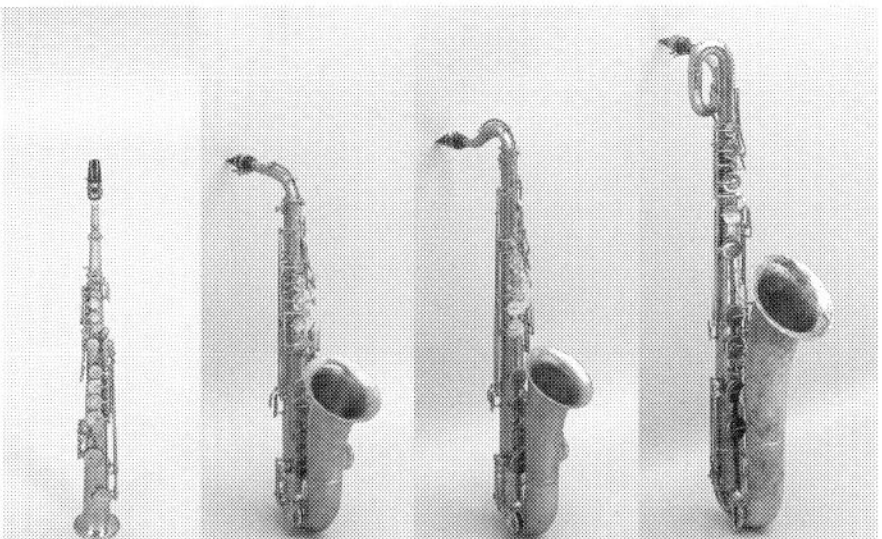

1851年ロンドン万博、1855年パリ万博出展のアドルフ・サックス作サクソフォーン 浜松市楽器博物館所蔵

ある。

サクソフォーンは軍隊用にいち早くフランスで採用された後、諸国に広まった。そして、１９２０年代以降ジャズで数多くの名演奏者が現れるにおよんで、華々しく活躍する楽器となった。

7　パックツアーで女王と一緒に万博見学

禁酒運動家トマス・クックの団体旅行

「世界最古の旅行代理店トマス・クックが倒産」というショッキングなニュースが飛び込んできたのは２０１９年の9月23日のことであった。なぜこのニュースが（筆者にとって）ショッキングだったか、というと、この「トマス・クック社」は１８５１年ロンドン万博の大功労者だったからだ。

さて、いったん話をその１８５１年ロンドン万博に戻そう。

この万博が開催できたのは、蒸気機関車が長距離の移動を可能にしたから、ともいえた。

準備段階における各国との出展交渉や、イギリス各地の工業地域とのやりとりなどが短期間で可能になったのも蒸気機関車のおかげだし、万博開催中、当時2100万人ともいわれるイギリスの人口に対して、600万人以上もの人々がロンドンに詰めかけたのも、蒸気機関車あってこそだった。

ここでまたトマス・クックの話へと戻る。

今でも旅行業界に名を残すトマス・クック（1808〜1892）。彼が企画した初めての汽車による団体旅行が実施されたのは、1841年7月5日のことだった。

当時、主に安くて強いジンによってアルコール中毒になる人が多く社会問題になっていた。熱心な禁酒運動家であったトマス・クックは、570人の同志を集めて、旅行中ずっと禁酒を守るという日帰りの「禁酒パックツアー」を成功させたのである。イングランドの歴史ある都市レスターを出発し、11マイル離れた到着地ラフバラーで禁酒大会に参加し、またレスターに戻る。それを1シリングという低価格で提供したのである。たった1日の日帰り旅行中に酒を飲まないだけで「禁酒」と言えるかどうか疑問だが、それほどひどいアル中に悩まされていた人が多かったのかもしれない。

万博ツアーの社会的意義とは？

その最初の団体旅行成功の10年後、トマス・クックは、1851年ロンドン万博でも本格的に団体旅行を導入することになる。

1851年ロンドン万博を間近に控えたある日のこと、リバプールに向かう途中、たまたま乗り換えたダービー駅で、トマス・クックは偶然、ミッドランド鉄道会長ジョン・

エリスと、「クリスタル・パレス」の設計者ジョセフ・パクストンと出会ったのだ。エリスから、万博用のパックツアーを企画するように依頼され、トマス・クックは地方に住む人々のための万博ツアー企画を本気で考えるようになった。

そのころの労働者階級が地方からロンドンまで汽車を使って旅行する、というのは経済的にかなり難しかった。その点、トマス・クックが考えたパックツアーは、毎月の旅費積み立てのシステムに加えて地元有力者からの寄付を原資にし、誰もが参加しやすくなっていた。今でいうフィランソロピー（社会貢献や慈善活動）の先駆《さきが》けである。

ロンドン万博は、「労働者階級への社会教育」をその目的の一つとしていたということもあり、なんとか労働者階級にこの万博を見せたいという気持ちがトマス・クックにも、地元の有力者たちにも、またパクストンたちにもあったのだろう。まさに運命的な出会いである。

当時のイギリスでは、身分の違う者が同じ空間にいること自体が考えられないことだった。だから、「王候貴族も、労働者階級の人々も一緒に受け入れよう」というロンドン万博のコンセプトは、相当に画期的なものだった。もちろん、曜日によって、入場料が安い日と高い日とがあり、高い日には身分の高い人が、安い日にはそうでない人々が来場するように、自然と誘導はされていたものの、頻繁《ひんぱん》に「クリスタル・パレス」を訪れていたヴィクトリア女王と、トマス・クックのパックツアーで訪れた一般の人々が同じ空間を共有する、ということもこの万博では珍しくはなかったのである。

トマス・クック社のその後

トマス・クックはこの万博でのパックツアー大成功の後、海外旅行にも事業を拡大した。彼の設立した会社は、世界屈指の旅行会社「トマス・クック・アンド・サン社」へと成長、「トマス・クックAG」となり著名な旅行会社として営業していた。しかし、冒頭に述べたように2019年9月に倒産することになってしまった。ちなみにこれは2020年以降に世界を席巻した新型コロナウィルスの影響前であり、倒産の原因は、おもにヨーロッパ諸国の熱波やブレグジットの影響による海外旅行の減少、オンライン旅行会社の隆盛などによるものではないかと考えられている。

そしてその後、トマス・クックをめぐっていろいろな会社が買収等で動いていたようだが、世界で展開していた事業を一括で引き受ける会社はなく、国別や業務別にいろいろな会社が引き継ぐことになった模様である。

しかし「トマス・クック」というブランド名自体は倒産後も残ることになりそうだ。今も thomascook.com というホームページは存在し、それによると、Club Med のオーナーでもある中国復星国際グループが、ハートのロゴとともにトマス・クックブランドを買収した、とある。

THE POUND AND THE SHILLING.
"Whoever Thought of Meeting You Here?"

さまざまな人が行き交ったロンドン万博
出典：国立国会図書館「博覧会―近代技術の展示場」

8 イギリスのものだった「アメリカズカップ」

ニューヨークへの招待状

「アメリカズカップ」は世界最高峰のヨットレース、といって間違いないだろう。

１５０年以上もの歴史があるこのレースは、４年に1度開催されるもので、前回の優勝チームと、その挑戦権をかけて戦う「プラダカップ」の優勝チームとのマッチレースである（２０１7年開催の第35回までは「ルイ・ヴィトンカップ」という名称であったが、スポンサーが代わったため「プラダカップ」に変更された）。

このレースの誕生のきっかけとなったのは、１８５１年の2月22日、伝統あるイギリスのヨットクラブ「ロイヤル・ヨット・スクォードロン」の会長、ウィルトン伯爵が、「ニューヨーク・ヨットクラブ」の初代会長ジョン・コックス・スティーブンスに、「ロンドン万博を記念したヨットレース」の招待状を出したことだった。

「ロイヤル・ヨット・スクォードロン」は、１８１5年創設の、世界でもっとも伝統あるヨットクラブである。一方、「ニューヨーク・ヨットクラブ」は、アメリカで最初のヨットクラブというわけでもなく、１８４4年に創設されたばかりの、当時としてはできたてほやほやのクラブといってよかった。イギリス国民のほとんどが、「大英帝国の由緒《ゆいしょ》あるヨットクラブが、新興国アメリカの、創設後たった7年しかたっていないヨットクラブに負けるわけがない」という空気だったのは、当然のことだろう。

「ニューヨーク・ヨットクラブ」は、敢然《かんぜん》として、その名も「アメリカ」と名づけられたヨットを、イギリス南部、ロンドンから南西に下ったソレント海峡に浮かぶワイト島に派遣することにした。「アメリカ」は長さ101フィート3インチ（約30メートル強）で、船の形も、帆装も、イギリス流の伝統的なヨットとはまったく違ったタイプだった。当時は今と違って、ハンディキャップ規則もなく、ヨットや帆の大きさには何の規制もなかったのである。

圧倒的に速かった「アメリカ」

1851年8月22日金曜日、ヴィクトリア女王とアルバート公の見守る中、ワイト島を1周（51マイル＝約81・6キロ）するという、この歴史的なヨットレースの火蓋《ひぶた》は切って落とされた。

レースは、「アメリカ」を含む15艇のヨットによって朝の10時きっかりにスタートした。事前の予想を裏切って、ナイフのような形をした「アメリカ」のスピードにはすさまじいものがあった。14艇のイギリスのヨットに対して、孤軍奮闘の「アメリカ」が完全に独走。言い伝えによると、レースを見ていたヴィクトリア女王の、「どこが1番ですか?」との質問に、「『アメリカ』です」との答えが返り、さらに女王が「誰が2番ですか?」と問うと、のちに「アメリカズカップ」を象徴する言葉として使われる、「陛下、2番手はありません（Your Majesty, there is no second.）」との言葉が返ってきたという。そのとき2番手を走っていた「オーロラ」は5〜6マイルも後

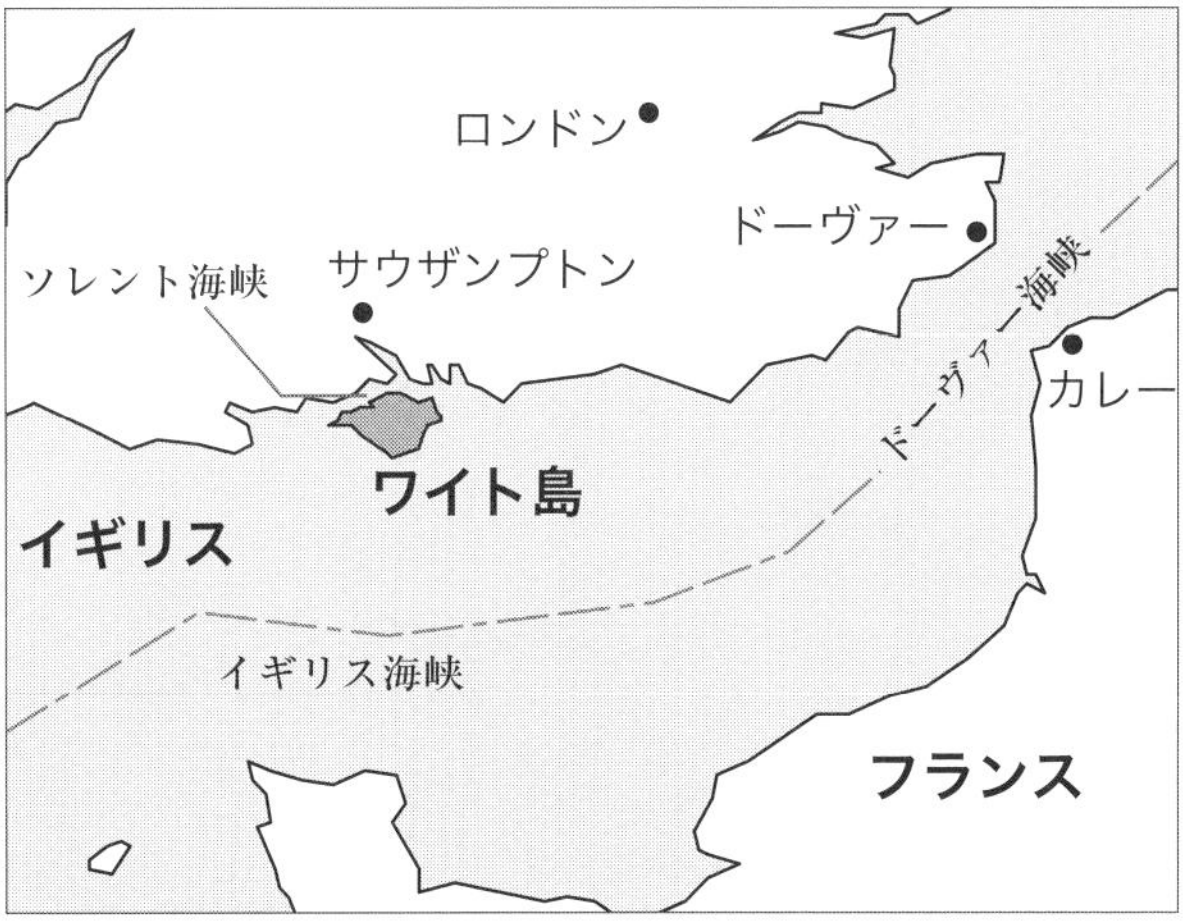

ろにおり、その姿がまったく見えなかったということだろうが、それほどに「アメリカ」は、圧倒的に他を引き離していたのである。

「100ギニーのカップ」

結局、「アメリカ」は、その夜8時37分にトップでレースを終えた。このレースの勝者には、女王から贈られる銀製の「100ソブリンのカップ」が用意されていた。この「100ソブリンのカップ」は、高さ27インチ（約68・6センチ）、134オンス（約3・8キロ）の重さのカップであったが、「アメリカ」のオーナーたちは、こうして、この「100ソブリンのカップ」をアメリカに持ち帰ってしまったのであった。

このカップは「100ポンドのカップ」とか、「100ギニーのカップ」とも呼ばれていた。「100ソブリンのカップ」の「ソブリン」とは、「1ポンド金貨」のことを指すが、当時、イギリスでは「1ギニー＝21シリング」、「1ポンド＝20シリング」ということで、「ギニー」と「ポンド」はわずかに違う単位だった。

当時、アメリカ人は「ギニー」と「ポンド」を同じ単位と思って使っていたといわれており、このカップはアメリカ人からは「100ギニーのカップ」と呼ばれていた。

ちなみに、この「アメリカ」は、レース後、そのオーナーたちによってイギリスで売られてしまった。「アメリカ」の製作費は2万ドルだったが、オーナーたちはそれをイギリス人に2万5000ドルで売ったのである。「100ギニーのカップ」に加え、5000ドルという利益をこのレースによって得たともいえるが、「アメリカ」はその後、参考となった。

「カミラ」と名前を変え、イギリスのヨット技術の進化への

「アメリカズカップ」の始まり

さて、この「100ギニーのカップ」については、溶かして、オーナーたちのための記念品を作ろうという話もあったが、結局「アメリカ」のオーナーたちの間で共有、ということになった。

その後、1857年7月8日に、「ニューヨーク・ヨットクラブ」に寄贈され、そのときからこのカップを勝ち取った「アメリカ」にちなんで、カップは「アメリカズカップ」と呼ばれることになった。そして、1870年から、このカップをめぐる世界最高のヨットレース「アメリカズカップ」が始まった。

1899年からは、紅茶にその名を残すイギリスのサー・トーマス・リプトンが資産をつぎこんでこのレースに挑戦し続けたが、アメリカに勝つことができなかった。挑戦は5回にもおよんだという。こうして、アメリカは、1983年にオーストラリアに譲り渡すまで、実に132年間にわたって、この「100ギニーのカップ」を持ち続けたのだった。

アメリカズカップ

9　万博最初の「環境問題」とは

ハイド・パークの巨木

１８５１年、第1回ロンドン万博の「クリスタル・パレス」。実は完成までには大きな「環境問題」をも乗り越えていた。

「クリスタル・パレス」が建てられたハイド・パークには、大きな3本の楡《にれ》の木が立っていた。当時は現在ほど環境全体への問題意識があったわけではないだろうが、ロンドン市民にとって樹木は親しみを感じるもので、特に目立つこの3本の巨木が「クリスタル・パレス」建設のために切られるとわかったとき、当然のように大きな反対運動が起こった。

万博はその第1回から、すでに環境問題に直面していたのである。

初め「クリスタル・パレス」は「巨大な温室」といった感じの、天井部分が平らなデザインだった。しかし、反対運動を受け、設計者だったジョセフ・パクストンは、3本の木を切らずにすむように、建物の天井の中央部分を半円形に盛り上げるよう設計し直し、それらの木々を「クリスタル・パレス」内に取りこんだ。

その結果、特徴のあるデザインとなり、親しみやすいやわらかみのある印象的な建物に変わったのであった。

初の万博開催にまつわる不安

自然環境問題以外でも、「クリスタル・パレス」に対して不安に感じる人は多かった。鉄とガラスでは、風で倒れてしまうのではないか、夏など熱で鉄が膨張して壊れてしまうのではないか、大勢の入場者に耐えられないのではないか、などなど。

また、万博自体に対しても、浮浪者がロンドンにあふれてしまうとか、暴行や強盗、スパイが横行するだろうとか、深刻な食糧不足になるだろうとか、海外から病原菌が持ちこまれるのではなどといった「環境問題」に危機感をおぼえ、開催に反対する人々も多かった。

事実、伝染病は当時非常に大きい問題で、19世紀にはヨーロッパで何回かコレラが大流行している。1873年ウィーン万博も当時流行していたコレラの影響で大幅に入場者数が減った。昨今新型コロナウイルスが世界を席巻しているが、このため2020年開催予定だった東京オリンピック・パラリンピックやドバイ万博も、2021年開催へと延期されたほどの影響があった。ワクチンや医療技術が今ほど発達していなかった当時としては、万博開催反対も決して的外《まとはず》れな危惧ではなかったであろう。

万博反対派「第1号」？

さて、アルバート公の給料減額を主張した議員、チャールズ・シブソープ大佐は、反対運動の急先鋒《きゅうせんぽう》で、ありとあらゆる機会をとらえては、万博反対を訴え続けた。今でも脈々と連なる万博反対派の「第1号」とでもい

楡の木を取り込んだ「クリスタル・パレス」の内部
出典：国立国会図書館「博覧会―近代技術の展示場」

えるだろう。

メディアでは、「ザ・タイムズ」紙は反対の急先鋒であった。しかし、建物が着工されて形が見えてくると、論調は徐々に変化していき、開会式を迎えるころになると、とうとう百八十度変節し万博絶賛を謳《うた》うようになる。どの時代にもこういうメディアはあろうが、この「クリスタル・パレス」のあまりにも圧倒的な存在感が反対意見を変えさせたともいえよう。

一方、『資本論』で有名なカール・マルクス（1818～1883）は、万博が開催されてからも批判を続けていた。* マルクスは１８４９年からロンドンに住んでおり、万博を訪れている。彼は「クリスタル・パレス」を「ブルジョアのパンテオン」** と呼び、「この万博は近代巨大産業がいたるところで製品の地方色や各民族の社会的関係や特色を消していき、国家の障壁を破壊している、その集中的暴力の明白な証拠である」*** と痛烈に批判している。これは現在の「グローバリゼーション」への批判と通ずるものであろう。

いつの時代にも、万博は巨大な国家事業であるだけに、賛成、反対と、大きな波紋を呼ぶイベントである。

＊マルクスが『資本論』を刊行するのは、ロンドン万博後の１８６７年以降のことである。

＊＊『絶景、パリ万国博覧会　サン＝シモンの鉄の夢』（鹿島茂著　小学館文庫）

＊＊＊『20世紀の国際博覧会と博覧会国際事務局』（マルセル・ガロパン著　財団法人２００５年日本国際博覧会協会発行）

10 ヘレンド、ミントン、ウェッジウッドの華麗な競演

万博は世界ブランドへの契機

革製品などで有名なルイ・ヴィトン、エルメスなどのブランドも万博で名を挙げることになるのだが、陶磁器やグラス、銀器などのブランドも万博では大きな存在感を発揮していた。

第1回の1851年ロンドン万博で、早くもわれわれの知る多くのものを確認することができる。

この万博で、フランスからはセーブルの陶器やゴブランの絨毯《じゅうたん》、クリストフルの銀器が登場していた。また、ドイツのマイセンの磁器、ボヘミアングラス、カシミアのショールなども展示されている。さらに、ヘレンド、ミントン、ウェッジウッドなど、現在も人気のブランドが各国から出展しており、これらのブランドは、このロンドン万博を契機に世界ブランドとして発展していく。

女王や皇后のお墨付き

ヘレンドは、ハンガリーの首都ブダペストの南西約110キロ、バラトン湖近くの小さな村ヘレンドに生まれた磁器窯で、1826年から磁器の製造が始まった。

ヘレンド「インドの華」
写真提供／クラブ　ヘレンド
ジャパン本店

このロンドン万博で、ヘレンドの磁器はヴィクトリア女王に認められ、御用達《ごようたし》になる栄誉を賜《たまわ》った。このとき作られたのが、現在「ヴィクトリア・ヒストリック」と呼ばれているコーヒーセットで、これによってヘレンドは世界的に認められるブランドになっていく。

またヘレンドは、1867年パリ万博においても、ナポレオン3世の妃ウジェニー皇后からディナーセット「インドの華」を買い上げられ、これはのちにヘレンドの代表作として評価されることになる。この「インドの華」は、東インド会社によってもたらされた日本・有田の酒井田柿右衛門《さかいだかきえもん》の陶器の絵柄がモチーフとなっており、ウジェニー皇后が買い上げた後、ハプスブルクのフランツ・ヨゼフ皇帝を迎える晩餐会に使用されたという。そしてこのフランツ・ヨゼフ皇帝は、その即位25周年を祝って1873年ウィーン万博が開催されたという、万博ゆかりの皇帝だった。

さて、1851年ロンドン万博に戻ろう。この万博でイギリスのミントンは、巨大な磁器の花瓶を2つ展示していた。一つは、青緑色、もう一つは青色のもので、いずれも、銀色と金メッキの取っ手がついているものであった。

また、ジョサイア・ウェッジウッド1世（1730〜1795）によって、1759年にイギリス・バースレムのアイビー・ハウスで創業することになったウェッジウッドも、大きな花瓶などを展示していたし、イタリアのジノリも出展していた。

この万博ではクリストフルも銀器を出展していたが、そのクリストフルやガラス器メーカーのバカラといったフランス勢が本格的にプレゼンスを発揮するのは、この後の

1855年パリ万博以降になる。

11　最初は蒸気、次は水圧、エレベーター

オーティスの画期的発明

いまやエレベーターのない生活なんて考えられないほどだが、その歴史は思いのほか古い。人力で綱《つな》を巻き取って籠《かご》を上下させる原始的な形では、紀元前からあったようだが、人力ではない駆動の形式のものは、1851年、第1回ロンドン万博で登場した。

それはオーティス社製で、荷物運搬用として使われていたものだ。もちろん今のような電気式ではなく、蒸気によるものだった。このエレベーターは話題にはなったが、ロープで籠を吊《つ》る形式で、ロープが切れた場合の安全性に問題があり、まだ人間は乗せられなかった。

アメリカ人イライシャ・オーティス（1811～1861）は、ロンドン万博の後、1853年にはエレベーターのブ

1853～54年ニューヨーク万博でのオーティスのデモンストレーション

レーキに関する安全装置で画期的な発明をし、その年から開催されたニューヨーク万博で有名なデモンストレーションをおこなった。

オーティスは、自らエレベーターに乗りこむと、いちばん上までエレベーターを上げ、そこでエレベーターを吊っているロープをわざと自分で切った。観衆が固唾《かたず》を呑んで見守る中、急降下しそうなエレベーターは、彼の考案した安全装置によって、何事も起こらず止まったままだった。そこで彼は帽子をとって言った。

「まったく安全です。皆さん（All safe, gentlemen, all safe.）」

このときのオーティスの言葉は、長い間語り草となっていた。

高性能を誇った水圧式

オーティス社はその後も、1876年フィラデルフィア万博などで出展を重ね、1889年第4回パリ万博で建てられたエッフェル塔には、5基のうち2基の水圧エレベーターを導入している。

一方、1867年第2回パリ万博では、アメリカのオーティス社に対抗してフランス人レオン・エドゥーの水圧式エレベーターが登場した。

エドゥーのエレベーターは、この万博のメインビルディング「シャン・ド・マルス宮」の高さ25メートルの屋根に備えつけられた通路まで、荷物ではなく来場者

レオン・エドゥーの水圧式エレベーター
出典：国立国会図書館「博覧会―近代技術の展示場」

を実際に運ぶ役割を果たした。当時、こういう方法で高いところに上る経験を持たなかった民衆にとって、このエドゥーのエレベーターは驚異で人気の的《まと》となったという。2021年のNHK大河ドラマ『青天を衝《つ》け』を見られた方も多いと思うが、その中で渋沢栄一が「シャン・ド・マルス宮」の屋上まで乗ったのはこのレオン・エドゥーの水圧エレベーターだった。

また、1878年第3回パリ万博でも、エドゥーのエレベーターは活躍する。この万博のために建てられた「トロカデロ宮」の左右の塔に設置されたのだ。このときの水圧式エレベーターは60人乗りと大型になり、かなりのスピードで動いた。驚く乗客のために、壁にスピード計が取りつけられていたという。

その後エドゥー社のエレベーターも、エッフェル塔に1基取りつけられることになる。こうしてエッフェル塔の水圧式エレベーター5基のうち、2基がオーティス社製、1基がエドゥー社製ということになったが、残りの2基はフランスのルー・コンバルジェ・ルパップ社製だった。*

漱石も体験した世界一のエレベーター

これらのエレベーターを利用して、1889年パリ万博会期中、200万人もが300メートルのエッフェル塔に上った。その中には英国皇太子エドワード（ヴィクトリア女王とアルバート公の長男、後のエドワード7世）、発明王トーマス・エジソン、人気女優のサラ・ベルナールなどもいたという。

1900年第5回パリ万博では、日本から訪れた夏目《なつめ》漱石《そうせき》もエッフェル塔に上った。

*『エッフェル塔展覧会カタログ』（麻布美術工芸館）

漱石は、この万博のことを、その年、明治33年10月23日、自宅宛の書簡で次のように書いている。

「今日ハ博覧会ヲ見物致候ガ大仕掛ニテ何ガ何ヤラ一向方角サヘ分リ兼候名高キ『エフエル』塔ノ上ニ登リテ四方ヲ見渡シ申候是ハ三百メートルノ高サニテ人間ヲ箱ニ入レテ綱条ニツルシ上ゲツルシ下ス仕掛ニ候博覧会ハ十日や十五日見ニ《テ》モ大勢ヲ知ルガ積《せき》ノ山カト存候」

日本でも1890年、すでに浅草の凌雲閣に初めて電動式の近代的エレベーターが設置されてはいたものの、この世界一高いエッフェル塔のエレベーターには、漱石も相当驚いた様子である。

現在、エッフェル塔では1983年に設置された4基のエレベーターが動いており、すべてオーティス社製となっている。

12 元祖「オフィシャル・ドリンク」とは

ノン・アルコール飲料などで巨大な利益

今ではもう、オリンピックやワールドカップなどのビッグ・イベントで、さまざまな商品ジャンルで企業がお金を払い、オフィシャル・スポンサーとして公式販売や広告でのロゴマーク使用などの権利を買うのは当たり前になっているが、1851年第1回ロンドン万博ですでに「オフィシャル・ドリンク」とでもいうべき権利が発生していた。

ロンドン万博の会場、「クリスタル・パレス」の中での飲食物専売権を、今でも飲料ブランドとして有名な、シュウェップスが5500ポンドで獲得していたのである。

この「クリスタル・パレス」内では、禁酒、禁煙、禁犬（犬の同伴禁止）で、アルコールが駄目ということもあって、ノン・アルコール飲料の供給元であったシュウェップスは多大な利益を得た。会場内で4つの大きな軽食堂の営業をおこなったシュウェップスは、ソーダ水、レモネード、ジンジャー・ビアーなど、半年で109万2337本という数のドリンクを売りさばくことになる。* 全体の入場者数が600万人強であるということを考えると、飲料水以外でも巨大な利益を得たであろうことは容易に想像される。

シュウェップスのソーダ水は6ペンスという値段だったが、ちなみに、1851年ロンドン万博の入場料は、

開会から2日間（5月1日、2日）……1ポンド
5月3日から5月22日まで ………5シリング
その後は　月曜日〜木曜日 ……1シリング
金曜日 ……………2シリング6ペンス
土曜日 ……………5シリング

＊『水晶宮物語――ロンドン万国博覧会1851』（松村昌家著 ちくま学芸文庫）

というものであった（日曜日は休み）。

それぞれの単位は、1ポンド＝20シリング、1シリング＝12ペンスという換算式である。シュウェップスのソーダ水は、月曜日～木曜日の入場料の半額という値段設定だったことがわかる。

さて、ここでちょっと計算してみよう。

仮に109万2337本売れたドリンクがすべてソーダ水（6ペンス）であったとすると、売り上げは655万4022ペンス＝2万7308ポンドであるから、権利料の5500ポンドを支払っても、飲料だけで2万2000ポンド近い収入を得たことになる。

このノン・アルコール飲料以外にも、シュウェップスは4つの軽食堂で、蒸気冷蔵庫によって凍らせた氷（1シリング6ペンス）やサンドイッチ、コーヒー、紅茶、ミルクなどを売っていたから、その収益は合計するともっともっと大きなものになっていたに違いない。

ロゴに残されたクリスタル・パレスの噴水

シュウェップスのロンドン万博での大成功が、現在でも続く「オフィシャル・ドリンク」システムの基礎を築いたといってもいいであろう。

ちなみに、1999年にシュウェップスブランドを買収した（一部の国を除く）コカ・コーラ社のホームページによると、シュウェップスは1783年に誕生した世界初の炭酸飲料ブランドで、1837年には英国王室御用達の認定を受けたとのこと。また、シュ

現在のシュウェップストニックウォーターとロゴ
画像提供：日本コカ・コーラ株式会社

ウェップスのロゴの中に描かれている噴水は、1851年ロンドン万博会場「クリスタル・パレス」内の大きな噴水を描いたもの、ということだ。なるほど、シュウェップスのロゴも万博の名残だったのだ。

13 クリストフルとバカラ、競争と協力

クリストフルとパリ万博

クリストフルは、シャルル・クリストフルとシャルルの義兄ジョゼフ・アルベール・ブイエが、1830年に創業したフランスの銀器メーカーである。彼らは、化学者のルール伯爵が取得していた電気銀メッキ法の特許を買い上げ、銀メッキによる銀器の製作を始めた。そして1855年、1回目のパリ万博にさまざまな銀器を出展し、グランプリを獲得することとなる。この万博で、ナポレオン3世は1200人分の銀食器をクリストフルに注文したという。

クリストフルは、その後の万博でも出展を重ねていく。19世紀パリでは、1855年、1867年、1878年、1889年、1900年と5回の万博が開催されているが、その2回目となる1867年パリ万博において

クリストフルの銀食器展示場（1855年）出典：国立国会図書館「博覧会 — 近代技術の展示場」

は、再び社の製品を集めた小サロンを出展している。また、1878年第3回パリ万博では、ジャポニスム風デザインによる室内装飾品を出展した。

バカラ村から万博で世界ブランドへ

同じくフランスのガラス器メーカーのバカラは、1855年第1回パリ万博において、天然水晶製の2つのシャンデリアなど、全部で953点にもおよぶガラス作品を出展しグランプリを獲得した。バカラの出展の中には「ローハン」のシリーズも含まれていたが、その「ローハン」は、今もバカラショップで買い求めることができる。

バカラの歴史は、1764年、時の国王ルイ15世が、メッツ市司教であるモンモランシー・ラバルに対して、フランス東部ロレーヌ地方バカラ村でのガラス工場設立を許可したところから始まる。その後バカラは、1816年には初めてクリスタルガラス製作に着手する。1823年には、王室から初めての注文を受けている。そして、1855年パリ万博でのグランプリ獲得という栄誉への道をたどるのである。

クリストフルと同じく、この万博で世界ブランド化に弾みのついたバカラは、1867年第2回パリ万博において、再び出展し、大きな成功をおさめる。この万博では、高さ7・3メートルの大噴水や、重さ100キロのシャンデリアをはじめとして、花瓶、さまざまな食器、壺などを出展している。特に「地のアレゴリー」「水のアレゴリー」と名づけられた一対の壺（通称「サイモン・ヴェース」）は、高い評価を得、この作品を製作したジャン・バティスト・シモンは伝説的な存在となった。バカラはこの万博でも、グランプリを獲得している。

「ローハン」のシリーズ
写真提供／バカラ パシフィック

バカラのクリスタルガラス製品展示場（1867年）
出典：国立国会図書館「博覧会―近代技術の展示場」

万博で受け続けた高い評価

1855年第1回パリ万博から万博に関与し、1867年第2回パリ万博の総合プロデューサーであったミシェル・シュヴァリエは、「バカラには他の国に知られていない製作力がある。意匠の見事さ、作品の量に加えて、誰もクリスタルでこんな大きなサイズのものを作るとは思ってもみなかった*」と述べている。

続く1878年第3回パリ万博には、1000点の作品を出展。またしてもすごい数である。これまた今でも購入可能の「カプリ」のシリーズもこれに含まれていた。このときの出展作にはジャポニスムを取り入れたものが多く見られ、デザイン的にかなりの進化を遂げている。この1878年パリ万博においても、バカラはグランプリを獲得している。

「ル・パンテオン・ド・ランデュストリ」紙は、このときのバカラの展示について、「6本のコリント式円柱に支えられた、高さ6メートルのギリシャ神殿を見ただけで、この小さな建築物を建てた工場の力を推測できる。均一な色と質の部品を成形し、カットし、組み立てるのは容易でなかったに違いない」

「バカラ社は趣味の良い人々と芸術家を意識し、クリスタル工芸をもっとも洗練された形で提供しているメーカーである**」

と評している。

クリストフルとバカラの共同パビリオン

時代は下り、1925年パリでおこなわれた「装飾芸術・現代産業万博」（通称「アール・

＊『Baccarat L'ART DE VIVRE 1996』より抜粋。

＊＊『Baccarat L'ART DE VIVRE 1996』より抜粋。

デコ万博」）では、クリストフル社とバカラ社の共同パビリオンが造られた。このパビリオンは、デザイナー、ジョルジュ・シュヴァリエの設計によるもので、「噴水」というテーマで展開されていた。このときバカラから出展された、滝をイメージした3メートルのシャンデリアはシドニーのシアター・ロイヤルへ、台座が四角いグラスセットは、のちに英国皇太子に納品されている。

14 ナポレオン3世の戦略商品「フランス・ワイン」

万博で始まった格付け

フランス・ワインが世界に名だたるブランドとしての地位を築いたのは、今から約165年前、1855年第1回パリ万博のときであるといわれている。

ナポレオン3世は、この万博を契機にして、ボルドーの赤ワインに格付けをおこなった。現在も使用されているアペラシオン（原産地統制呼称＝AOC）のもとになる格付けで、その結果、メドック地区のシャトー約60の赤ワインが、1級から5級までの5段階で格付けされることになった。

そのとき第1級として選ばれたのは、メドック地区の「シャトー・ラフィット・ロートシルト」「シャトー・マルゴー」「シャトー・ラトゥール」、そして

ナポレオン3世
Metropolitan Museum of Art,
online database

グラーブ地区の「シャトー・オー・ブリオン」という、今でも有名な４つのワインであり、これらがこの万博で金賞等を受賞している。現在でも、１８５５年に格付けされたことを示す記述がされたワインのラベルを見かけるが、これは、もともとこの１８５５年パリ万博から始まったのである。

メドック地方は、フランス南西部に位置し、地理的に暖かく、やせた石炭質の砂利状の土が太陽熱を吸収、放射して、甘く良質なブドウを育てるのに向いていた。18世紀から本格的なブドウ栽培が始められ、19世紀には、ラフィット、ロスチャイルド、ペレールなどの資本家の投資によって、主としてイギリスに輸出する高級ワインを産出するシャトーが多く建てられていた。

さて、ＡＯＣの第１級のワインだが、１８５５年から現在にいたるまで、前述の４つに加えてわずかに一つが、１００年以上もたった１９７３年につけ加えられたにすぎない。そのワインとは、「シャトー・ムートン・ロートシルト」であり、このワインは１８５５年当時、２級と格付けされていたものだった。第１級は今でも世界にたった５つというわけである。その貴重さがわかるというものだろう。

また、ブルゴーニュのロマネ・コンティやシャンベルタンも、このパリ万博で金賞を受賞し、フランス・ワインが世界に認められるきっかけになった。

パスツールの画期的研究もグランプリ獲得

さらに、次の１８６７年第２回パリ万博において、フランス・ワインが発展する契機となる出来事が起こる。細菌学者のルイ・パスツール（1822～1895）が、ワインに関す

ＡＯＣ第1級のワイン
右から
「シャトー・オー・ブリオン」
「シャトー・ムートン・ロートシルト」
「シャトー・マルゴー」
「シャトー・ラトゥール」
「シャトー・ラフィット・ロートシルト」
出典：https://gcc-1855.fr

る低温殺菌法（英語ではその名もパスツーリゼーションという）をこの万博において発表し、グランプリを獲得したのである。

パスツールは、１８２２年12月27日、フランスのジュラ県ドールで生まれている。化学関係の研究を続け、発酵と腐敗への細菌の関与について研究し、さらに病原菌などの研究をおこなった。ワクチン法の基礎を築き、１８８５年には、狂犬にかまれた少年にワクチンによる処置を初めて試みたことは特に有名である。

その彼が、１８６５年にワインの発酵についてのテストをおこない、華氏１２２～１４０度（摂氏50～60度）で殺菌したワインは悪くならず日持ちすることを確認し、「低温殺菌法」を発見したのである。この低温殺菌法は、すぐに牛乳にも応用され、これ以来、牛乳は格段に日持ちするようになっていく。

そして、この低温殺菌法により、グランプリを獲得したパスツールは、その功績によって、パリ万博のあった１８６７年、ソルボンヌ大学の化学教授に任命された。

パスツールの発見は、ワイン業界に大きな影響を与えた。この低温殺菌法によって、より日持ちするようになったフランス・ワインは、近隣諸国だけでなく、世界各国への輸出が可能となり、以後フランスの代表的な産業として発展することとなる。

15 万博の反逆児クールベ

第1回パリ万博で開催された美術展

万博は産業分野の展示が多いと思われがちだが、美術の分野でも大きな役割を果たしてきた。万博は絵画でもさまざまな話題を提供しているのである。

１８５１年の第1回ロンドン万博では、芸術分野では「産業と関係のあるもの」のみが展示され、絵画の展示はなかった。すなわち、彫刻、建築、版画、ウェッジウッドなどの工芸品のみが展示された。

しかし、１８５５年第1回パリ万博は「農業、産業、美術の万博」と謳《うた》われ、美術展専用会場がモンテーニュ大通りに造られることとなった。そしてそこでは、ドラクロワ、アングル、ドゥカン、ヴェルネの４人の画家に、それぞれ1室が与えられた。

ところがこのとき、会場の外、美術展パビリオンに向かい合う場所に独自の会場を造り、独自の「個展」を開いた画家がいた。写実主義で有名な画家、ギュスターヴ・クールベ（1819～1877）である。

クールベの「レアリスム展」

クールベは、『石割り人夫』『こんにちはクールベさん』など11点については万博会場での展示が認められたものの、この万博のために描いた大作『画家のアトリエ』や『オルナンの埋葬』が落選して出展を拒否されたため、それらの作品約40点を、万博会場外の個展会場で展示した。そして、この「レアリスム展」こそが美術史上初の「個展」と

１８６７年第２回パリ万博時のクールベ個展会場

いわれることもあるが、実は18世紀〜19世紀前半にかけてジャック＝ルイ・ダヴィッドやオラース・ヴェルネなどによってすでに個展は開かれていた＊。

なのでこの通説は誤りのようだが、少なくともこれが「万博史上初めての『万博会場外個展』」とはいってもいいのかもしれない。この個展への入場料は1フラン（現在の1000円〜2000円くらいかと思われる）に設定されていたということだが、残念ながら来場者はクールベが期待していたほどではなかったという。

当時、歴史画や宗教画といった作品のほうが芸術と称され、現実の労働者や農民の姿を、美化せず、ありのままに描くクールベの手法はなかなか世間に受け入れられなかった。さらに、当時もっとも権力を持ち、万博開催を主導していたナポレオン3世を非難するサイドにいたことも関係しているように思われる。

落選した『画家のアトリエ』にしても、真ん中の画家を境にして、右側にはクールベのパトロンや詩人ボードレールなど、彼の理解者が描かれている。一方、左側には、詐欺師など「悪なるもの」が描かれているとされるが、この左側にいる密猟者の顔はナポレオン3世そっくりに描かれていたのだから、為政者側としてはこの絵を受け入れるわけにはいかなかったのだろう。逆にいえば、よく万博会場内で11点もの作品の展示が許されたものである。

万博をめぐる画家たちのドラマ

続く1867年第2回パリ万博でも、クールベは4点の作品を万博会場で展示す

＊『世紀の祭典　万国博覧会の美術　図録』：「伝統とモデルニテ――パリ万博と美術家たち1855〜1900年」高橋明也

ギュスターヴ・クールベの大作、落選した『画家のアトリエ』

るとともに、再び会場外で個展を開いた。

この万博では、メソニエ、カバネル、ジェロームといった伝統的な手法の画家に話題が集まった。エルネスト・メソニエ（1815～1891）などは、万博の主催者ナポレオン３世を讃える『ソルフェリーノの戦場におけるナポレオン３世』といったクールベとは対極の作品を出展し、見事グランプリを受賞している。とてもわかりやすい受賞だ。

またエドゥアール・マネ（1832～1883）は、『１８６７年のパリ万国博覧会』という、この万博の会場風景を描いた絵を残しているが、マネ自身の絵は万博には出展されず、自分の個展会場で『草上の朝食』『オランピア』などを独自に展示した。クールベに続く、万博会場外個展開催であるが、これは１８７４年に第１回が開催される「印象派展」の先駆けとなるものだった。

余談だが、この１８６７年パリ万博では、万博美術展会場内でジャン＝フランソワ・ミレー（1814～1875）に一室が与えられ、『落穂拾い』『晩鐘』など、われわれになじみの深い作品も含め９点が展示されている。ミレーは１８５５年パリ万博でも『接ぎ木をする農夫』を出展したが、このときは特に評判にもならず終わっていた模様である。12年の間に大きく評価が上がったということがうかがえる。

また、クールベ、マネの後も万博美術展会場外で個展を開く画家は存在していた。ポール・ゴーガン（1848～1903）は、１８８９年第４回パリ万博において作品が展示されなかったエミール・ベルナールなど、のちにポン・タヴェン派と呼ばれることになる画家７人とともに、シャン・ド・マルスの万博会場内の「カフェ・ヴォルピーニ」の

エドゥアール・マネの『１８６７年のパリ万国博覧会』
Photo:National Gallery of Norway

壁を借りて作品を展示した。「万博会場内」ではあるが「万博美術展会場内」ではない、という新しい試み(?)である。知らない人には、少なくとも「万博会場で自分の作品が展示された」と言えそうだ。

ちなみに、この1889年パリ万博では、かつて万博から排除されており、1883年に死去していたマネの作品14点が万博美術展会場内で展示されていたのであった。

16 エルメス、ヴィトンも万博から世界ブランドへ

エルメスの銀メダルとグランプリ

「エルメス」が1867年第2回パリ万博で銀メダルを取り、その名を挙げるきっかけになったもの、というと、どんな製品だとお思いになるだろうか?

スカーフ? 鞄? 正解は「アマゾーヌ」という名の女性用の鞍《くら》である。

「エルメス」の創業者ティエリ・エルメス(1801~1878)は、現在のドイツのクレフェルドという町の生まれである。クレフェルドは、当時ナポレオンによってフランス領となっており、ティエリはフランス国籍だった。13歳にしてパリに出て、馬具職人の見習いとして働くようになり、1837年、マドレーヌ寺院のそばで「エルメス」を創業した。そして、その30年後のパリ万博で銀メダルを獲得し、「エルメス」の名はフランス

中に広まることになったのだ。

1878年、第3回パリ万博の年、1月に亡くなったティエリの後を継いだ息子シャルル・エミール・エルメスは、11年ぶりに再び鞍を出展し、ついに悲願のグランプリを獲得している。その受賞をきっかけとして、1880年、現在「エルメス」の本店があるフォーブル・サントノーレ街24番地に社屋を構えることができたのである。

その後も「エルメス」は万博に出展を続け、1889年第4回パリ万博でも鞍がグランプリを受賞した。「エルメス」が世界ブランドへの道を歩むようになったのは、万博のおかげといっても過言ではないかもしれない。

第2回パリ万博で銅メダル受賞のルイ・ヴィトン

一方、ルイ・ヴィトン（1821～1892）がパリで旅行鞄店を創業したのは、1854年のことだった。

ルイ・ヴィトンは、フランスはジュラ山脈のアンシェイ村で生まれた。14歳のとき、徒歩でパリに向かい、見習いとして働き始めたという。そして1854年、旅行用トランク専門店「ルイ・ヴィトン　マルティエ」を創業。

その後ルイ・ヴィトンは、1858年、防水剤を表面に塗って革より

1878年パリ万博の成功を祝した休日を描いたクロード・モネの『サン＝ドニ街、1878年6月30日の祝祭』（右：ルーアン美術館所蔵）『パリのモントルグイユ街、1878年6月30日の祝祭』（左：オルセー美術館所蔵）

も軽量かつ丈夫な「グリ・トリアノン」と呼ばれるトアル地で覆われた平型トランクを発表。これが爆発的なヒットとなった。そして、1867年第2回パリ万博では、このグリ・トリアノンのトランクを出品し、銅メダルを受賞した。「ルイ・ヴィトン」もまた、この年の万博を足がかりに、世界的ブランドへの道を突き進んでいくことになったのだ。

その後も「ルイ・ヴィトン」は万博に何度か出展している。

1900年パリ万博では、青い天蓋とカーテンによって飾られた円形の展示スペースに、たくさんの旅行鞄をレイアウトして出展した。当時の資料を見ると、このころ「ルイ・ヴィトン」は、パリのほかに、ロンドンにも店を構えるようになっていたことがうかがえる。また、1925年、パリで開催された「装飾芸術・現代産業万博」(通称「アール・デコ万博」)には、「ミラノ」と名づけられた化粧ケースを出展している。

時代は下り、「ルイ・ヴィトン」は、1983年から最近までヨットレース「ルイ・ヴィトンカップ」をスポンサーしていた(現在はスポンサーが代わり「プラダカップ」に名称変更されている)。このレースは、1851年のロンドン万博がきっかけとなって始まった「アメリカズカップ」への挑戦権をかけて戦うものである。

万博がきっかけとなって生まれた世界的なヨットレースに、万博で名を挙げたブランドがスポンサーとして協力していたというわけだ。この事実は、知らず知らずのうちに、万博が世界に深く根をおろし、影響を与えてきたことの好例だといえよう。

17　デパートも万博生まれ!?

第1回ロンドン万博で飛躍した「ハロッズ」

万博関係者の間では、デパートも万博が生んだものの一つとしてあげられることが多い。

19世紀ヨーロッパでは、商品の売買の主導権が圧倒的に売り主サイドにあり、生活者は気軽に店に入ったりできないような仕組みになっていた。商品には定価がついておらず、値段も公にされることはないような時代だった。そんな中で、初めて、生活者に自由に商品を見てもらい、いちいち交渉しなくても値段がはっきりとわかる定価システムを取り入れたのが、19世紀後半にできたデパートであった。さまざまな商品をそろえ、ただ買うだけの目的ではなく、見て歩いてショッピングが楽しみになるようなシステムを取り入れたのだ。

万博発祥の地ロンドンには、万博と深いかかわりを持つデパートがある。

チャールズ・ハロッドという人物が、ロンドンはハイド・パークの南数百メートルのところにあった小さな店を買い取ったのは、最初のロンドン万博のおこなわれる2年前の１８４９年のことだった。そして１８５１年、ハイド・パークに建つ「クリスタル・パレス」で開かれた万博に訪れた６００万人を超す見物客の多くは、この店に流れて、ハロッドに巨額の利益をもたらすことになる。

数年後、ハロッドは周辺の土地を買い、商品の種類も増やしていく。その店が、今も

現在の「ハロッズ」

ロンドンでもっとも有名なデパート「ハロッズ」となったのである。

また、ハイド・パークの東に店舗を構える「リバティー」も後述するように（第18話）、万博を契機に発展したデパートである。

パリ「ボン・マルシェ」と万博の深い縁

一方、ロンドンだけではなく、パリにも万博にかかわりを持つデパートがある。

フランス最古のデパートといえば「ボン・マルシェ」。1852年、ロンドン万博の翌年の創業である。アリスティッドとマルグリットのブシコー夫妻によって始められたこのデパートは、その後「エクスポジシオン・ド・ブラン」という、ワイシャツ、ブラウス、下着、シーツ、タオルなどの白物の大売り出しで評判を得ていく。ここで「エクスポジシオン」という言葉が使われているのは、このアイデアが、博覧会からヒントを得た可能性を示唆しているといっていいだろう。

さらに、この「ボン・マルシェ」は、1874年に第2期の店舗を完成させるが、この工事には、エッフェル塔で有名なギュスターヴ・エッフェルが関与している。この工事を依頼されたエッフェルは、鉄とガラスを使用し、その名も「クリスタル・ホール」という、1851年ロンドン万博の「クリスタル・パレス」を彷彿《ほうふつ》とさせる名前の名物ホールを造ったのである。

ブシコー夫妻は、当時パリで開催された2つの万博、1855年と1867年のパリ万博にヒントを得て、小売業における商品の新しい展示手法、販売促進方法を開発したのであった。

その後、「ボン・マルシェ」は万博に積極的に参加していく。１８７８年第３回パリ万博では、「ガン・ブシコー」と名づけた手袋が金メダルを獲得しているし、１９００年第５回パリ万博では、「ボン・マルシェ」館というパビリオンを出展している。

また、ブシコー夫人は、ワインの低温殺菌法により、１８６７年第２回パリ万博でグランプリを獲得した細菌学者ルイ・パスツール（第14話、33話）に対する寄付をおこない、パスツール研究所の６人のおもな寄贈者の一人として名を残している。

そして、この「ボン・マルシェ」をモデルにした小説が、エミール・ゾラ（1840～1902）の『ボヌール・デ・ダム百貨店』（１８８３）である。『居酒屋』（１８７７）や『ナナ』（１８８０）で有名なこの作家は、１８７８年パリ万博の開幕にあたり、この万博を絶賛する文章を書き、「成功間違いなし」と太鼓判を捺《お》した人物でもあるが、この小説の中では、当時のデパートの詳細や、そこで買い物をする女性の様子を面白く描写している。

ちなみに、１９８４年から２０１６年まで日本にも出店していたデパート「プランタン」は、ジュール・ジャリュゾーというボン・マルシェ出身の人物が、１８６５年に創業したデパートである。

18 小説家メリメが感動した日本女性

日本の「初公式出展」と日本産品の「初展示」

日本からの万博初出展は、1867年第2回パリ万博だった。江戸幕府が出展したのである。江戸幕府は1853年には「万博」の存在を知っていて、1851年第1回ロンドン万博も、1853～54年のニューヨーク万博も、オランダを通じて把握していたとされている。そして1867年には、江戸幕府とは独立した形で、薩摩藩と佐賀藩が出展している。

さて、日本が公式に出展したのではなく、日本のものが「展示された」ということでは、すでに1851年の第1回ロンドン万博で日本の屛風《びょうぶ》がオランダにより出展されていたという。また、1862年2回目となるロンドン万博で、日本の工芸品600点以上が出展されていた。これは、英国の初代駐日公使オールコックという人物が、自分で日本の工芸品を選定して出展したものだった。今もロンドンにその名を残すデパート「リバティー」の創始者アーサー・リバティーは、この展示を見て影響を受け、出展物の一部を買い取ってビジネスを始めたといわれている。

この万博には、日本からの文久使節団の面々36人が、視察に行っている。そのメンバーに入っていた福沢諭吉《ふくざわゆきち》は、帰国後、その著書『西洋事情』の中で万博について、

「博覧会は元《もと》相教へ相学ぶの趣意にて、互《たがい》に他の所長を取て己《おのれ》の利となす。之を譬《たと》えば智力工夫の交易を行うが如《ごと》し」

と書いている。

１８６７年パリ万博での日本の世界デビュー

オールコックによる日本関連の展示は、ヨーロッパの人々には絶賛されたが、日本からの使節団はそのクオリティに大いに不満をもったらしい。日本人の手によって、もっときちんとしたものを出すべきだと感じ、それが１８６７年の幕府としての正式な出展につながった。

１８６７年第2回パリ万博に際して、幕府は、15代将軍徳川慶喜《とくがわよしのぶ》の弟、昭武《あきたけ》（当時かぞえで14歳）を団長とするほどの力の入れようだった。ナポレオン3世にも謁見《えっけん》し、日本は国としてグランプリを獲得した。この使節団には、のちに日本に銀行を創り、産業を興《おこ》して、日本の発展に大きな役割を果たすことになる実業家、渋沢栄一《しぶさわえいいち》も同行し、『航西日記』を著《あらわ》している。

日本はこのとき世界にデビューしたといっても過言ではない。

皇室の陶器や青銅美術に加え、幕府が展示した約１００点の浮世絵などによって、ジャパン・プレゼンテーションがおこなわれた。その中には、葛飾北斎《かつしかほくさい》（1760～1849）の『北斎漫画《ほくさいまんが》』や、伊能忠敬《いのうただたか》（1745~1818）の『実測日本地図』

1867年パリ万博に行った徳川昭武（中央）一行 後列左端が渋沢栄一
出典：永見徳太郎編『珍らしい写真』国立国会図書館デジタルコレクション

もあり、忠敬の地図は、その正確さが評判になったという。

２０２１年夏には東京六本木で「北斎づくし」という展覧会が開催され、そこでは『北斎漫画』が大規模に展示されていた。改めてこの『北斎漫画』の全貌を見ると、自然風景から動植物、魚介類、人間の踊りや変顔、幽霊までなんでも描けてしまう万能の画家、北斎に圧倒される。これを初めて見た西洋の人たちは、東洋の片隅にとんでもない天才がいたことに驚いたに違いない。

おかね、おすみ、おさと

そして、出品物ではなくとも、いちばん人気を集めたのが、清水卯三郎《しみずうさぶろう》という人物が「展示」した、おかね、おすみ、おさとという3人の芸者だった。

この話は、高橋邦太郎《たかはしくにたろう》著の『チョンマゲ大使海を行く』（人物往来社）に詳しいが、それによると、

「『茶店』は、檜《ひのき》造りの六畳敷きの座敷をしつらえ、土間があり、それを囲んで庭があって、植木をあしらい、そこに風俗人形を置き、緋毛氈《ひもうせん》をしいたしょうぎ（長い腰掛）で休めるようにし、座敷には、江戸柳橋松葉屋の芸者、かね、すみ、さとの3人が、髪は桃割れ、友禅縮緬《ちりめん》の振袖《ふりそで》に丸帯をしめ、長いキセルで煙草盆《たばこぼん》の火をつけて煙草を吸ったり、手まりをついたり、客が望めばリキュールそっくりの味醂酒のお酌をしたり、茶を饗したりした」

ということだった。茶店を営業しつつ、従業員を含め、そのシステム全体が「展示物」となっていたのだ。この企画は大変な評判を呼び、大人気となった。

のちに作曲家ビゼーによりオペラ化されることになる『カルメン』の作者、フランスの小説家プロスペル・メリメ（1803〜1870）はこの展示がいたく気に入り、友人への手紙の中で、

「先日は博覧会へ行きましたが、そこで日本の女たちを見て大いに気に入りました。彼女たちは牛乳入りの珈琲のような皮膚をし、それがはなはだ快適な色合でした。その衣装の裂目から判断したかぎりでは、彼女たちは椅子《いす》の棒のように細い脚をしているらしく、これは痛々しい次第でした。それをとり巻いた無数の野次馬の中にはいって見ながら、欧州の女は、日本の群衆の前へ出れば、こんなに落ちつき払ってはいまいなどと考えました。あなたがYEDDO《えど》でこんな風に見世物にされSATZOUMA《さつま》公の街の俗物が、〝あの女の着物の後にある瘤《こぶ》は、たしかにほんものの瘤かどうか知りたいもんだ〟などといっているところを考えてごらんなさい」（同書より）

と書いている。欧米人にとって、「カフェ・オ・レのような肌」の日本女性は神秘そのものの存在だったようだ。しかし、この3人の日本女性の消息は、その後知られていない。

茶店の出展 "Le Monde illustré" 1867年9月28日号より by BnF

19　100年かかった日本の万博開催構想

海外万博への出展と、早速始まった自国開催構想

メリメが日本女性に感銘を受けた1867年の第2回パリ万博後、日本は、1873年ウィーン万博に、明治政府として初めて公式に参加することになる。

このときは、前年に「澳国《おうこく》博覧会事務局」が設置され、この日本最初の博覧会事務局総裁には、のちに早稲田大学を創設することになる大隈重信《おおくましげのぶ》が就任し、日本国出展を取り仕切った。この「澳国博覧会」というのは直訳すれば「オーストリア博覧会」であるが、1873年開催のウィーン万博のことを指す。

ウィーン万博では、日本趣味（ジャポニスム）の流行も手伝って、日本の展示がいちばんの成功をおさめたとの記録も残っている。大隈総裁のもと、博覧会事務局で企画が練られ、西洋医学を日本に伝えたフィリップ・フランツ・フォン・シーボルトの2人の息子であるアレクサンダー・フォン・シーボルト、ハインリヒ・フォン・シーボルトのシーボルト兄弟もそれに加わっていた。名古屋城の金の鯱《しゃちほこ》や、有田焼の大花瓶（第32話）、鎌倉の大仏の張り子のレプリカなど、国宝を含むさまざまな美術品が、2隻《せき》の蒸気船いっぱいに積まれてウィーンを目指したという。近代日本の意気ごみが想像されるような光景だ。

名古屋城の金の鯱、有田焼の大花瓶（右端）などが飾られている日本の展示
出典：国立国会図書館「博覧会―近代技術の展示場」

その後、1876年にアメリカで開催されたフィラデルフィア万博、1878年第3回パリ万博と出展を重ね、日本はこれ以降万博出展の常連となっていく。

そして、欧米の万博パワーを目の当たりにした人々の間で、日本で万博を開催しようという動きが始まるまで、そう長くはかからなかった。

日本の万博開催構想の歴史

ちょっとここで日本におけるこれまでの「万博開催構想」を簡単に整理しておこう。

筆者が調べた限り、わかっているものだけでも下記6回の構想があった。

①佐野常民《さのつねたみ》がウィーン万博開催前（1873年以前）に「明治10年（1877年）、東京上野での大博覧会の開催」を建議した。

②再び佐野常民が1875年に「明治13年（1880年）、東京での万博開催」を建議した。

この佐野常民という人物、後で詳細は触れるが、1867年パリ万博において佐賀藩が出展した際、佐賀藩の責任者としてパリ現地まで行って取り仕切っていた人物である。また彼はその後、1873年ウィーン万博の「澳国博覧会事務局」副総裁に任命され（このとき前記のように大隈重信が総裁）、再び万博のためにヨーロッパを訪れることになる。一説によると「元祖博覧会男」ともいわれていたらしいが、万博の体験から日本赤十字社を創設することになる人物である。

③西郷従道《さいごうつぐみち》（1843～1902）が1885年に「紀元2550年（1890年）『亜細亜《あじあ》大博覧会』開催計画」を政府に提出。
西郷従道は西郷隆盛《さいごうたかもり》の弟で、西南の役の前年、1876年フィラデルフィア万博を訪れた経験から、日本でも万博を主催することが必要だと考えていた。
④西園寺内閣が明治40年（1907年）に「明治45年（1912年）、東京青山から代々木一帯での万博構想案」を発表した。このときは具体的に事務局まで発足させている。会長は金子堅太郎という人物だった（「日本大博覧会」構想）。
⑤「④」の構想が5年延期となる（その後無期延期となる）。
⑥紀元2600年（1940年）記念「日本万国博覧会」の東京月島一帯での万博開催が決定（その後無期延期となる）。
これがいわゆる「幻の万博」である。この万博はなかなか面白いので、後ほど詳しく述べることにしたい。

このように主なものだけでも6回の万博開催構想が存在した。もちろん他に万博開催を目論んだ人たちはいたかもしれないが、主だったところは以上のようなところだろう。
そして、ついに、戦後1970年になってやっとその名も「日本万国博覧会」（通称：大阪万博）が実現することになるのである。

最初に日本で万博を、と提言があってから実際に１９７０年大阪万博が実現するまで、およそ１００年を要したのであった。

20 渋沢栄一の万博事始め——渋沢栄一と万博の50年①

大政奉還の年に万博を経験

２０２４年から流通予定の新しい1万円札の図柄に、肖像がつかわれることになった渋沢栄一《しぶさわえいいち》（1840～1931）。２０２１年、ＮＨＫの大河ドラマ『青天を衝《つ》け』が放送され、渋沢栄一関連図書が相次いで出版されるなど世の中はちょっとした渋沢栄一ブームとなった。また、民放各社でも渋沢栄一関連特番等もあったので読者の中には渋沢栄一に大きな関心をお持ちの方もいらっしゃるのではないだろうか。

この渋沢栄一、調べていくと約50年にわたって万博とかかわっていることがわかった。いくつかの章に分けてご紹介したい。

渋沢栄一は１８４０年（天保11年）、農家に生まれながらも幕末には徳川慶喜《とくがわよしのぶ》の家臣となり、大政奉還時は慶喜の弟昭武《あきたけ》に随行してヨーロッパに滞在し、西洋の知識を広く習得中であった。

２０２４年度流通予定の1万円札
出典：財務省ホームページ

渋沢が徳川慶喜の命により、昭武に随行して1867年パリ万博を訪れた話は第18話に記したとおりであり、このパリ万博には江戸幕府に加えて薩摩藩と佐賀藩も出展していたことも述べた。この万博で日本は国としてのグランプリを獲得し、公式に世界にデビューしたといえる。

全く初めての外国で、しかも、先端技術が集まる場である万博を体験した渋沢は、見るものすべてに驚愕《きょうがく》したことだろう。

世界の最先端を体験したサムライ

この万博にはロンドン万博の「クリスタル・パレス」の約1・5倍という広さの楕円形の巨大展示館「シャン・ド・マルス宮」が建設され、その中で蒸気機関、水力エレベーター、クルップ社の50トンの大砲、モールスの電信装置、スエズ運河プロジェクトなどが展示されていた。

また、画家では、作品4点を会場内で展示したが独自に会場外個展も開いたギュスターヴ・クールベ（1819～1877）や、万博会場内には展示できず万博会場対岸で独自に個展を開いたエドゥアール・マネ（1832～1883）等が活躍していた時代である（第15話）。

彼らが渋沢栄一と同じ会場ですれ違っていたかもしれないと想像すると面白い。評判になっていた日本の『北斎漫画《ほくさいまんが》』など浮世絵にも関心があっただろうし、チョンマゲで和服を着て刀をさしたサム

若かりし日の渋沢栄一
出典：近代日本人の肖像

ライがいれば、ひと目見たいと思って見に来た可能性もあるのではないか。

さて、この昭武一行は万博参加の後、ヨーロッパ各国を訪問していたが、そのヨーロッパ滞在中に日本で徳川慶喜により大政奉還がおこなわれる。江戸時代の終焉《しゅうえん》である。その後も昭武はしばらくヨーロッパに滞在、留学を続けたが、とうとう帰還の命を受けて帰国することになる。

昭武に随行して帰国した渋沢は、静岡駿府《すんぷ》城で謹慎生活を送っていた徳川慶喜と面会し、まずは静岡藩に出仕したが、その後明治新政府の民部省や大蔵省に勤めることになる。そして1873年に、大蔵省を辞職し、民間に転じて約500社の会社設立・経営や約600の公益事業に関与することになる。まさに偉大なる近代人である。

実はその間、日本は海外の万博に参加・出展し続けている。1867年第2回パリ万博での成果が大きかったということなのだろう。

19世紀後半の主だった万博だけでも、1873年ウィーン万博、1876年フィラデルフィア万博、1878年、1889年、1900年の3回のパリ万博、1893年シカゴ万博といずれの万博にも政府として出展し、日本は万博の常連国となっている。

「政府出展」経験者・渋沢栄一

一般的に考えて、当時「海外で万博を経験した数少ない日本人」がその後の万博に全く携《たずさ》わらなかった、ということは考えにくい。特に渋沢栄一は江戸幕府とはいえ、日本が国として正式に「政府出展」した現場を体験した人物である。しかし、一般の書物にはその後の渋沢と万博の関係はあまり語られていない。渋沢と万博の関係は果たして1867年の第2回パリ万博だけに終わっていたのだろうか。

そういった疑問からこの件を調べてみることにした。

そこで、国立国会図書館にある日本政府の各万博への「出展報告書」等、並びに「公益財団法人 渋沢栄一記念財団」の資料からしらみ潰しに調べていく。なかなか目が潰れそうな作業である。しかし、特に渋沢栄一記念財団の資料はしっかりと系統だって整理されており、しかもデジタル化されていてネット上で見ることができる。素晴らしい資料データである。ここまでに至るにはさぞかし大変な作業だっただろうと思われる。関係者の方々のご努力に敬意を表したい。一方、国会図書館の資料は当時そのままの資料のスキャンで、なかなかおもむきはあるが古いこともあり大画面のモニターを使用しても読むのがつらい。昔の読みにくい漢字中心のものだし、文字がつぶれていたりする。しかし、デジタル化されていることだけでも大いに感謝しなくてはならないだろう。

さて、それでは以下のいくつかの章で、調べた結果を年代順にご紹介していこう。

21 渋沢栄一と19世紀後半の万博――渋沢栄一と万博の50年②

1867年第2回パリ万博の次の万博といえば、オーストリアで開催された1873年ウィーン万博である。

この万博と渋沢栄一《しぶさわえいいち》の関係はどうか。

「澳国博覧会」と渋沢栄一

これに関しては、「渋沢栄一記念財団」の「渋沢栄一伝記資料」に、渋沢が民部大蔵両省仕官時代の1872年（明治5年）2月20日に、

「澳国《おうこく》博覧会御用掛を仰付けられ、養蚕《ようさん》書を編纂す。」

という記述が見つかった。

前述したように「澳国博覧会」というのは直訳すれば「オーストリア博覧会」であるが、もちろん1873年開催のウィーン万博のことを指す。この博覧会への出展のために日本で組織された「澳国博覧会事務局」は総裁が大隈重信《おおくましげのぶ》、副総裁が第19話にも登場した佐野常民《さのつねたみ》だった。この佐野常民も万博がらみでなかなか面白い人生を送った人なので後ほど詳述する。

さて、渋沢栄一はこの万博で、生糸に関する日本からの出展に一役買ったらしい。当時、ヨーロッパでは蚕《かいこ》の病気が大流行して生糸が圧倒的に不足していた。第33話にもでてくるが「カイコのコレラ」といわれていた病気だった。そのため日本の養蚕業への関

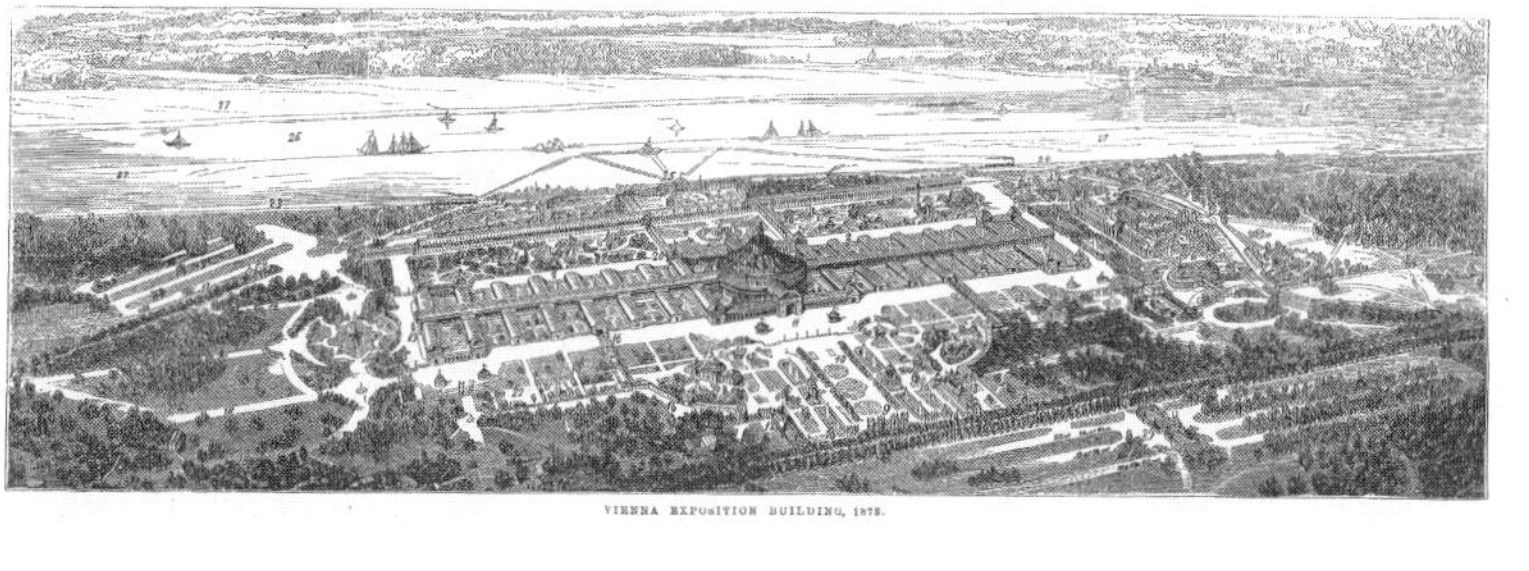

1873年ウィーン万博の会場図
出典：国立国会図書館
「博覧会―近代技術の展示場」

心も高かったようだ。

渋沢と副総裁だった佐野常民との書簡も複数残っているが、その書簡を読むと、渋沢はこのころほかの業務等で大変多忙であったことがうかがえる。多忙のため打ち合わせにいけない、といった内容の書簡がいくつか残されている。そのため、渋沢は本格的に万博に携《たずさ》わるというよりは「養蚕書を編纂」ということに集中してかかわったということのようだ。1867年パリ万博では幕府側と佐賀藩側（薩摩に同調して独立国のような表記をとった《第23話》）という相反する側にいた二人だったが、このウィーン万博では渋沢も多忙のなか協力し、結果十数冊の資料を提出した形跡が残っている。

この博覧会に関する資料としては「澳国博覧会参同記要」や「澳国博覧会報告書」というものが残されている。そこには実際に博覧会に行った人たちのリストや実務の留守番役の人たちのリストがあったが、そこには「渋沢栄一」の名前をみつけることはできなかった。

内国博覧会への意見

次に開催された1876年フィラデルフィア万博、1878年パリ万博については各資料ともに、「渋沢栄一」の名前は残念ながら見つけられなかった。多くの会社立ち上げ等で多忙すぎて万博にかかわる時間がなかったのではないか。

次の1889年パリ万博について調べていくと、1888年10月の記述に、

「第三回内国勧業博覧会開設に際し、同会副総裁伯爵井上馨《いのうえかおる》より参考品陳列に就《つ》き当会（筆者注：東京商工会）に意見を求めらる。是日栄一当会会頭として、我邦よ

り欧米に輸出すべき商品に関する調査乃至模範とすべき欧米商品に関する調査等を復申す。」

とある。しかしこれは内国博覧会の話であり、パリ万博とは関係なさそうだ。そもそものパリ万博は各国より「フランス革命100周年記念」と解釈され、天皇を主君といただく日本とは相いれない趣旨のため、明治政府はさほど熱心ではなかったようだ。

1893年シカゴ万博での関与

では米国で開催された1893年シカゴ万博ではどうだったか。

ここでは渋沢栄一が関与した痕跡が見つかった。

渋沢はこの万博の日本出展のために作られた「臨時博覧会事務局」の「事務局評議員」として関与していたことがわかった。

「1891年にコロンブス世界博覧会（筆者注：1893年シカゴ万博のこと）のために臨時博覧会事務局が組織されたが、12月15日に栄一が事務局評議員を仰せつかった」、という記述が見つかった。

この万博の「臨時博覧会事務局」の「事務局報告」によれば「コロンブスアメリカ大陸上陸400周年は1892年だが、実際の博覧会は93年の春に開場の予定」、という情報が書かれている。たしかにコロンブスアメリカ大陸到達の年とシカゴ万博開催年は400年と1年ずれている。

また、その後、シカゴ万博終了翌年の、1894年4月27日、渋沢は「評議員」の任を解かれている旨の記述が見つかった。

渋沢はこの時「評議員」ということになっていたのだが、さて、具体的にこの「評議員」というのはどんなことをする役割だったのか。

この資料を見ていくと、「評議員の中で出品物の選択及びその他の経営に関して分担を決めた」とあり、「製造・普通商品部」という部門の「評議員」の1人として「渋沢栄一」の名前がある。渋沢栄一は「製造・普通商品部」の日本出展に関して意見を述べる役割だったようだ。

やはり博覧会事務局としては「政府出展経験者」に知恵を借りたかったのだろう。また、すでにいろいろな会社経営にも携《たずさ》わっていた渋沢栄一は、外国関係者が日本出展に求めるものと、日本が海外へ向けて出展したいものの両方がわかる得難い人物だったといえよう（第46話につづく）。

22 メーデーも日本赤十字も万博がきっかけ

ヴィクトル・ユーゴーとマーク・トウェイン

パリを訪れた方の中には、今もセーヌ川を往来する遊覧船、バトー・ムーシュに乗られた方も多いかもしれない。このバトー・ムーシュは、1867年第2回パリ万博の際、万博会場へのアクセスのために開業したものだが、このころになると、万博に多くの文化人がかかわるようになってきた。

たとえば、フランスでは『レ・ミゼラブル』などで有名な作家ヴィクトル・ユーゴー(1802～1885)が、このパリ万博のための『1867年パリ・ガイド』の序文と巻末エッセイを書いている。この中でユーゴーは「フランス人が『人類』となり、フランスが単なる国家ではなく、いたるところにあるものになり、『世界』になるべきである」と、愛国者的に万博を礼賛している。

また、『トム・ソーヤの冒険』などで有名なアメリカの作家マーク・トウェイン(1835～1910)も、このパリ万博を訪れた一人だ。著作『イノセント・アブロード』の中で、トウェインはこのときのことを次のように書いている。

「もちろん、我々は評判になっていた万博も訪れた。(中略)我々はパリ滞在3日目に万博会場を訪れ、そこに2時間ほど滞在した。それが我々の最初で最後のパリ万博訪問となった。本当のことをいえば、その怪物的ともいえる巨大な会場の中で、通常ならそれが何かを明瞭に理解するのに何週間も、いや何ヶ月すらかかるだろうものを、我々は一瞬にして見てしまったのだ。それは、素晴らしいショーだった。しかし、会場内を歩きまわっているあらゆる国の人々の集団こそさらに素晴らしいショーといえるものだった。私は、もし仮にこの会場に1カ月いたとしても、動きのない展示品よりも、動いている会場内の人々を見続けているだろうと思った。」(筆者訳)

わずか2時間のパリ万博滞在だったようだが、マーク・トウェインにとっては、それまで見たことのない、実際に会場内で動いているさまざまな人種や風俗こそが関心の的だったようだ。

佐野常民が「国際赤十字」を「発見」

そしてこの第2回パリ万博は、社会的に影響のあるさまざまなものが誕生するきっかけも与えた。

スイス人の実業家アンリ・デュナン（1828～1910）は、1859年のイタリア統一戦争の際、ソルフェリーノの戦場を旅して、たくさんの戦傷病者が医療を受けられない悲惨《ひさん》さに衝撃を受けた。篤志家《とくしか》を募《つの》って救護活動を組織し、それを機に、戦時の傷病者を救援する国際運動を起こし、人道的な国際条約の締結を訴えた。

その結果、1864年、16カ国の政府代表がジュネーブに集まって、内12カ国によってジュネーブ条約が締結され、「国際赤十字」が誕生することになる。その「国際赤十字」が初めて万博にパビリオンを出したのが、この1867年第2回パリ万博だった。

そして、このパビリオンの展示を見たのが、日本から来た佐賀藩の藩士、佐野常民《さのつねたみ》（1822～1902）である。佐野は第19話、第21話にも登場したが、日本（江戸幕府、薩摩藩、佐賀藩）が初めて出展した万博の際に、佐賀藩の責任者としてパリに来ていたのである。また、その後、1873年ウィーン万博では、日本の澳国《おうこく》博覧会事務局副総裁も務めることになる人物である。

彼はこの「国際赤十字」の展示に大変な感銘を受けたらしい。

さて、その後佐野は1867年のパリ万博から10年後の1877年西南戦争で、政府

佐野常民
出典：近代日本人の肖像

軍と西郷軍の間の悲惨な戦場の様子を見て、日本にも赤十字のような組織を設立する必要があると痛感した。そしてこれが、日本赤十字創設のきっかけとなる。

佐野らは1877年に「博愛社」を設立する。さらに1886年、日本政府もジュネーブ条約に加入し、翌1887年、「博愛社」は名称を「日本赤十字社」と改称することになるのである。

労働者の権利、郵便、メートル法にも影響

こういった世界的な組織の結成に万博が関与した例はほかにもある。1862年ロンドン万博での、イギリスとフランスの労働者代表同士の話し合いの結果、1864年9月にロンドンで「インターナショナル」（国際労働者協会）が誕生し、1889年第4回パリ万博の際には、万博開催に合わせて非公認ながらマルクス主義者による国際大会がパリで開催され、「第2インターナショナル」を結成することが決定された。その翌年から、国際的な労働者行動の日「メーデー」が実施されることになったのである。当時は労働者の教育の機会を作ることが万博の大きな目的の一つだったが、労働者の相互連帯や意識の向上、権利の獲得などにも、万博は大きな役割を果たしたといっていいだろう。

また、「万国郵便連合」（1874年）や、メートル法などを定めた「国際度量衡局」（1875年）の結成にも、1867年のパリ万博が大きな役割を果たした。このパリ万博では、さまざまな貨幣や秤《はかり》、測量器具が展示されており、そのことが、通貨や計量システムの国際標準化への動きを加速させたのである。

23 佐野常民と渋沢栄一、パリでの出会い

佐賀藩代表としてパリへ向かった佐野

第19話から第22話にかけて何度か登場した佐野常民《さのつねたみ》(1822～1902)。元々佐賀藩の藩士で1867年第2回パリ万博に参加し、「国際赤十字」パビリオンを見て、その後「博愛社」、のちの「日本赤十字社」を設立した人物である。

1867年の第2回パリ万博には江戸幕府、薩摩藩、佐賀藩が出展した。佐野常民は佐賀藩の代表として参加した。佐賀藩の藩主だった鍋島直正《なべしまなおまさ》がパリ万博派遣団の代表に佐野を指名したのだ。

このとき、佐野の他に数人の従者を選任した。その中にはパリで命を落とすことになる野中元右衛門《のなかもとえもん》もいた。また、同じ佐賀藩士の大隈重信《おおくましげのぶ》(1838～1922)の名前も候補に上がったがこれは実現しなかった。佐野はパリ万博で陶器など佐賀の産品を出展・販売する役割とともに、重要な裏任務としてオランダで軍艦を注文する任務も与えられていた。

1867年3月8日、佐野は長崎からイギリス船で旅立った。当時佐野45歳。この年、渋沢栄一も同じ万博に参加しているが渋沢の方は27歳。この二人はともに万博と密接にかかわりのある人生を送ったが、18歳の年の差があった。

佐野がパリに行った時の話は『日赤の創始者　佐野常民』(吉川龍子)に詳しい。佐野常民「渡仏日記」や「鍋島直正公伝」等を資料にした良書である。これによると佐野の

パリでの行動がよくわかるので以下参考にさせていただきながら記述する。

パリ万博は4月1日~11月3日の会期で開催されていた。今ならこの3月8日出発というのは準備等でちょうどいい出張日程かもしれないが、当時は船である。果たして開会に間に合うのか。やはり、佐野がパリに着いたのは、出航後2カ月たった5月8日だった。万博はとっくに始まっている。

佐野はパリに着くと、すでに到着していた徳川昭武に挨拶に行った模様である。このときに渋沢栄一に会ったかどうかについては資料が見つからなかったが、会った可能性は十分にあるだろう。

また、マルセイユから遅れて到着した従者の一人、野中元右衛門はパリに着いてすぐ病気で亡くなってしまった。江戸時代に国外で亡くなるというのは大変なことだっただろうと想像できる。ちなみに野中の墓はパリ市東部のペール・ラシェーズという墓地に現存し、今でも佐賀県関係者等が時に参拝している模様だ。

「肥前国」として出展

この万博で幕府と薩摩藩が反目し、薩摩藩が自らを幕府と対等な独自の政府であるかのように見せかけて出展することに成功したという話は有名である。

記録によると佐野がパリ到着後、薩摩藩の岩下佐次右衛門という人物から話があり、薩摩藩は場内で「薩摩及琉球国」として出展しているので佐賀藩も「国」として表記したらどうか、ということだったので、佐賀も「肥前国」と標榜して出展した、ということであった。

具体的には、薩摩藩は日章旗と薩摩藩の旗を交差させて立て「日本薩摩大守政府」と標札を出し、徳川幕府の「大日本大君政府」の標札に対して、同じく天皇の下に独立国であることを示し、佐賀藩も同じく「日本肥前大守政府」の標札を出し、日章旗と藩旗をともに掲げた、ということである。それを聞いた鍋島直正は大変喜んだという（徳川昭武や渋沢栄一は喜ばなかったかもしれない）。

そして、このとき佐野がパリ万博で見たのが「国際赤十字」パビリオンで、この出会いが佐野を「日本赤十字社」を設立する動きに導いていく。この辺りについては第22話で述べたとおりである。

江戸から明治へ、歴史の狭間での渋沢との接点

さて、その後佐野は、オランダへ軍艦を注文する業務をおこなうためオランダへ行き、また万博閉会間際のパリに戻っている。佐賀藩の出品物はその5分の1しか売れなかったので、幕府や薩摩藩と同様残品処理で大変だったようだ。そういう中、佐野はまたオランダへ行き、そこで新年1868年を迎え、注文した軍艦「日進丸」の建造を見たりしている。3月にはイギリスへ向かい、汽車でロンドンへ入っている。

明治維新のニュースが届いたのはロンドン滞在中のことだった。その後オランダで日進丸建造の最終確認をとったのち、パリへ戻り、「渋沢栄一に挨拶をして」帰途についた、ということである。

1868年には少なくともパリで佐野常民と渋沢栄一の接点があったことがわかる。

1867年第2回パリ万博会場「シャン・ド・マルス宮」

渋沢栄一『巴里御在館日記』には、３月25日（陽暦４月17日）に「夕肥前佐野寿左衛門罷出御逢有之、同人明日帰国之旨申聞る」という記述が見つかった。

約１５０年前、長い江戸時代が終わったばかりのパリでの二人の出会いと別れはどんなものだったのか。我々は、巨大な楕円形の万博会場「シャン・ド・マルス宮」の残された絵（18ページ口絵）を眺めながら想像するしかない。

24 明治政府初出展「1873年ウィーン万博」と佐野常民

コレラの猛威の中での万博

渋沢栄一に別れを告げて帰国した佐野常民《さのつねたみ》。

その佐野が次にかかわったのは１８７３年ウィーン万博である。

ドナウ河畔のプラーター公園２３３ヘクタールを会場として開かれた万博であるが、記録によると19世紀に開催された万博の中で最悪の赤字であったといわれている。

これは夏にコレラが流行したことが大きく、１０００万人を見込んだ来場者も７２５万人に終わったという。新型コロナウィルスで苦しむ現在でも感染症の流行は世界的な課題だが、19世紀ヨーロッパではコレラが猛威をふるっていた。

また、この万博のオープニングの９日後にウィーン株式市場が崩壊したという記録もある。これもコレラの影響だろう。一説によると当時コレラの致死率は40～50パーセントだったということで、そんな中で万博を開催し続けることだけでも大変だっただろうと想像される。

一方この万博では、ウィーン旧市街の要塞として機能してきた中世の城壁が取り払われ、現在も残るリンク（環状道路）が登場した。また、博覧会のためにドナウ川運河の改造工事もおこなわれ、市民はドナウ川の氾濫《はんらん》から解放された、といったいい結果も残している。

建築的には「産業宮」がシンボル的建造物で、日本展示もその中でおこなわれた。この建物は1937年に空襲で破壊されるまで見本市会場として利用されていた。現在では産業宮跡は多目的見本市会場群となっている。日本はその他、日本庭園も出展していた。

佐野の万博にかける意気ごみ

日本はこの万博に明治政府として初めての参加を果たす。

1872年正月、出展のための「博覧会事務局」が設置された。そして大隈重信《おおくましげのぶ》が総裁、佐野常民が副総裁となる。二人はともに元佐賀藩士で佐野の方が16歳年上であるが、この時点では大隈の方が総裁という立場になっている。記録を読むと、日本は「出展」に関しても、この万博から世界を「学ぶ」、ということに関しても相当力を入れていたことがうかがえる。

「出展」、ということで言えば、外国の万博史家も「日本が最も成功を収めた。……2

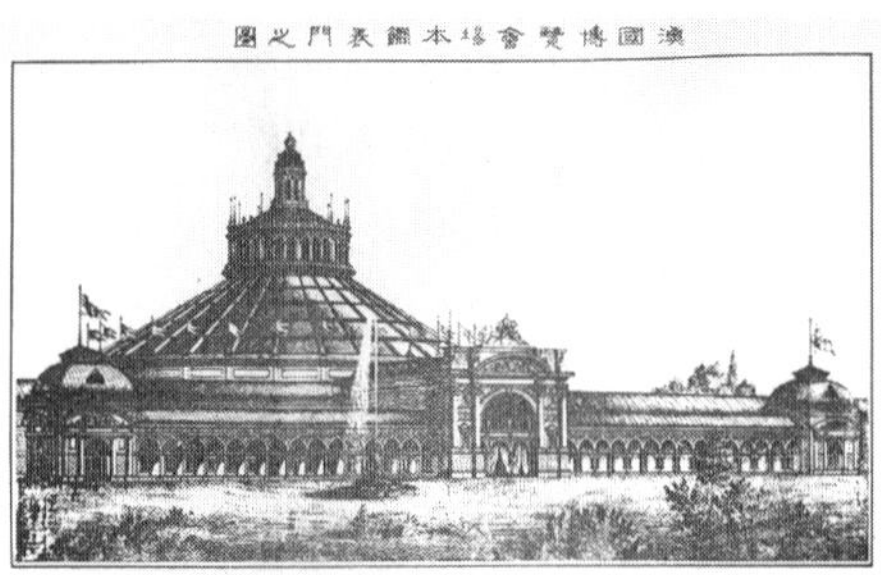

ウィーン万博産業宮
出典：国立国会図書館
「博覧会―近代技術の展示場」

隻の蒸気船いっぱいの多様な国宝を携えて到着した」と記述するくらいの気合の入った展示だった。

この時の展示物には名古屋城の金の鯱《しゃちほこ》、1・8メートルもある有田焼の花瓶（第32話）、神輿《みこし》や五重塔、鎌倉大仏の張り子の頭部などが含まれていたが、展示物の一部は、ウィーンへ運び出す前の1872年、天皇皇后の巡覧のあと、湯島聖堂で一般に公開された。

「学ぶ」、ということで言えば70人規模の技師、職人、工芸家、技術伝習生等が派遣され、膨大な報告書をまとめている。「澳国《おうこく》博覧会参同記要」（明治30年5月）という本が国立国会図書館に保存されている。この本にはこの万博についての概要とともに教育、山林管理、兵制、貿易、鉄道、工業等16章からなる「報告書」という名の提案書、そして「技術伝習」として、農業園芸、山林事業、活字硝子鉛筆製造、測量器製図、電信機械製造、造船事業、製陶技術など30章にわたる習得の記録が残されている。

「ニール号」痛恨の沈没

さて、この万博で展示したものや現地で収集した工業品を日本に持ち帰ることになった。オーストリアから香港へ、そして香港でフランス船「ニール号」にこれらを積み換えて日本に向かった。しかし、なんと「ニール号」は伊豆半島の妻良沖《めらおき》で沈没してしまう。一部はその後引き上げられたが、その多くは失われてしまった。今もまだ海底で眠っているのである。

「澳国博覧会参同記要」によると貨物193箱はオーストリアから無事香港に到着し、そこで「ニール号」に積み替えて送ったものの、1874年3月20日に「豆州《ずしゅう》洋に於て暗礁に触れ即時沈没したる」ということである（豆州とは伊豆国のこと）。ただし、「金の鯱《しゃちほこ》」を入れた箱だけは香港に積み残してあったということで幸運にも難を逃れ、後日無事日本に送り届けられた、という記述がある。

さて、佐野常民のその後の万博との直接的な繋がりは見つけられない。渋沢栄一と違い、その後は万博に直接関与している形跡はない。ただ、ウィーンに渡る前にすでに太政官正院にあて、国内で明治10年（１８７７年）に大博覧会を開催すべき旨の上申をしている。また、その跡地を公園にあて、そこに博物館を設置することを提案している。

佐野が構想した上野での万博

「澳国博覧会参同記要」によると佐野は、ウィーン万博から帰国後の１８７５年、万博と博物館の重要性を訴えている（第19話）。１８５１年ロンドン万博とその利益で作られた「サウス・ケンジントン」にできた博物館「ヴィクトリア・アンド・アルバート・ミュージアム」等の例を引きながら、「翌１８７６年にはアメリカのフィラデルフィアで万博が開催される予定なので、皇紀２５４０年、西暦１８８０年に日本で大博覧会を開催し、その後博物館を建設する」ことを提案しているのである。場所も上野一帯、とある。

都市計画と、それにあわせて万博を起爆剤として開催する、といった、現代に通じる政策を当時から提案していたことは、佐野の万博経験に基づいた並々ならぬ知力を感じさせる。

その後、万博ではないが、１８８１年に東京上野で開催された「第2回内国勧業博覧会」でも佐野は副総裁に就任している。

佐野の提案は、1877年「第1回内国勧業博覧会」、1881年「第2回内国勧業博覧会」、そして、その会場跡地で、現在、博物館や美術館が設置された「上野公園」として実現しているといえよう。

佐野常民はその後、1877年に「博愛社」を設立。その9年後の1886年に政府はジュネーブ条約に加入し、1887年、「博愛社」も「日本赤十字社」と改称して佐野が初代社長に就任する。日本赤十字社の仕事はずっと全くの無給だったという。佐野は引き続き農商務大臣などいろんな官職につきながら、1867年パリ万博以来の思いである赤十字運動を一生をかけて推進したのである。

25 時代の花形だったミシン

第1回ロンドン万博から出展

昔は学校の家庭科の授業で必ず構造を勉強したというミシンも、今やさまざまな機能がつき、すっかり電子化してしまって、構造を学ぶどころではなくなった。しかし、そのミシン、19世紀後半までは万博の常連で、アメリカ製とフランス製が展示にしのぎを削ってきた。特に１８５５年第１回パリ万博では、静かな戦いが繰り広げられていた。

もともとミシンは、18世紀半ばにイギリスで最初に特許が取られたが、普及するには至らなかった。実用的なミシンを最初に作ったのは、フランス人の仕立屋バルテルミー・ティモニエ（1793～1857）で、１８３０年のことであった。このミシンは、フランス陸軍の制服を縫うのに使われ、80台が作られたが、職を失うことを恐れたほかの仕立屋によって壊されたという。そのティモニエは、１８５１年ロンドン万博に自分のミシンを出展し、さらに１８５５年第１回パリ万博でも、開催国フランスからの出品物として展示をおこなっている。

一方、アメリカでもミシンの発明は相次いでいた。

１８３０年代にはウォルター・ハント（のちに安全ピンを発明したことでも知られている）が本縫い式ミシンを発明し、１８４０年代にはマサチューセッツのエリアス・ハウ（1819～1867）が、ハントのものを改良した手回しミシンで特許を取った。しかし、今日と基本的に同じ構造を備えたミシンは、アイザック・シンガー（1811～1875）が１８５１年に特許を取ったものだ。アイザック・シンガーはミシンのメーカーとして今も有名なシンガー社を設立し、１８５５年第１回パリ万博に出展する。シンガー社は１８５１年から１８６３年の間に20もの特許を取って、アメリカ最大のミシンメーカーとして君臨《くんりん》するが、まさにシンガー社が急成長する真っ只中の万博である。アメリカ製のこのミシンは、スピードに優れ、誰でもすぐに習熟した縫い子になれるとして評判になった。

その結果、ティモニエとシンガー両者のミシンはともに金メダルを獲得し、一応この

ハウの手回しミシン

勝負は引き分け、ということになったのである。

実は最初にアメリカでミシンの特許を取ったハウも、１８５３～54年のニューヨーク万博にミシンを出展しており、このハウのミシンは１８６２年ロンドン万博にも再び登場していた。また、アメリカのアレン・ウィルソン（1823～1888）が「回転釜《がま》」と「ボビン」の組み合わせによる本縫いミシンを発明し、実業家ナサニエル・ウィーラーの資金援助を受けて、ウィーラー・アンド・ウィルソン・ソーイング・マシーン社を設立していた。同社のミシンは１８６７年第2回パリ万博で金賞、１８７６年フィラデルフィア万博においてもメダルを獲得している。

ミシン専用のパビリオンも

さらに、１８７６年フィラデルフィア万博は、ミシンが大々的に取り上げられた万博で、なんと、ミシンのためだけのパビリオン、「ミシン館」ができたほどであった。当時はミシンは多くの人が注目する「先端技術」だったのだ。ここには、最新型の足踏み動力のシンガー・ミシンと並んで、前述のエリアス・ハウが発明した最初のミシンが展示されていた。

１８７８年第3回パリ万博では、再びアメリカのウィーラー・アンド・ウィルソン社が出展、グランプリを獲得しており、同じくア

WHEELER & WILSON SEWING MACHINE CO.'S EXHIBIT.

1876年フィラデルフィア万博のウィーラー・アンド・ウィルソンの展示
出典：国立国会図書館「博覧会 — 近代技術の展示場」

メリカのシンガー社は家庭用ミシンを展示している。シンガー社はその前年には世界的な販売網を構築し、その販売網を通じて、当時すでに28万台以上のミシンを世界に向けて販売していたのであった。

このように、19世紀後半、万博が生まれた当初は、アメリカ、フランスと万博が開催されるたびに、ミシンによる技術競争がおこなわれていた。

その後も、1889年第4回パリ万博などで、ミシンは出展されているが、このころから徐々にミシンに関する万博での記述は少なくなっていく。ミシンは次第に「時代の先端技術」から一般に普及する日常品となり、万博での主役を他の技術に譲っていった。

シンガー社も、1905年にウィーラー・アンド・ウィルソン社を合併し、世界最大のミシンメーカーとなるが、その後日本メーカーの急追を受けることになっていったのである。

26　夜を昼に変えた男、エジソン

トーマス・エジソンの登場

「発明家」といえば、その代名詞のような人物、エジソン。そのトーマス・エジソン（1847

〜1931）も、万博でその名を世界的に広めることになった。

貧しい家に生まれ、学校にもほとんど行けなかったエジソンは、12歳で新聞の売り子から身を立て、独学に近い形で電信機の改良や発明に才能を発揮する。1868年ごろからようやく発明で生活できるようになり、1870年代にはニューヨークで相場表示機を改良して4万ドルという資金を得、自分の研究所を設立した。そして、アメリカ独立100周年を記念して開催された1876年フィラデルフィア万博では、1本のワイヤーで、双方向に各2つのメッセージを同時に送れるという四重電信装置を出展して評判になった。

その次の、1878年第3回パリ万博でもエジソンはアメリカからヨーロッパに向けて新発明を披露する。

この万博でエジソンはメガホンと蓄音機《ちくおんき》を出品したのである。耳が不自由だったエジソンが発明したメガホンは、びっくりするほど音を大きく増幅することに成功していた。また、そのときの蓄音機は簡単な仕組みの装置ではあったが、実用に適し、ヨーロッパの人々を驚愕《きょうがく》と興奮の渦《うず》に巻き込むのには十分なものだった。

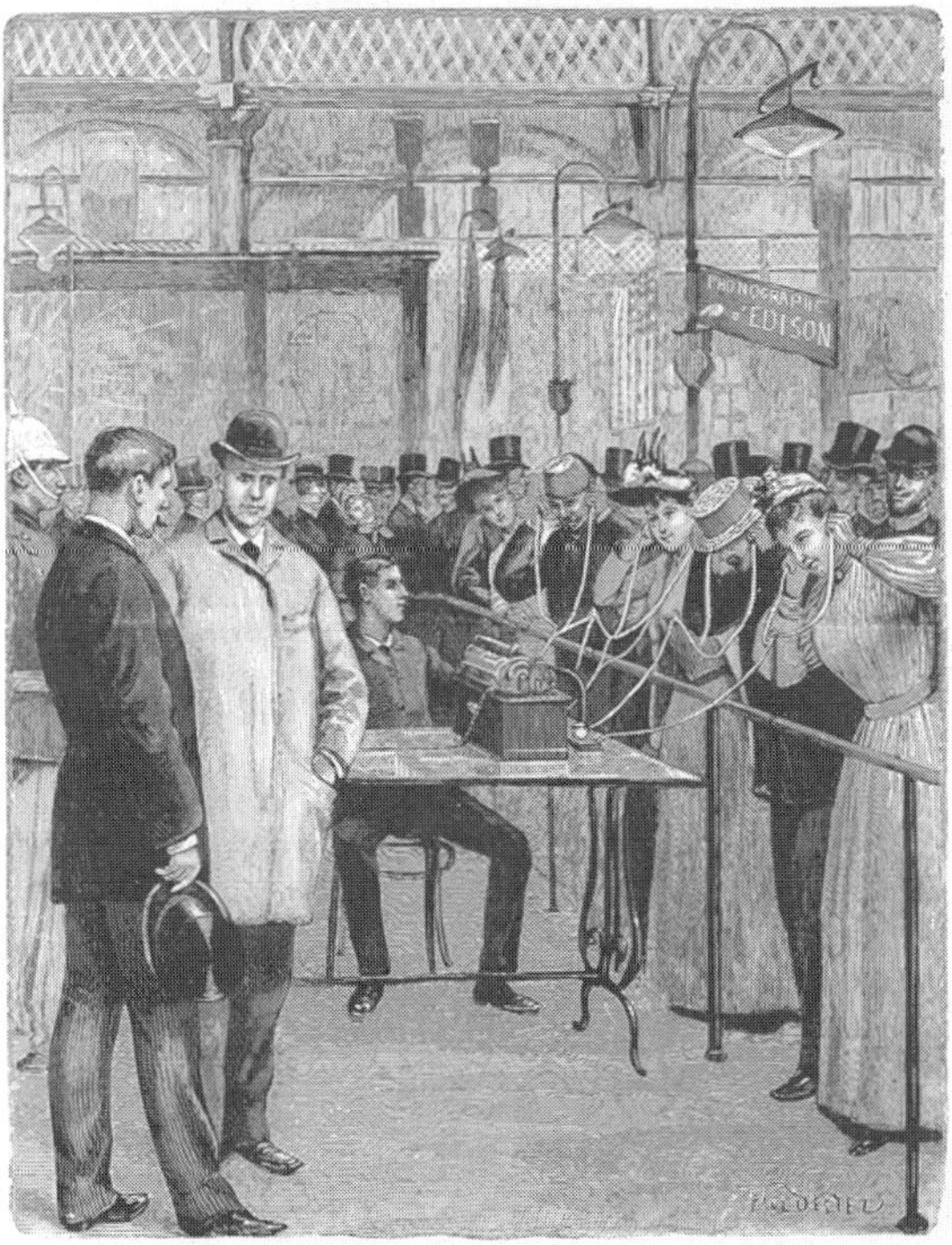

AUDITIONS DU PHONOGRAPHE A LA GALERIE DES MACHINES.

1889年パリ万博でのエジソン（手前右）のデモンストレーション
出典：国立国会図書館「博覧会―近代技術の展示場」

始まった夜のスペクタクルショー

また、エッフェル塔が建てられた1889年第4回パリ万博では、大がかりな電気照明でこそ可能になった、夜のスペクタクルショーが始まる。1万もの白熱電球と1500のアーク灯を組み合わせたショーが、毎晩9時から開催されたのである。エッフェル塔は3色のサーチライトでパリ市の半分を照らしだしたという。現在、どんな万博でもおこなわれる夜の光のショーは、この万博から始まったといえる。

万博の夜間開場も、エジソンが1879年に発明した白熱電球によってこそ、可能になったのだ。

この万博で、エジソンは10万ドルのコストをかけ、493点の新発明全部を展示し、以後「光の王様」と称されることになる。さまざまなイラストが残っているように、蓄音機のデモンストレーションも大成功をおさめ、多くの人々の関心を呼んだのだった。

これ以降、1893年シカゴ万博でも、電気によるイルミネーションは規模が拡大され、1900年第5回パリ万博ともなると、もはや電気による照明は当然のこととなっ

エッフェル塔の光のショーの様子
（1889年パリ万博）
by Georges Garen

ていく。コンコルド広場にもうけられた記念門・ビネ門だけでも、３２００の白熱電球と40のアーク灯で照らされ、会場全体ともなると、１万６０００個の白熱電球、３００のアーク灯が使用されていたという。いったい誰が数えたのか、という感じだが、昼間のように明るくなったことは当時の人々には驚愕の的《まと》で、ロンドン留学へ向かう途中、洋画家の浅《あさ》井《い》忠《ちゅう》と時を同じくしてパリに立ち寄った夏目《なつめ》漱石《そうせき》は、このパリ万博を見て、「銀座ノ景色ヲ五十倍位《くらい》立派ニシタル者ナリ」と書いている。

渋沢栄一との出会い

その後しばらくしてエジソンはあの渋沢栄一《しぶさわえいいち》と面会している。

１９０９年（明治42年）10月27日、日本の実業団を引き連れて渡米中だった渋沢栄一は、ニュージャージー州ニューアーク市にてエジソン夫妻と面会した。また、「明瞭なる活動写真」「エジソン氏の発明に係る六時間にて建造すと云へるコンクリート製家屋」（「青淵先生米国紀行《続》」による）等を見学している。

東京都北区にある渋沢史料館の常設展には、その時に撮った記念写真が展示されている。これは70～80人くらいいるのではないかという大集合写真だが、渋沢栄一は最前列中央右寄り、エジソンは向かってそのすぐ右隣に座って、仲良く写真に収まっているのである。

二人はその後手紙のやり取り等で交友を続けたのであった。

27　声で世界をつないだグラハム・ベル

輪転機やタイプライターの登場

トーマス・エジソンが最初に注目を浴びた１８７６年フィラデルフィア万博には、彼の四重電信装置のほかにも、印刷や電信の分野での発展を見せるものが数多くあった。

まず、印刷である。

万博での印刷関連展示ということでは、すでに１８５１年第1回ロンドン万博で活版印刷機が展示・実演されており、イラストレーティッド・ロンドン・ニュース（パクストンが「クリスタル・パレス」の設計図を公開した新聞）の大量印刷のデモンストレーションがおこなわれていた。

それから四半世紀を経て、１８７６年フィラデルフィア万博では、さまざまな輪転機が展示されていたのに加え、製紙機械の展示もおこなわれていた。当時はすでに、機械で製造された紙の使用が広く可能になってきた時代であった。

このフィラデルフィア万博ではタイプライターも話題だった。

最近はタイプライターもパソコンやケータイに取って代わられ、古い映画くらいでしか見かけないが、40年くらい前まで使われていたものとほぼ同じ機能の実用的なものが、初めて展示されて話題になった。「レミントンＮｏ・１」というブランドネームで売り出されたタイプライターは、現在世界標準となっているいわゆる「ＱＷＥＲＴＹ」

配列のキーボードを初めて採用したもので、商業的に初めて成功したものだった。

この1876年フィラデルフィア万博では「タイプライターの出展」がトピックスとして語られることが多い。

電信装置とモールス信号

また、サミュエル・モールス（1791～1872）という人物によって開発された電信装置は、使い勝手がよく、頑丈にできていると評判であった。電信装置は、イギリスでウィリアム・クック（1806～1879）やチャールズ・ホイートストン（1802～1875）らによって製作されており、モールスが最初に開発したというわけではなかったが、彼の作ったコードは簡単なリレー式で覚えやすく、世界標準となった。

これが誰もがその存在を知っている「モールス信号」（モールス・コード）である。この万博では、メインビルディングの中央通路に沿った大きな場所でモールスの電信装置が展示されていた。

「電話」の登場

また、電報に代わる有力な通信手段として、ベルが「電話」を出展したのもこのフィラデルフィア万博であった。

ボストンのアレクサンダー・グラハム・ベル（1847～1922）は、万博開催年と同じ1876年に電話の特許を取得している。そして、1876年6月25日に、1日だけフィラデルフィア万博を訪れ、自分の新しい電話装置3点のデモンストレーションをお

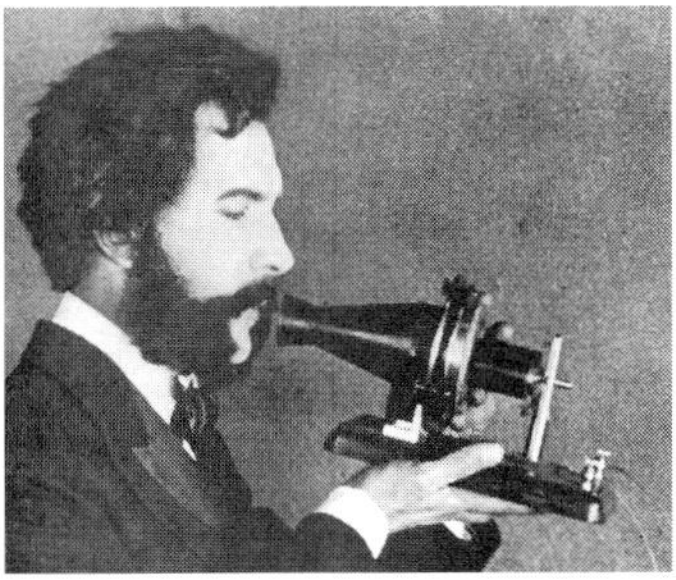

ベルの電話。同じタイプのものがドバイ万博アメリカ館でも展示された
by Early Office Museum

こなっている。これらの装置は、その後万博に2週間ほど展示された。この、オリジナルのベルの電話装置は、現在アメリカの学術研究機関であるスミソニアン協会に所蔵されている。

電話といえば、今は急速な進歩を遂《と》げている。現在ではテレビ電話、というかスマホによる映像付き通話も普及しているが、半世紀以上前の１９６４／65年ニューヨーク万博ではすでにテレビ電話が登場していた。１８７６年フィラデルフィア万博で電話を展示したグラハム・ベルの伝統は脈々と続いていたらしく、「ベル・システム・パビリオン」で、「ピクチャー・ホン」というテレビ電話を紹介していたのだ。当時の先端技術だったプッシュホン、海底ケーブルなどもそこで展示されていた。また、15分間でコミュニケーションの歴史を体験できるツアーも用意されていた。

一方、携帯電話も万博で登場していた。日本ではもはやケータイやスマホを持っていない人のほうが珍しいが、携帯電話が初めて万博に出展されたのは１９７０年大阪万博のときである。「電気通信館」では、「ワイヤレステレホン」、つまり、携帯電話の実演が早くもおこなわれていた。そのときは今ほど小さなものではなく、結構がっしりしたサイズのもので、当然スマホ機能などもなかったものの、約65万人が、やがて始まる移動電話サービスを先取り体験した。

１９７０年大阪万博に出展されたワイヤレステレホン（写真提供／ＮＴＴ技術史料館）

28 フェミニズムとワーグナーの意外な関係

フィラデルフィア万博で本格化した「パビリオン方式」

凧《たこ》による雷《かみなり》の放電実験をおこない、さらにアメリカ独立宣言書の起草をも手がけた人物とは？　そう、ベンジャミン・フランクリンである。彼自身は万博とは直接関係ないのだが、進取の気性の遺伝とでもいうのか、彼の曾孫《ひまご》に当たるエリザベス・デュアン・ギレスピー（1821～1901）が、アメリカ独立100周年を祝う、1876年フィラデルフィア万博において大きな役割を果たしていた。

このフィラデルフィア万博は、通称「ザ・センテニアル」（アメリカ独立宣言「百年祭」）と呼ばれ、初めて本格的な「パビリオン方式」が取り入れられた万博だった。つまり、一つの巨大な会場にすべてを展示する「クリスタル・パレス方式」ではなく、独立した本格的なパビリオン群による展示方式で、これは今にいたる展示方法である。会場内はさまざまなパビリオンに分かれており、たとえば、「機械館」ではジョージ・コーリスという人物の世界最大の1400馬力、700トンのスチーム・エンジンが評判を呼んだ。

フェミニズム運動の拠点「婦人館」

このフィラデルフィア万博では、合計250館にもおよぶパビリオンが建てられたが、その一つに「婦人館」があった。この「婦人館」こそ、フェミニズム運動の拠点であり、ギレスピーが代表に選ばれた「婦人百年祭実行委員会」によって企画された建物だったのである。「婦人館」は、国でもなく、自治体でも企業でもない、今でいうNPO（非営利団体）的な、市民の有志によるパビリオンだった。

この「婦人館」実現のために、ギレスピーは、地方にさまざまな委員会を作ったり、資金集めをしたりと精力的に活動した。

当時のアメリカでも、ごく一部の州にしか女性にはまだ選挙権がなかったが、すでに労働力の20パーセントは女性によってまかなわれていた。このパビリオンのすべての展示品は女性によって作られたもの、または女性によって動かされていたもので、あらゆる分野での女性の能力を示すためのものだった。針仕事の作品などもあったが、カナダの少女が蒸気エンジンを動かし、そのエンジンによってプレス機などが作動し、そのプレス機では「女性のための新世紀」という新聞が印刷されるといった趣向も凝らされていた。

ワーグナーが作曲した開会式のための行進曲

ギレスピーが代表を務めた「婦人百年祭実行委員会」は、アメリカ市民運動の、そしてフェミニズム運動の始まりともいえる。

その依頼によって、ドイツのリヒャルト・ワーグナー（1813～1883）が作曲したのが、『アメリカ独立１００周年記念行進曲』だった。「婦人百年祭実行委員会」は、ドイツ生まれのアメリカの指揮者セオドア・トーマスという人物の推薦で、ワーグナーに、５月10日の万博開会式のための行進曲を依頼したのだった。

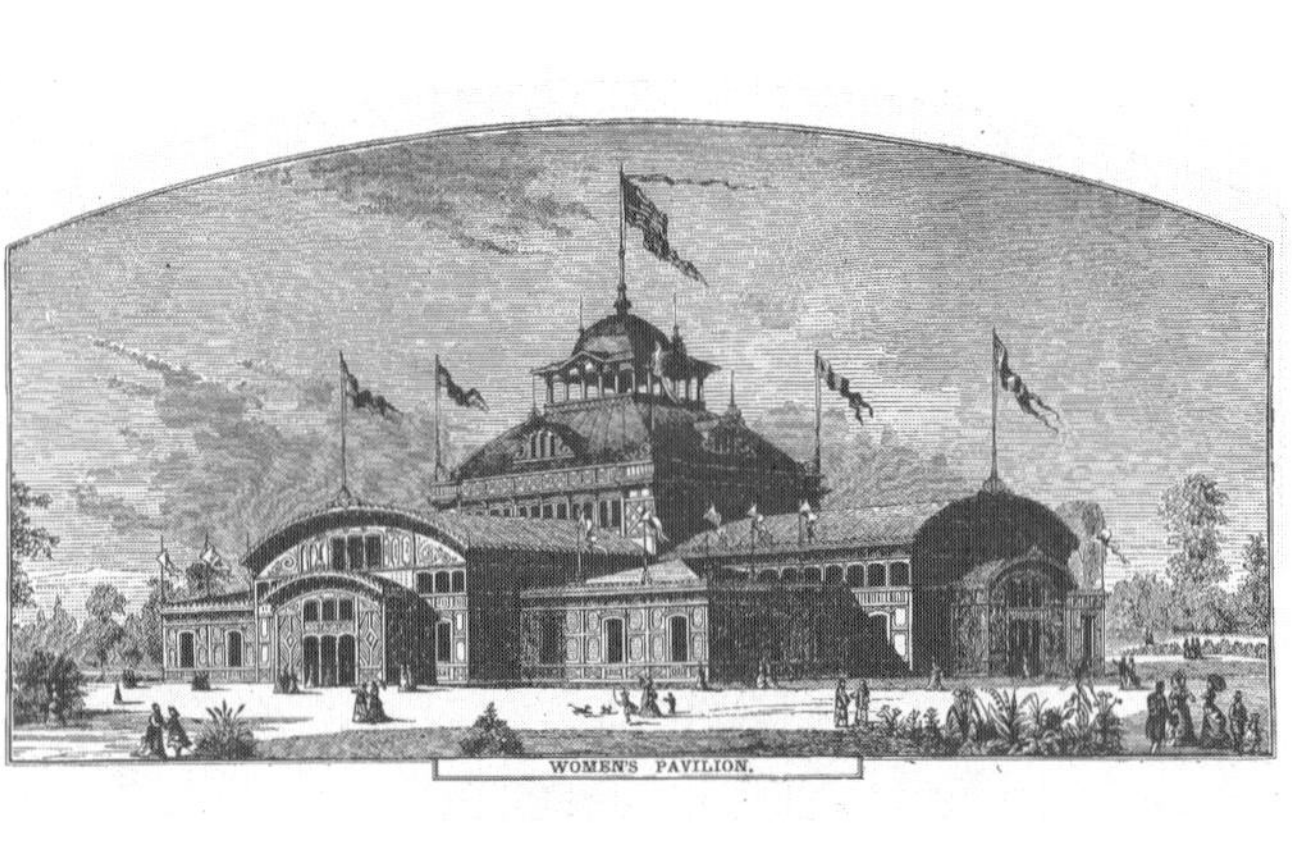

１８７６年フィラデルフィア万博「婦人館」
出典：国立国会図書館「博覧会―近代技術の展示場」

ワーグナーはちょうどそのころ、代表作の一つに数えられる『ニーベルングの指環』の初公演にむけて、準備の真っ只中だったが、それを延期してまでこの曲に取り組んだ。そのせいかどうか、この約10分強の行進曲の作曲に対する謝礼は、５０００ドル。当時の紙幣価値からは法外な報酬と考えられたらしいが、ワーグナー自身は、自分はすでに「著名な作曲家」であり、このくらいはもらって当然、と考えていたようだ。

また、ワーグナーは「婦人百年祭実行委員会」の女性たちを非常に尊重しており、この曲は、女性に捧《ささ》げたものであるとしている。

ワーグナーは紹介者であるトーマスへの手紙の中で、「いくつかの柔らかくやさしい旋律は、この万博に参加している、美しく才能あふれるアメリカの女性を描いている」と述べている。

この『アメリカ独立１００周年記念行進曲』は、現在でも聴くことができる。なかなかわかりやすい曲だが、一般的にはワーグナーの傑作の部類には入らないようだ。しかし、「婦人百年祭実行委員会」の委員たちは大変喜んだし、万博の開会式に演奏されたときには、大喝采《だいかっさい》を浴びた。また、トーマスはこの曲を気に入り、万博開催年の１８７６年の夏に何度か演奏したのち、10月にはニューヨークのコンサートシリーズでも演奏し、さらに11月10日の万博閉会式でも再び演奏している。

29 万博で名声を不動のものとしたブランドは？

ティファニーを飛躍させた2つの革命的手法

女優オードリー・ヘップバーン主演の『ティファニーで朝食を』であまりにも有名なアメリカの宝飾ブランド、ティファニー。その歴史は、1837年9月18日、チャールズ・ルイス・ティファニー（1812～1902）から始まる。友人ジョン・B・ヤングとともに、ニューヨークのブロードウェイ259番地に、「ティファニー&ヤング」という文房具と装飾品の店を創設したのが発祥《はっしょう》といわれている。

チャールズ・ルイス・ティファニーは、1812年2月15日、アメリカ・コネチカット州のキリングリーに生まれた。そして、父親から借りた500ドルと、友人のジョン・ヤングからの500ドルを合わせて、1837年にブロードウェイに店を構えることになる。しかし、開店初日の売り上げはわずか4ドル98セントにすぎず、最初の1週間の利益は33セントと微々たるものであったと伝えられている。

だが、ティファニーは、1840年代に2つの革命的な手法を導入して、大きな飛躍をすることになった。一つは、店内すべての商品に定価をつけることであり、もう一つが通信販売だった。

当時は商品に定価がなく、交渉によって値段が決められるのが一般的であったので、この革新的な販売方法は大きな評判となった。

また1845年には早くも、店で販売している商品すべてを掲載したメールオーダーカタログを作成し、来店しない顧客にまで対応を図《はか》った。ティファニーの扱う商品は、腕時計、置き時計、銀器などのジャンルにまで広がっており、そのすべてを掲載した「便利で魅惑的な商品のカタログ」という、ティファニー最初のメールオーダーカタログを発行したのである。これは同時に、アメリカでの最初のメールオーダーカタログでもあったという。このカタログは、現在でも優良顧客向けに年1回発行されている「ブルー・ブック」として継続されているものである。

1853〜54年ニューヨーク万博から出展

1853年に、ティファニーは共同経営者たちから経営権を買い取り、「ティファニー&Co.」という名称に改めた。そして同年から開催されたニューヨーク万博に、シード・パール（小粒真珠）を用いた1000ドルのスイート・ジュエリーなどを早速出展した。

その後、1867年第2回パリ万博には、銀器のティーセット、コーヒーセット、水差しなどを出展し、銀器部門で優秀賞を受賞した。当時宝飾関係は、ヨーロッパの伝統あるメーカーがほとんど一手に扱っているという時代で、新興国アメリカの宝飾メーカーが万博で受賞するなどということは考えられなかったころの出来事である。

この万博での成功の後、アメリカでおこなわれた1876年フィラデルフィア万博にも、ティファニーはブライアント・ベースという花瓶《かびん》を含むさまざまな銀器を出展している。この出展に対し、審査員は「正真正銘優秀である」と、惜しみない賛辞を与えたという。また同時に、「ピーコック・フェザー」（孔雀《くじゃく》の羽）と呼ばれる髪飾りを出展していた。これは、プラチナのばねの上に600個

ティファニー「AIGRETTE」
出典：国立国会図書館
「博覧会―近代技術の展示場」

以上のダイヤモンドを用いたもので、中央には30カラットのイエロー・ダイヤモンドがはめこまれ、ほんのわずかな動きで全体が揺れて光り輝き、美しいことこの上なかったという。

さらに、１８７８年第３回パリ万博においても、ティファニーはさまざまな銀器や宝飾品を出展し、銀器部門において金賞を受賞。このときには、ジャポニスムの影響を受けて、日本風の草花文様《もんよう》が施《ほどこ》された作品も登場している。この７年前の１８７１年には、すでにティファニーは、オリエンタル風のエキゾチックな鳥が描かれた「ジャパニーズ」というフラットウェア（スプーン、フォーク等）のデザイン特許を取得していたのだが、このパリ万博では、「ジャパニーズ」のデザインを基本にしたジャパネスク・ホローウェア（皿、ティーポット）を出展していた。

ルイス・カムフォート・ティファニーの登場

さて、１８８９年第４回パリ万博では、チャールズ・ルイス・ティファニーの長男、ルイス・カムフォート・ティファニー（1848～1933）が登場する。ルイス・カムフォート・ティファニーは、ビジネスマンとしてというより、デザイナー、アーティストとして活躍し、インテリア、宝飾、ステンドグラス、装飾ガラスなどさまざまな分野のデザインに、その才能を発揮した。

彼はこのパリ万博で、フランスの芸術家エミール・ガレなどと並び、ガラス作品を出展している。もちろん宝飾品や銀器もティファニー社として出展し、ジュエリー部門、銀器部門でグランプリを獲得した。

さらに彼は、1893年シカゴ万博の「マニュファクチャーズ・アンド・リベラル・アーツ・ビルディング」において、幅23フィート（約7・01メートル）、奥行き39フィート（約11・89メートル）、高さ24フィート（約7・32メートル）のチャペルを展示した。このチャペルのステンドグラスはまさに芸術作品で、孔雀のモザイクや、宗教的なモチーフがデザインされ、訪れた人々はあまりの感動に自然と帽子を取ったという。このシカゴ万博での大成功でティファニーの名声は不動のものとなった。

その後も1900年第5回パリ万博、1904年セントルイス万博、1915年サンフランシスコ万博と出展を続け、1939／40年のニューヨーク万博では、「ハウス・オブ・ジュエルズ」（宝石の館）と呼ばれる展示をおこなった。そこには、大振りのカラード・ジェムストーンを、直線を多用したゴールドで取り囲む、流線型のデザインがプレゼンテーションされていた。同じくこのニューヨーク万博でゼネラルモーターズのパビリオン「フューチャラマ」（第52話）を手がけ、大胆な流線型のデザインで世界に衝撃を与えたインダストリアル・デザイナー、ノーマン・ベル・ゲデス（1893〜1958、第52話、59話）の潮流をいち早く取り入れたものである。

ティファニーもまた、万博を足がかりに着実にステップアップしてきたブランドといえるだろう。

30 『自由の女神』も万博で資金集め

フランスの彫刻家バルトルディの構想

誰もが知っているアメリカのシンボル、『自由の女神』。高さ46・05メートル（台座を含めると92・99メートル）で当時「世界最大の彫刻」といわれたこの像は、アメリカ独立100周年のお祝いに、フランスからアメリカに贈られたものだ。

この『自由の女神』も、実は万博に「出展」されたことがあった。しかも2回も、そして制作費を稼《かせ》ぐための資金集めとして。

『自由の女神』の制作者は、フランスの彫刻家フレデリック・オーギュスト・バルトルディ（1834～1904）だが、彼が初めて『自由の女神』の構想を得たのは1865年のことだったといわれている。バルトルディは、フランスの法律学者でのちに政治家にもなるエドゥアール・ド・ラブレとの会食中に、両国の友好のため、フランスからアメリカに独立100周年記念の寄贈をするという話を聞いたという。

バルトルディは、スエズ運河の入り口にモニュメントとして建てる灯台設置のプロジェクトに加わっていた。スエズ運河は地中海からエジプトを経て紅海にいたる、160キロ以上もの長さの大運河で、ヨーロッパからアジアにいたるルートとして、フランスが強力に工事を推進していた。フランスのアジア進出を遂行《すいこう》する上で、重要なルートだったのだ。この灯台プロジェクトは結局実現しなかったが、そのときに芸術家バルトルディに芽生えた古代のイメージが、『自由の女神』に結実したといわれている。

フィラデルフィア万博、パリ万博での巨大展示物

そんな『自由の女神』だが、完成はアメリカ独立100周年の1876年には間に合わなかった。資金不足の問題が大きかったのである。フランス側が彫像を、アメリカ側が台座を造るという分担だったが、その双方で資金不足が問題になった。

アメリカでは、ピューリッツァー賞で有名なジョセフ・ピューリッツァーが、自分の新聞「ザ・ワールド」に資金調達のための募金を呼びかけるページをもうけた。フランスサイドでも民衆の募金活動が盛んにおこなわれていた。

そして、万博でも資金調達がおこなわれたのである。1876年、アメリカ独立100周年を記念するフィラデルフィア万博、そして1878年第3回パリ万博。この両方の万博に、資金調達の目的もあって、『自由の女神』は展示されたのである。とはいっても、もちろん像はまだ完成していたわけではない。フィラデルフィア万博ではその腕と手と松明《たいまつ》部分が、パリ万博では頭の部分が、と分けて展示された。どちらも「展示物」としては巨大だ。

フィラデルフィア万博では、料金を払えば、松明の下にもうけられた展望台に上ることができるようになっていた。

またパリ万博では、現在エッフェル塔が建っている場所の目の前の広大な敷地、シャン・ド・マルスの庭園に、『自由の女神』の頭部が展示され、この像に上ろうと毎日多くの人々が列をなしたという。

1876年フィラデルフィア万博で展示された『自由の女神』の腕と手と松明部分

エッフェル塔はその10年あまり後、1889年の第4回パリ万博のときに造られたものであるが、この『自由の女神』の内部構造を製作したのが、そのエッフェル塔で有名なギュスターヴ・エッフェルその人であった。

向かい合う2つの『自由の女神』

『自由の女神』像は1884年にやっとフランスで完成した。運搬にあたっては、350ものパーツに分けられ、214箱の木枠につめられて、1885年に船でニューヨークに届いた。それから4カ月かけて、アメリカ側で用意した台座の上に再度組み立てられ、当初の計画から10年遅れの1886年10月28日、ついにニューヨーク港リバティ島に完成したのである。

像は、右手に自由の松明を掲げ、左手には「1776年7月4日」と記した独立宣言書を抱えてアメリカの民主主義の象徴となり、ニューヨークを訪れるすべての人々を迎えるモニュメントとなった。そして、それから約100年後の1984年には、ユネスコの「世界遺産」に登録された。

フランスからのこの壮大な贈り物のお返しとして、パリ在住のアメリカ人コミュニティからパリ市に贈られたのが、ニューヨークの『自由の女神』の約4分の1の大きさ

1878年パリ万博で展示された自由の女神の頭部
出典：国立国会図書館「博覧会―近代技術の展示場」

のパリ版『自由の女神』である。この像は、高さ11・4メートル（台座を含めると20・5メートル）、重さ14トンのブロンズ製で、1885年には完成していたものの、公式には1889年のフランス革命100周年を待ってフランス側に贈られた。

ちなみに、「日本におけるフランス年」を記念して、1998年に「来日」したこの『自由の女神』は、東京・お台場《だいば》に一時的に移設されたが、その後フランスに返却され、現在お台場に建っているのはそのレプリカである。

パリのセーヌ川グルネル橋のたもとに建つ『自由の女神』は、初めエッフェル塔側を向いていた。しかし、1967年のグルネル橋改修の際、作者バルトルディが生前願っていたように、大西洋をはさんでニューヨークの『自由の女神』と向かい合うように設置し直され、現在にいたっている。

31 銀座で探す万博の痕跡——有田焼と万博①

1876年から万博に出展していた「香蘭社」

とある休日、銀座にいた筆者は、今まで気にはなっていたが訪れたことはなかった、19世紀海外万博出展で有名な「香蘭社《こうらんしゃ》」に行ってみることにした。この店は前を通りかかっても、コロナ禍もありずっと閉まっていた時期もある。

銀座香蘭社外観

銀座5丁目と6丁目の間を、中央通りから昭和通りに向かって少し歩くと、右側の角に「香蘭社」がある。やはり、伝統と格式を感じさせる立派なファサードだ。今日は開いているようだ。

まず、店に入ると、マスクをした感じのいい女性店員から挨拶されたので、「昔の万博関連のものもあるんですか?」と聞くと右奥にあるという。そこでそちらに向かっていろいろと見ながら進む。すると奥の方に1876年フィラデルフィア万博関係のコーナーがあるようだ。この万博は「婦人館」ができたり、『自由の女神』が資金集めのために展示されたりした万博だ。一つのショーケースが全て万博関連展示用になっていて、当時万博に出展した作品そのままのデザインの商品も売っている。

その横の壁には白地に緑っぽい文字で書かれた賞状が飾ってある。見ると、

「International Exhibition 1876 Certificate of Award」

とあり、その下に「FUKAGAWA Y.」という名前と「ARITA PORCELAIN VASES」とある。

この賞状の発行元は「UNITED STATES CENTENNIAL COMMISSION in accordance with the Act of Congress」「Philadelphia September 27th 1876」とありその下に「Secretary」、「Director General」と「President」という欄がある。そしてその上にそれぞれの人のサインが書いてある。サインは達筆すぎて読めない。この賞状の上部から左右、そして下部に周りを囲むように帯のような部分があり、その各パーツには国名と各国にちなんだデザインがあしらわれている。

日本を探すとなんとメインの帯上部の、センターに一番近い右側に位置しており、

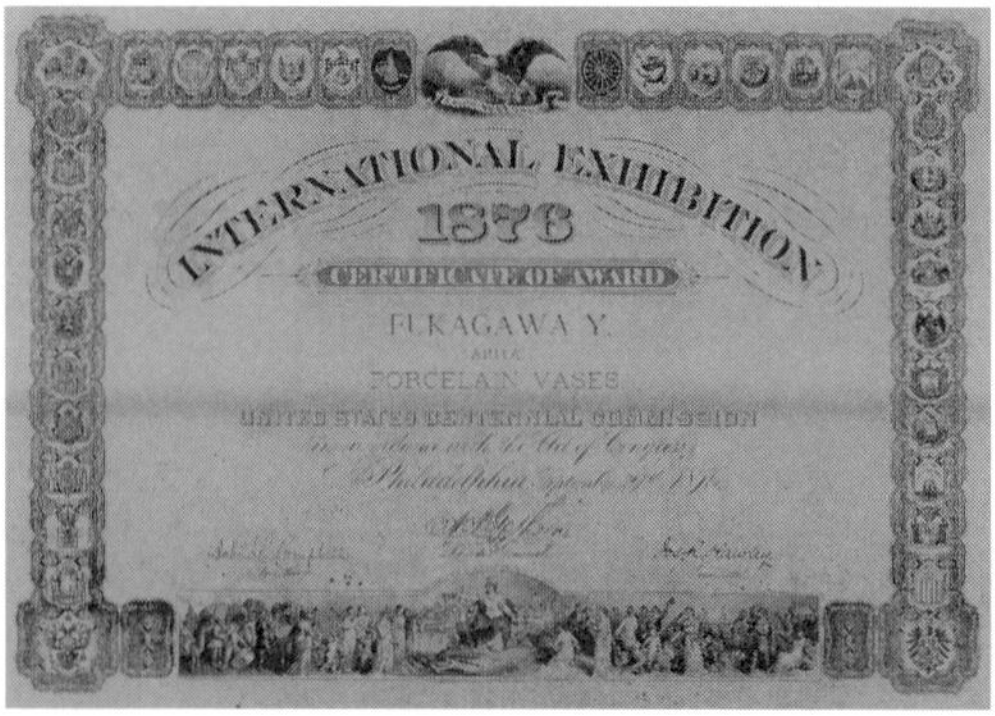

フィラデルフィア万博で香蘭社に贈られた賞状（佐賀の本社に所蔵されているもの）
写真提供：香蘭社

菊の御紋のデザインとともにその下部に「Japan」と書かれている。なかなか貴重な賞状だが、お店の方によるとこれは複製で、本物は佐賀県にあるそうだ。

フィラデルフィア万博の前年に設立

まずは有田焼と香蘭社の万博とのかかわりを調べてみよう。情報源は香蘭社ホームページならびに、お店の方から紹介していただいた書籍『明治有田　超絶の美』（鈴田由紀夫監修）である。

　香蘭社ホームページによると、

「今からおよそ三百年前、江戸文化が華麗に花開いた元禄の頃、初代深川栄左衛《ふかがわえいざえ》門《もん》が肥前有田で『香蘭社』の前身となる磁器の製造を始めました。

そして日本に近代化をもたらした明治維新の激動期、有田焼は佐賀鍋島《なべしま》藩の一切の保護と支援を失いました。その再興に指導的役割を果たしたのが、八代深川栄左衛門でした。

　強い自立の精神が、当時の選りすぐりの陶工や絵付師、それに陶商達を一つにまとめ結社を作りました。これが『香蘭社』です。」

とある。

　一方、『明治有田　超絶の美』には、

「香蘭社は1875（明治8）年4月に深海墨之助《ふかうみすみのすけ》、辻勝蔵《つじかつぞう》、手塚亀之助《てづかかめのすけ》、八代深川栄左衛門によって設立された。日本最初期の陶磁器製造販売会社である。」

とある。その後、

「経営方針の違いから会社は１８７９年に分離して精磁会社が設立され、香蘭社は同年７月に深川栄左衛門の単独経営として再出発する」

と書かれている。

仲間と一緒に始めたが、途中で仲間は「精磁会社」として別れ、今の香蘭社の創設者は八代深川栄左衛門ということのようだ。

このように香蘭社の設立はフィラデルフィア万博前年の１８７５年ということだが、まずは次話でそれ以前の万博と有田焼との関係を見ていこう。

32 万博に出展された大花瓶の行方――有田焼と万博②

万博での有田焼展示のはじまり

さて、19世紀に欧米で開催された万博と有田焼の関係はどうなっているのだろうか。

まず、１８６２年第２回ロンドン万博に関しては、初代駐日公使オールコックがおこなった日本展示の様子を描いた絵が残っている。それを見ると、大きな提灯《ちょうちん》や鳥の彫刻などの工芸品のほか数々の焼物の展示がなされている様子がうかがえる。この焼き物の中に有田焼が含まれていたことは十分に考えられる。

また、１８６７年パリ万博では、佐野常民《さのつねたみ》のもとで佐賀藩が江戸幕府、薩摩藩とともに独自に出展した。この時すでに有田焼が相当数出品されていた模様だ。佐賀藩が出展する以上、有田焼がない展示など考えられないだろうが、具体的な作品等についてはよくわからなかった。

ウィーンからイギリスを経て里帰りした大花瓶

しかし、１８７３年ウィーン万博での日本出展内容については東京国立博物館に展示の様子の写真も残っており、そこに、高さ１・85メートル、台座まで含めると２メートル以上になる立派な大花瓶『染付蒔絵富士山御所車文大花瓶』が認められる。この大迫力の大花瓶だが、ウィーン万博後ヨーロッパで売却され、その後、１９９０年にイギリスから里帰りした、とある。（『明治有田　超絶の美』）。今は佐賀県にある有田ポーセリンパークで展示されているようだ。１８７３年ウィーン万博では、日本事務局の総裁が大隈重信《おおくましげのぶ》、副総裁が佐野常民という佐賀コンビがトップ２だったこともあり、相当力の入った展示だったようだ。また、この万博では出品するだけではなく、海外から学ぶ、ということにも重点を置いていたので、佐賀からも納富介次郎《のうとみかいじろう》や川原忠次郎《かわはらちゅうじろう》が政府からの研修生として渡欧し、ヨーロッパの製陶技術を学んだという。報告書も残っている（第24話）。

未来を見ていた「FUKAGAWA Y.」

ここで再び、香蘭社ホームページに戻ると八代深川栄左衛門について、

「染付蒔絵富士山御所車文大花瓶」。第19話図版右端に描かれているもの

「1875年、大量生産時代を迎える時代に、個人経営では発展に限界があること、また翌年のフィラデルフィア万国博覧会への出品を成功させるためには欧米の『カンパニー』に倣った組織が必要であることを痛感、有田の有志とともに合本組織香蘭社を設立した。

1878年のパリ万国博覧会には栄左衛門自身も渡欧、出品した作品は金牌を受賞する。

同時に欧州各地の陶業地を視察し、最新の製陶機械一式を購入して帰国。有田窯業の近代化を図った。」

とある。1876年フィラデルフィア万博出展のために「合本《がっぽん》組織香蘭社」を設立した、ということは、銀座の香蘭社に飾られている賞状の「FUKAGAWA Y.」というのは「八代深川栄左衛門」（FUKAGAWA YEIZAEMON）とみて間違いないだろう。

ロンドンに残る深川栄左衛門の万博出品作

その後の香蘭社と万博の関係は、再びホームページの情報に戻ると次のようになる。

1876年 フィラデルフィア万国博覧会 褒状《ほうじょう》受賞
1878年 パリ万国博覧会 金賞受賞
1888年 バルセロナ万国博覧会 金賞受賞
1909年 アラスカ・ユーコン太平洋博覧会 グランプリ受賞
1910年 日英万国博覧会 グランプリ受賞
1915年 パナマ太平洋万国博覧会 グランプリ受賞

１９３０年 リエージュ国際博覧会 グランプリ受賞

このうち、１８７６年フィラデルフィア万博に出品した『色絵透彫草文コーヒーポット』は現存する。今は、ロンドン万博の収益金で建設された、あの「ヴィクトリア・アンド・アルバート・ミュージアム」（第５話）に所蔵されているということだ。

次の機会には有田ポーセリンパークや再びロンドンをぜひ訪れてみたいと思いつつ香蘭社を後にした。

33 ファーブルとパスツールの出会い

時代を超越した偉人、『昆虫記』のファーブル

『昆虫記』（全10巻）の作者として有名なジャン・アンリ・カジミール・ファーブル（1823〜1915）は、19世紀、宗教と科学の間で人々が右往左往していた時代を、自然の観察と探求に生き抜いた偉人である。彼は南フランスのサン・レオンで生まれ、極貧の中で育ちながら、今も世界の子どもたちに科学的な興味を与え続けるという偉業を成し遂《と》げたのである。

ファーブルは１８６５年、41歳のころ、とある人物と出会っている。

その人物とはルイ・パスツール（1822～1895）。ワインに関する低温殺菌法で１８６７年第２回パリ万博においてグランプリを獲得することになる人物である（第14話）。パスツールは、化学者デュマに依頼され、当時南フランスの養蚕《ようさん》に大打撃を与えていた「カイコのコレラ」といわれた繭《まゆ》をおかす微粒子病への対策をたてるため、南フランスを訪れた。カイコの生態を調べるため、当時すでに大昆虫学者として名を馳《は》せていたファーブルを訪問したというわけである。二人はほぼ同年齢である。

初歩知識もなくやって来たパスツール

このときの様子は、『ファーブル伝』（イヴ・ドゥランジュ著　ベカエール直美訳　平凡社）に詳しい。同書によると、パスツールは、ファーブルに繭を調べさせてほしいといい、ファーブルはパスツールに繭を提供することになる。ところが、自然に密着した研究スタイルのファーブルは、パスツールが、カイコについてあまりにも何も知らず、あとでゆっくり研究しようという態度であることに驚いたようである。

ファーブルによると、

「……パスツールは、幼虫も、繭も、蛹《さなぎ》も、変態も知らずに、カイコを再生させようとやってきたのだ。古代の競技者は裸で戦いに出場したものだが、養蚕業の災《さい》禍《か》と戦うこの天才も同じく素手で戦場に駆けつけてきたわけだ。つまり、災禍から救おうという昆虫について、もっとも単純な初歩知識さえもたずにやってきたのだ。私は唖然《あぜん》とした。それどころか、驚嘆したと言ったほうがよいかもしれない」（同

書より）
という状態だった。

その後の二人の生涯と万博

どうも二人の出会いは、少なくともファーブルにとっては、あまり楽しいものではなかったようだ。その後パスツールはファーブルに何の脈絡もなく、「酒蔵を見せてください」と頼んだという。極貧だったファーブルにワインの酒蔵などあるはずもなく、さらに彼を傷つけたようだが、当時ワインの発酵《はっこう》についてのテストをしていたパスツールとしては、自分の関心事として無邪気に質問したのであろう。

両人とも宗教的な教えや迷信を信じることなく、合理的な科学精神をもって先入観なく研究をするという同じような考え方をもっていた。この不幸なかみ合わない対面は似たもの同士の宿命とでもいうべきものだろうか。

しかし、パスツールは2年後の１８６７年第2回パリ万博で、ワインの低温殺菌法でグランプリを獲得することになる。また、何とこの極貧の自然観察家だったファーブルも１８７８年の第3回パリ万博で、一連の業績に対して銀メダルを授与されることになるのである。時にファーブル54歳。『昆虫記』第1巻が出版される前年であった。

ファーブルはその後も研究を続け、さまざまな栄誉に浴しながら91歳まで生き続けることになるのである。

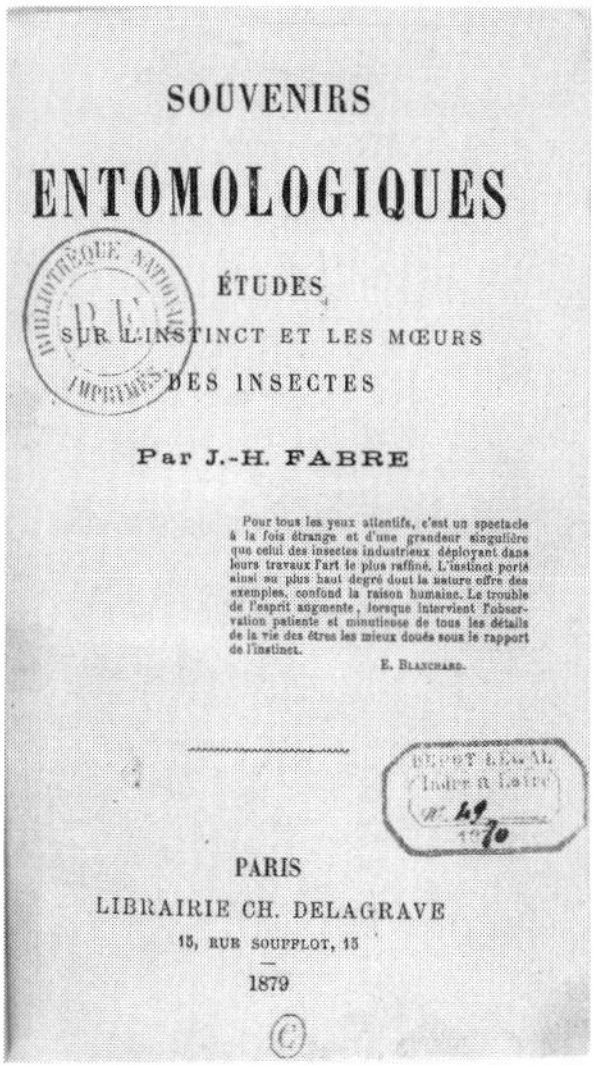

『ファーブル昆虫記』 by BnF

34 天才ガウディを「発見」した万博

とあるショーケースに魅せられたグエル

音楽や美術、建築など、芸術に携《たずさ》わる者にとって、いや事業家や発明家など、何か新しいことをやろうと試みるすべての人々にとって、強力なスポンサーの有無は、のちの活動を左右する重大事だが、万博がその幸運な出会いを作った例がある。

1878年第3回パリ万博の一角、スペイン会場第2ホールで、「コメーリャ」というスペイン・バルセロナの革手袋店が、ショーケースを作って自社の商品を展示していた。

この、一辺わずか60センチ角、高さ約2メートルの小さなショーケースに目をとめたのが、エウセビオ・グエル*（1846～1918）というスペインから訪れていた人物であった。

エウセビオ・グエルの父、ホアン・グエル**は、バルセロナを拠点として繊維会社を経営し、また、上院議員、下院議員を何期も務める政治家でもあった。この父からエウセビオ・グエルが事業を引き継いだのは26歳のときだった。イギリスとフランスに留学するなど教養あふれる人物であったグエルは、1878年にパリ万博を訪れる。そしてこの、「コメーリャ」革手袋店のショーケースとの運命的な出会いを果たす。

＊カタルーニャ語の発音では「エウゼビ・グエイ」

＊＊カタルーニャ語の発音では「ジュアン・グエイ」

1878年パリ万博の「コメーリャ」のショーケース

グエルは、主役の手袋そのものより、木造の台座の上に載った、鉄枠とガラスで作られたこのショーケースをいたく気に入った。小さなそのショーケースとその展示方法に、並々ならぬ才能の片鱗《へんりん》を感じたのだ。

無名の建築家ガウディを突きとめる

グエルはその制作者を探し求めた。パリの会場で欲しい情報を得られなかったグエルは、バルセロナに戻ると出展者であった「コメーリャ」革手袋店を訪れ、調べてもらった。そこで得たのが、当時はまだまったく無名の建築家、アントニオ・ガウディ***（1852〜1926）の名前であった。今もバルセロナで建築が続いている「サグラダ・ファミリア」（聖家族教会）で有名な、建築家のガウディである。

この１８７８年パリ万博の「コメーリャ」革手袋店のショーケースをきっかけにして、グエルはガウディと知り合い、ガウディのスポンサーとなっていく。当時、ガウディ26歳、グエル32歳。そして、今もバルセロナで人々の集まるグエル公園やグエル邸、グエル別邸（いずれも１９８４年ユネスコ「世界遺産」に登録）など、ガウディの代表作にグエルの名前が残っていくことになる。

ガウディは１８５２年６月25日、スペイン・カタルーニャ地方のタラゴナ県レウス市という商業都市で、釜《かま》を作る職人フランシスコ・ガウディを父とし、アントニア・コルネを母として生まれた（ガウディ自身はレウス近郊のリウドームス村で生まれたと弟子たちに語っていたという説もある）。ガウディは17歳にして建築家を志《こころざ》し、バルセロナに出た。そこで

***カタルーニャ語の発音では「アントニ・ガウディ」

バルセロナのグエル公園
photo by Mstyslav Chernov
(CC BY-SA 3.0)

県立建築学校を卒業し、建築家の道を歩み始める。まず、バルセロナ市役所から街灯の建築計画を受け、それが縁となって、「コメーリャ」革手袋店の主人と知り合うこととなる。そして、それが１８７８年パリ万博へ出展されたショーケースの設計に結びつき、生涯にわたるスポンサーであるエウセビオ・グエルとの出会いにつながっていくのである。

万博でも活躍したガウディ

グエルとの出会いのきっかけとなったパリ万博から10年後の１８８８年、バルセロナでも万博が開催されることになった（第94話）。会場はバルセロナに今も残る「シウタデリャ公園」というところだ。この「シウタデリャ」というのはカタルーニャ語で「城塞」という意味であり、かつて要塞がここにあったことから名付けられたという。

この万博は、入場者数にして２３０万人程度であり、翌１８８９年の第4回パリ万博が３２００万人もの入場者を集めたことと比べると小さな万博ではあったが、ここでもガウディはいくつかのプロジェクトを手がけている。

１８８８年といえば、グエル邸建設中の時期であったが、ガウディは、エウセビオ・グエルの義父であったコミーリャス侯爵（アントニオ・ロペス）が経営する会社、「大西洋横断社」（トラスアトランティカ社）のパビリオン建設を手がけた。これは、前年のカディス海洋博に出展したパビリオンを改装するという仕事であったが、ガウディはこれをアルハンブラ宮殿風に改造し、評判を得たという。

また、この１８８８年バルセロナ万博では、ガウディが会場内の記念噴水《ふんすい》を設計した

ガウディの手がけたバルセロナの「サグラダ・ファミリア」

という記録も残っている。

万博を通じて、アントニオ・ガウディの建築家としてのキャリアは格段に上がっていったのである。

35 マーラーも指揮した「トロカデロ宮」

4500人収容の巨大コンサートホール

万博ではさまざまなコンサートが催《もよお》されるのが通例だが、コンサートホールとしてはあまり評判がよくなかったのが、1878年第3回パリ万博で建設された「トロカデロ宮」であった。

「トロカデロ宮」は、現在のシャイヨー宮が建つ地点、エッフェル塔のセーヌ川対岸に建てられていた。1823年にフランス軍がスペインから奪《うば》ったカディス湾の要塞《ようさい》を模《も》したこの建物には、4000とも4500ともいわれる数のガス灯が備えつけられ、4500人収容の巨大なコンサートホールが設置され

1878年パリ万博の「トロカデロ宮」

ていた。ここには、カヴァイエ・コル製作の大オルガンが設置され、その後のオルガン音楽の在り方に大きな影響を与えたという。また、左右の塔には、１８６７年第２回パリ万博で名を挙げたレオン・エドゥーの水圧式エレベーターが設置され、一度に60人の乗客を運んでいた（第11話）。

この巨大建築を共同設計で作り上げたのは建築家ジュール・ブールデと、ガブリエル・ダヴィウー。ジュール・ブールデは、その後１８８９年第４回パリ万博のために建てる塔をめぐってエッフェルとしのぎを削ることになる人物である（第38話）。

「トロカデロ宮」は、１９３７年のパリ万博で取り壊されるまで約半世紀の間、パリで万博が開かれるたびにコンサートホールや会議場として使われた。また、左右にのびたギャラリーは美術展示場として活用されることになる。

散々な言われよう

ところがこの「トロカデロ宮」、コンサートホールとしては評判があまりよろしくなかった。

まず、万博にはよくあることだが、そもそも完成が万博開幕日に間に合わなかったのだ。

また、デザイン的にも酷評された。当時のフランスの小説家で、作品『さかしま』などで知られ、美術評論家としても一目置かれ、特有のダンディズムにこだわっていたジョリス・カルル・ユイスマンス（1848〜1907）が、その急先鋒《きゅうせんぽう》だった。彼は、「トロカデロ宮」のことを「ブクブクに太った女が腹を迫《せ》り出して、透かしの入った靴下と金のスリッパを履《は》いた痩《や》せた足を宙に突き上げている姿*」と形容した。

音響についても不評だった。

この万博開催の少し前、1875年に、シャルル・ガルニエの設計によるオペラ座が落成しており、「トロカデロ宮」の音響が、その音響と比較されたことも大きかったようだ。1900年第5回パリ万博の際、この「トロカデロ宮」でウィーン・フィル初の外国公演を指揮したグスタフ・マーラー（1860〜1911）は、「ほとんど弦《げん》のモチーフが聞こえなかった**」と、この会場の音響面に文句をいっている。

それでも、このパリ万博で、マーラーは5回の公演をおこなっており、そのうち3回は「トロカデロ宮」で開催した。

曲目は、ブルックナーの『交響曲第4番』、ベートーヴェンの『交響曲第3番「英雄」』、シューベルトの『交響曲第8番「未完成」』、そしてワーグナーの『タンホイザー』序曲などであり、音響はともかく、演奏自体の評判はよかったという***。

重要な会議で歴史に名を刻む

「トロカデロ宮」ができた1878年パリ万博では、万博の公式行事として、38に及ぶ国際会議が開催された。この「トロカデロ宮」はその国際会議の場としても使われた。「女性の権利に関する国際会議」「国際平和会議」などが開かれたが、有名なものとしては、ヴィクトル・ユーゴーの「美術・文学系の著作権保護に関する会議」がある。このときの会議が、1886年、スイスのベルンで結ばれることになる国際的な著作権保護条約「ベルヌ条約」への第一歩となるのである。

*『パリ・世紀末パノラマ館』（鹿島茂著　角川春樹事務所）
**『マーラー』（船山隆著　新潮文庫）
***『マーラー』（船山隆著　新潮文庫）

さらに、「ブライユ点字法」の採択などへ向けての議論もここでなされ、コンサートホールとしては評判が悪くとも、「トロカデロ宮」は立派に（？）その役割を果たしたのである。

36 ナポレオン3世を称える『皇帝讃歌』とは

第1回パリ万博で実現した『テ・デウム』初公演

万博と音楽家たちとの関係はもともと深いものがあった。

フランスの作曲家エクトル・ベルリオーズが1851年第1回ロンドン万博で国際審査員として、サックスの審査をしたということは第6話で述べた。そのベルリオーズはロンドン滞在中、「クリスタル・パレス」で音楽フェスティバルを開催することを思いつく。彼は、1849年に完成していたものの、まだ演奏されていなかった自身の作品『テ・デウム』を含むさまざまな作品を、「クリスタル・パレス」で指揮したいと考えていた。だが残念ながら、ロンドン万博でその計画が実現することはなかった。

しかしながら、『テ・デウム』を万博で演奏するというアイデアは、曲の完成から6年後の1855年パリ万博で実現することになる。この第1回パリ万博において、その開会の前夜祭という華々しい機会に、ベルリオーズは『テ・デウム』を指揮したのである。こうして、1855年4月30日という日が、『テ・デウム』の初演された日ということになった。*

この万博では、ベルリオーズは、閉会式においてもナポレオン3世に捧《ささ》げる自作のカンタータ『帝国』を初演、指揮する機会に恵まれた。1855年11月15日、オーケストラ、合唱団合わせて900人（950人や1200人という説もある）もの大編成の初演では、指揮者ベルリオーズのほか、5人の副指揮者が指揮にあたったという。

作曲家と万博のさまざまなかかわり方

一方、この第1回パリ万博にはジュゼッペ・ヴェルディ（1813～1901）も参画している。『アイーダ』や『椿姫』で有名なヴェルディだが、彼は万博開催に合わせて、オペラ座で『シチリア島の夕べの祈り』の初演をおこなった。これが初のフランス語によるオペラといわれている。初演は1855年6月13日のことであった。

またヴェルディは、1862年ロンドン万博にもかかわっているという。しかし、ヴェルディが開会式用に作曲した曲が行進曲ではなかった、という理由で拒否されたという説や、このロンドン万博のために『諸国民の讃歌』を作曲したが、合唱練習のための時間がないという理由で歌われなかったという説もあるなど、やや不運な印象のかかわり方ではある。

1867年第2回パリ万博では、ジョアッキーノ・ロッシーニ（1792～1868）が登場する。『セビリアの理髪師』や『ウィリアム・テル』を作曲して一躍有名になったものの、37歳の若さで引退し、美食の道に走っていたロッシーニだったが、この万博の褒賞《ほうしょう》授与

＊ 5月1日開会予定だったこのパリ万博は準備が間に合わず、結局5月15日に開会した。

式にあわせて急遽《きゅうきょ》、ナポレオン3世のために『皇帝讃歌』を作曲した。

ヨハン・シュトラウス2世とヘンデル

ヨハン・シュトラウス2世（1825～1899）は、1867年パリ万博のために『美しく青きドナウ』を作曲したという。

ただ、この曲が1867年に作曲されたのは事実だが、その内実は1866年の普澳《ふおう》戦争でプロイセンに大敗したオーストリアを元気づけるためという説もある。そのあたりの明確な記録はないが、ヨハン・シュトラウスは、音楽活動をすることで、平和的な国際交流を目指していた音楽家であり、1867年にも万博に合わせてパリに演奏旅行に出かけているため、パリ万博で『美しく青きドナウ』が演奏された可能性は高いと思われる。オーストリアのために作曲したこの曲を、パリでの演奏旅行の際に演奏し、それが評判になったというのが、いちばん妥当な見方だろうか。

ヨハン・シュトラウスは、その後1873年、ご当地ウィーンで開催された万博でもプレゼンスを発揮した。

開会式は、あいにくの悪天候の中、ヨハン・シュトラウスが指揮をする『皇帝讃歌』で始まった。また彼は、この万博のために『我が家で』という合唱ワルツを作曲し、このとき初演している。『我が家で』は、世界のさまざまな国から万博を見にやってきた人々に、まるで自分の家にいるようにくつろいで、楽しんでくださいという内容で、シュトラウス楽団は、この曲やウィンナ・ワルツをはじめとする多彩な音楽で人々を楽しませたという。日本から訪れていた佐野常民《さのつねたみ》も演奏を楽しんだかもしれない。

また、この開会式では、１７０人編成のオーケストラ、７２０人の大合唱団により、ヘンデルの『ユダス・マカベウス』から、『見よ、勇者は帰る』が披露《ひろう》された。この曲は、誰でも聴けば「ああ、あの曲か」と思う、運動会の表彰式などによく流される曲である。

ゲオルク・フリードリヒ・ヘンデル（1685～1759）は、「万博」が始まる前にこの世を去っている音楽家であるが、その作品に関しては、実は万博とはゆかりが深い。

第１回の１８５１年ロンドン万博の開会式において、ヴィクトリア女王の前で、『メサイヤ』の中の『ハレルヤ』が、セント・ポール大聖堂の合唱隊などにより歌われている。ヘンデルの曲が採用されたのは、彼が後半生、イギリスに帰化したことも理由の一つかもしれない。

こういった大催事には、この荘厳《そうごん》な曲はうってつけだったせいか、１８７６年のフィラデルフィア万博でも、『ハレルヤ』は８００人の大合唱団によって歌われているのである。

1851年ロンドン万博開会式の模様
出典："The Illustrated London News"（1852年）柏書房再刊

37 「Love The Earth」に世界から集結したアーティストたち

ラヴェルとガムランの出会い

さて、続く1889年第4回パリ万博では、多くの音楽家が異国の音楽に影響を受けた。

まず、フランス人作曲家、モリス・ラヴェル（1875～1937）である。彼は14歳のとき、パリ音楽院ピアノ予科に入学しているが、この年が1889年パリ万博の年だった。この万博において、ラヴェルはジャワ（インドネシア）のガムラン音楽に触れることになる。ガムランとはもともと「（楽器を）叩《たた》く」などの意味で、主に青銅でできたさまざまな楽器を使って繰り広げられる、ジャワの民族音楽である。

ガムランは、短い音楽がリズミカルに繰り返される「反復音楽」であり、そのいろいろな組み合わせで独特のメロディがかもしだされる、ジャワを代表する音楽となっている。

万博でこのガムランに触れたラヴェルは、その後の人生で結局一度も東洋を訪れることはなかったが、彼の音楽は、東洋の民族音楽に絶えず影響されることになったのだ。

東洋への深い関心を持ったドビュッシー

クロード・ドビュッシー（1862～1918）も、1889年のパリ万博でガムランに刺激を受けた一人である。ガムランに端を発し、東洋の音楽に魅せられたドビュッシーは、東洋の文化に関心を抱き、葛飾北斎《かつしかほくさい》『富嶽《ふがく》三十六景』の『神奈川沖浪裏《かながわおきなみうら》』を部屋に飾るほど、その影響を受けていたらしい。ドビュッシー作曲の交響詩『海』の曲の楽譜が初めて出版されたときの表紙には、この絵のモチーフが使われているのである。ちなみに、この『神奈川沖浪裏』は、2024年発行予定の新千円札裏面のデザインに採用されることになっている。2025年大阪・関西万博が開催される頃には我々の手元に届いていることであろう。

また、エリック・サティ（1866～1925）がルーマニア音楽に触れ、魅了されたのも同じく1889年パリ万博のときであり、この経験がのちに『グノシェンヌ』の作曲につながったとされている。

ジョン・ケージと万博という意外な組み合わせ

時代は下り、1958年のブリュッセル万博ではジョン・ケージ（1912～1992）が登場した。

このアナーキーな音楽家と、万博という国家的な催事との間には一見かなりの距離があるように見えるが、実は、この組み合わせがブリュッセル万博で実現していた。

ジョン・ケージが1958年10月8日にドイツ館のホールで、デヴィッド・テュードアらとともに、3台のピアノで『ウィンター・ミュージッ

ドビュッシー『海』の楽譜表紙

ク』を演奏したという記録が残っている。また、10月9日にはフランス館で、『ヴァリエーションズⅠ』並びに『ピアニストのための二重奏』を演奏したという。同日には、『不確定性のためのピアノソロ』を演奏したという記録も残っている。

そして、『不確定性』と題された講演を万博でおこなったが、これは、「禅の精神に基づいた不特定数の逸話《いつわ》を集めたもの」（？）であったという。

壮大だった大阪万博の音楽イベント

20世紀後半からの万博では、クラシックはもちろんのこと、ポップス、ロック、ジャズなど、あらゆるジャンルの音楽が繰り広げられることになる。

１９７０年大阪万博では、音楽、舞踏、ミュージカルなどさまざまな催《もよお》し物がおこなわれ、出演者の合計数だけでも20万人を超えるという大規模なものとなった。

クラシックのジャンルだけでも、１９０４年セントルイス万博でも公演したベルリン・フィルハーモニー管弦楽団や、パリ管弦楽団、レニングラード・フィルハーモニー管弦楽団、ニューヨーク・フィルハーモニック管弦楽団、ボリショイ・オペラ、そしてもちろんＮＨＫ交響楽団など、そうそうたるメンバーが公演をおこなっている。

また、ポップスなどの公演も盛んにおこなわれた。万国博ホールでは、「マレーネ・ディートリヒ・ショー」「サミー・デイビス・ジュニア・ショー」「アンディ・ウィリアムス・ショー」「ジャズ・フェスティバル」などのプログラムが提供されている。

「Love The Earth」プロジェクト

記憶に新しい（といっても17年もたってしまった）２００５年にも、世界各国のアーティストが「かけがえのない地球が永遠に続くこと」という「Love The Earth」の想いに賛同して「愛・地球博」に集結した。

この「Love The Earth」プロジェクトは、立川直樹《たちかわなおき》氏が総合プロデューサーを、エリック・クラプトンがエグゼクティブ・ミュージック・コンサルタントを務め、世界的チェロ奏者ヨーヨー・マ、ソプラノ・ボーカリストのサラ・ブライトマン、松任谷由実《まつとうやゆみ》、東京２０２０パラリンピック開会式にも登場した布袋寅泰《ほていともやす》、東京２０２０オリンピック開会式にも登場したＭＩＳＩＡ等の皆さんが参加した豪華なものだった。

万博が、人類の巨大な文化運動である以上、当代最高の文化を集めようとするのは当然であり、それは、伝統的なものに限る必要はなく、むしろ、万博への集客を考えれば、そのときに人気のあるもの、あるいは人気のあるアーティスト、そして、何よりも万博のテーマに沿った話題性のあるものを中心に繰り広げられることになる。それも、開催国の中だけではなく、国際的に見てもハイレベルのものが集約されてきた歴史があるのである。

万博からは音楽も大きな影響を与えられ続けているのだ。

２００５年9月23日、「ＥＸＰＯドーム」でおこなわれた「Love The Earth」のステージ。右からamin、イム・ヒョンジュ、松任谷由実、ディック・リー、シュイ・クゥ
写真提供©ＧＩＳＰＲＩ

38 エッフェルの「世界一高い」野望

1867年の第2回パリ万博

1867年、パリでの2回目の開催となるパリ万博では、現在、エッフェル塔が建っているエリアであるシャン・ド・マルスに、ロンドン万博の「クリスタル・パレス」の約1・5倍の面積を誇る巨大な楕円形《だえんけい》の会場「シャン・ド・マルス宮」が建設された。

この会場は、同心円の7つの回廊によって構成されていた。この回廊を円周に沿って歩くと、製品カテゴリーやテーマ別の展示が見られるようになっており、円の中心から放射線状に伸びる通路を歩くと、国別の展示が見られるようになっていた。円の中心は庭園となっており、それをとりまく形で7つの回廊状の展示スペースがもうけられていたのだ。

この万博では、それまでの、一つの巨大な建築物の中ですべてを展示するといった方式は終わりを告げ、さまざまなパビリオンがメイン会場であるこの「シャン・ド・マルス宮」周辺の庭園に建てられることとなった。この方式はその後発展していき、1876年フィラデルフィア万博では、大小250ほどのパビリオンが建てられるようになる。

エッフェルと万博の最初の接点

さて、この「シャン・ド・マルス宮」の発案者は、フレデリック・ル・プレという博覧会総括委員長であったが（第2話）、設計をジャン・バチスト・クランツという人物に任せ、さらに機械ギャラリーの設計をギュスターヴ・エッフェルにゆだねた。

これがエッフェルと万博の最初の接点であった。

ギュスターヴ・エッフェル（1832～1923）はフランス・ブルゴーニュ地方の中心都市ディジョンで生まれた。1850年にパリに移り住み、中央工業学校で勉強することになる。そして卒業後、紆余曲折《うよきょくせつ》を経て1856年、サン・ラザール駅を有する西部鉄道会社に入社する。その後ポーウェル社というベルギー資本の会社に移り、ボルドー橋の設計など、橋を中心としてさまざまな設計業務に携《たずさ》わることになる。

そして1866年、第2回パリ万博の前年には自分の会社であるエッフェル社を設立。1867年パリ万博で、前記のようにエッフェルは「シャン・ド・マルス宮」の一部である機械ギャラリーの設計を任されることになった。エッフェル社はまだ工場を持っていなかったということで、このパリ万博では、そんなに大きな仕事を取ることができなかったが、これがエッフェルと万博とが出会うきっかけとなったのである。

1878年第3回パリ万博での仕事

1878年に開催された第3回パリ万博においては、エッフェルと親しいクランツが事務委員長を務めたこともあり、さまざまな形でエッフェルは万博に参加している。

この万博では、現在シャイヨー宮の建つ、シャン・ド・マルスのセーヌ川対岸に「トロカデロ宮」が建設された（第35話）。

このセーヌ川をはさんだ2つの会場――新しく建て直された「シャン・ド・マルス宮」と「トロカデロ宮」――をイエナ橋を使って効率よく、違和感なく結ぶ方法がいろいろと検討されることになった。エッフェルは、このコンペに参加し、セーヌ川の中に支点を造らなくてもすむアーチ式の連絡路を造る提案をおこなったが、この案は経費がかかりすぎるということで、残念ながら実現することはなかった。

しかし、エッフェルは、新「シャン・ド・マルス宮」の正面玄関部分や、「パリ市展示館」などを担当することになった。また、出展者としてもエッフェルは、自分が手がけた駅舎の透視図や、橋の模型などを出展している。

また、この万博にその頭部が展示され、今もニューヨーク港に立つ『自由の女神』の内部構造の設計を手がけたのも、エッフェルであった。

万博で「世界一高い塔」を企画

そして、１８８９年第４回パリ万博でエッフェルが建てたとされる「エッフェル塔」、実は別の人物たちが「設計」したものを、エッフェルが「提案」した、というものだった。しかし、エッフェルはこの塔で莫大《ばくだい》な財産を築くことになる。

万博で高い塔を建てるというアイデアは、すでに１８５３〜54年ニューヨーク万博のときから考えられていた。このニューヨーク万博は、マンハッタン5番街と6番街の間で40〜42丁目にあたる場所、現在の「ブライアント公園」がある場所で開催され、この会場にはロンドンを模してその名も「クリスタル・パレス」と呼ばれる建物が建てられた。設計者は、デンマークの首都コペンハーゲンにあるチボリ公園を手がけたジョージ・カーステンセンらである。

このニューヨーク版「クリスタル・パレス」はギリシャ十字架の形をしたものだったが、その横には、展望台を兼ねた地上350フィート（約107メートル）の高さの塔「ラッティング展望台」が設置されていた。この展望台によって初めてニューヨーカーは、マンハッタン全域の眺望《ちょうぼう》を楽しむことができるようになったのである。

さて、1889年第4回パリ万博のために高い塔を建てようというアイデアは、1885年に2人の人物から提案され、どちらがいいか、熾烈《しれつ》な闘いが始まっていた。

ジュール・ブールデという、「トロカデロ宮」をガブリエル・ダヴィウーと共同設計した人物（第35話）は、「太陽の塔」と名づけた高さ360メートルの塔を提案する。大理石製で、夜にはパリ中を明るく照らす電灯を備えるというこの塔は、時の首相の後押しも受け、ほぼ当確かと思われていた。

ところが、これに対抗したのが、エッフェルの「300メートルの鉄塔」だった。

そして、時間と費用がかかりすぎるという理由でブールデの案が却下され、最終的に、予算に合う「エッフェル塔」が採用されることになったのだ。

今でもパリ名物として親しまれているこの塔は、エッフェル自身が設計したものではなく、エッフェル社の技術者E・ヌギエとM・ケクラン、および建築家ステファン・ソヴェストルによって設計されたもので、エッフェルはそれを「提案した」、というものだった＊。しかし、エッフェルは如才なく、

＊『ギュスターヴ・エッフェル　パリに大記念塔を建てた男』（アンリ・ロワレット著　飯田喜四郎・丹羽和彦訳　西村書店）

エッフェルの肖像が描かれた200フラン札

1887年1月8日、国ならびにパリ市と、彼の個人名（エッフェル社ではなく）で事業開始の協定を結んでいる。

この協定書によると、エッフェルは1889年の万博開幕までに塔を完成しなければいけない。その代わり、博覧会開催中および1890年1月1日から20年間、塔の営業収益はエッフェルに与えられることになっている。*しかもそのうえ、博覧会予算から総額150万フランがエッフェルに与えられることにもなっていた。当初の全体予算は315万5000フランだったので、エッフェルはその半分近くの助成金獲得に成功したことになる。実際にはその2・5倍ほどの、779万9401・31フランの費用がかかることになってしまったが……。

錚々たる顔ぶれの反対派

さて、「エッフェル塔」の建設工事は1887年1月28日に始まった。しかし、2月にはすぐに文化人たちの反対運動にあうことになる。

47人の文化人が署名した抗議文が万博当局に提出されたり、300メートルの塔に対して、300人の文化人が反対表明したりした。反対した文化人の中には、作家のギイ・ド・モーパッサン（1850～1893）、オペラ座を設計したシャルル・ガルニエ、画家エルネスト・メソニエ、ジャン・レオン・ジェロームなどがいた。彼らは古き良きパリの景観と趣《おもむき》を壊すものとして反対したのである。

しかし、47人の文化人がパリ市に出した抗議文に対し、パリ市は、「これほど格調高い散文はぜひとも万国博に展示いたしたい」**と切り返したという。さすがにフランスと

＊『ギュスターヴ・エッフェル　パリに大記念塔を建てた男』（アンリ・ロワレット著、飯田喜四郎・丹羽和彦訳　西村書店）

＊＊『図説万国博覧会史　1851―1942』（吉田光邦編　思文閣出版）

いうべきか。

こうして、さまざまな反対運動にもかかわらず、エッフェル塔の工事は着々と進み、2年2カ月の工期を経て、1889年3月31日、無事5月5日の開会前に完成をみるのである。

39 モーパッサンがエッフェル塔に通ったわけとは？

長い間、世界一だったエッフェル塔

総重量が7300トンにもおよぶ、錬鉄《れんてつ》でできたこの「エッフェル塔」は、「人類がそれまでに建てたもっとも高い建造物」となって、人々を驚かせた。

それまでに人類が建てた建造物で高そうなものといえば、エジプトのクフ王のピラミッドがあるが、これは、実は146メートルの高さであった（当時）。そしてこのピラミッドは、1889年「エッフェル塔」ができた時点で世界で5番目の高さの建造物であった。

当時、ルーアン大聖堂は高さ150メートル、ドイツ・ケルンの大聖堂が159メートルの高さを誇っていたのである。そして、アメリカのワシントンD.C.に立つ「オベリスク」が169メートルで世界一高い建造物であった。この「オベリスク」は

1848年、つまり1851年ロンドン万博より前の時代に着工されたが、途中傾いていることがわかったりして、結局1885年に完成した。しかし、そのわずか4年後には2倍近い差をつけられて「エッフェル塔」に1位の座を譲ったのである。

「エッフェル塔」は約40年間にわたって世界一高い建造物であった。しかし、とうとう、1930年に竣工《しゅんこう》することになるウィリアム・ヴァン・アレン設計、77階建て、高さ約319メートルの、ニューヨーク・マンハッタンの「クライスラー・ビル」にその座を譲ることになる。そして、この「クライスラー・ビル」は、わずか1年後の1931年に、同じくマンハッタンの「エンパイア・ステート・ビル」(約381メートル)に抜かれることとなる。そしてその「エンパイア・ステート・ビル」は、ミノル・ヤマサキ(第69話、70話)設計の今はなき「ワールド・トレード・センター」(約417メートル、1973年竣工、2001年9月11日同時多発テロにより崩壊)ができるまでの42年間、世界一の座を守ることになるのである。

著名人にも愛されたランドマーク

さて、「エッフェル塔」に戻ろう。

実はあの反対派の急先鋒《きゅうせんぽう》だったモーパッサンは、意外なことに「エッフェル塔」完成後はせっせと「エッフェル塔」の中のレストランに通ったという。理由は、「ここがパリで『エッフェル塔』が見えない唯一の場所だから」というふるったものであった。本人も実は「エッフェル塔」あるいはそこからの景観が気に入っていたのだろうと思われるが、反対した手前、何か言い訳が必要だったのだろう。また事実、そこが「『エッフェル塔』が見えない唯一の場所」というほど、当時「エッフェル塔」はパリのどこからでも見えたということなのだろう。

この「エッフェル塔」は1889年5月5日から始まったパリ万博で大変な人気を呼び、会期中に合計200万人が上るという一大アトラクションとなった。第11話で紹介したように、英国皇太子エドワード、人気女優のサラ・ベルナール、発明王トーマス・エジソンなども「エッフェル塔」に上ったと記録されている。

日本からも著名人が「エッフェル塔」を訪れている。

のちに1900年第5回パリ万博において作品『智・感・情』（当時のタイトルは『裸婦習作』）で銀賞を獲得することになる画家の黒田清輝《くろだせいき》（1866～1924）は、その養母・貞子に宛ててわかりやすく平仮名で書いた1889年5月12日付の手紙の中で、「エッフェル塔」についてこう述べている。

「さる六日には大はくらんくわいのくわいぎようしきがございました。わたしたちともだち三にんづれにてばんめしをたべてからはなびをみにいきました。こんどはくらんくわいのためにできたせかいだい一といふたかいひのみやぐらのようなもの、なかにひをつけましたもんですからそれがくわじのようにまつかになりずいぶんきれいでした＊」

「エッフェル塔」を描いた画家も数多い。

アンリ・ルソーは『私自身、肖像＝風景』という絵において、「エッフェル塔」を含

黒田清輝『智・感・情』

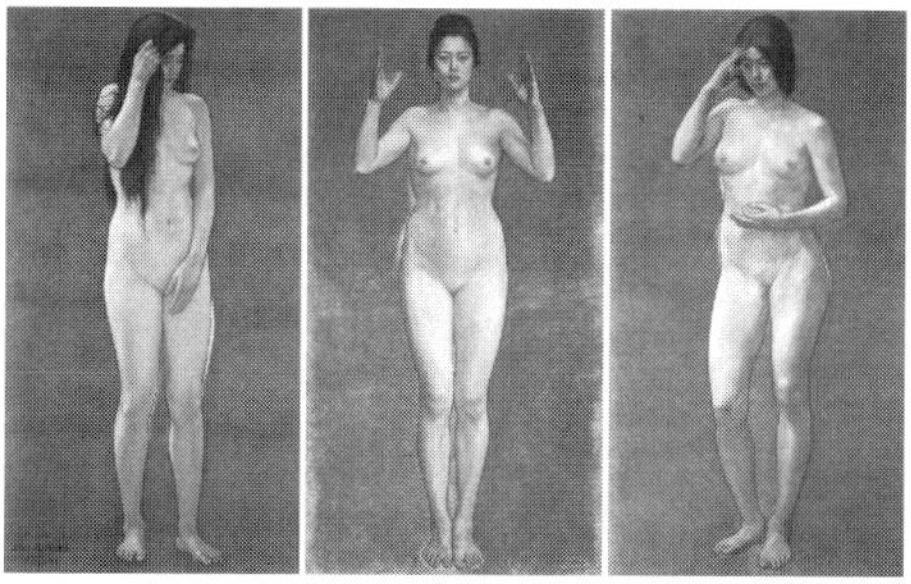

＊『エッフェル塔展覧会カタログ』（麻布美術工芸館）

む1889年パリ万博の会場風景をバックに自画像を描いている。また、スーラはやはり同年に点描で「エッフェル塔」を描いている。それ以降も、シニャック、ドローネー、シャガール、デュフィ、レジェ、ユトリロなど多くの画家が「エッフェル塔」をモチーフにして絵を描いた。また、アンリ・リヴィエール（1864～1951）が葛飾北斎《かつしかほくさい》の『富嶽《ふがく》三十六景』をヒントにして、浮世絵風の『エッフェル塔三十六景』を描くなど、「エッフェル塔」はその後、多くのアーティストにインスピレーションを与え続けているのである。

3億人を超える入場者

エッフェルは、この塔により、万博期間中多くの収入を得て、あっという間に投資額を回収した。その後も、夏目漱石《なつめそうせき》が訪れた1900年第5回パリ万博なども含め、20年間で莫大な利益を上げたという。

「エッフェル塔」は完成から20年後の1909年には取り壊されることになっていたが、結局生きのびることとなった。現在、「エッフェル塔」はパリ市の所有物で、エッフェルが持っていた収益権も、1980年にはパリ市が実質所有する「エッフェル塔経営新会社」に引き継がれている。*

そして、2002年末には1889年以来の入場者数が2億人を突破した。1983年に1億人を達成してからわずか20年たらずで1億人がこの塔に上ったことになる。また、その15年後、2017年の9月28日には総入場者数が3億人を超え、それを記念するライトアップがおこなわれた。

「エッフェル塔」は年間700万人以上が訪れる、もはやパリになくてはならない名

アンリ・ルソー『私自身、肖像＝風景』

アンリ・リヴィエール『エッフェル塔三十六景』の一枚『建設中のエッフェル塔、トロカデロ宮からの眺め』

物となって現在にいたっているのである。

40　モネの『睡蓮』も万博から生まれた!?

マネの遺作14点が展示された万博

「エッフェル塔」が建てられた1889年第4回パリ万博。

この万博では、それまであまり万博会場に展示が認められてこなかった印象派の作品も出展されるようになってきた。印象派に理解のある「印象派の友人」アントナン・プルースト（1832～1905）が博覧会監事をつとめていたこともあり、万博で開催された「フランス絵画の回顧100年展」の中で印象派の画家も多くとりあげられていたのである。

「フランス絵画の回顧100年展」は、1789年のフランス革命時から今回の万博開催年である1889年までの油彩画652点、彫刻140点がシャン・ド・マルスの「パレ・デ・ボザール」にて展示されたものであった。

作家としてはダヴィッド、アングル、ジェリコー、ドラクロワ、フラゴナール、クールベ、コロー、ミレー、テオドール・ルソー等のほか、マネ、モネ、ピサロ、セザンヌ等の印象派の画家の作品も出展されていた。

マネは1883年4月に没していたが、その遺作が14点、大々的に展示された。『オ

＊『ギュスターヴ・エッフェル　パリに大記念塔を建てた男』（アンリ・ロワレット著　飯田喜四郎・丹羽和彦訳　西村書店）

ランピア』『笛を吹く少年』等の我々のよく知る作品もそれに含まれている。また、1875年2月に没していた「巨匠」コローは、展覧会中もっとも多い43点の作品が出展された。一方、セザンヌは『首吊りの家』1点を出展していた。

また、この万博の展覧会にはルノワールも出展を望んだが認められず、マチスも拒否され、さらにドガ、スーラ、ゴッホ、ロートレック等の作品も展示されることはなかった。

一方、万博の展覧会に出展を許されなかったゴーガン、ベルナール等が「カフェ・ヴォルピーニ」で独自に展覧会を開催した話は前に書いたとおりである（第15話）。この展覧会は「印象主義者と綜合主義者のグループの展覧会」と称されていた。

万博とモネの関連をひもとく

このように、我々の知る多くの画家が関与してきた1889年パリ万博であるが、この万博で、ある運命的な出会いを果たした画家がいた。それは、今回の万博で『テュイルリー公園』等3点を出展していたクロード・モネ（1840～1926）である。

万博に関連するモネの作品には『パリのモントルグイユ街、1878年6月30日の祝祭』がある。これは1878年5月20日から開催されていた第3回のパリ万博の成功を祝って祝日になった6月30日の、フランス国旗で満たされたパリの賑わいを描いたものである。この作品はすでに始まっていたこの万博には展示されなかったが、ほぼ同じ構図の『サン＝ドニ街、1878年6月30日の祝祭』とともに翌年の第4回印象派展に出品されている。*

そして、モネは次の第4回目となる1889年パリ万博では、前述のように3点の作

＊ 69ページの図版参照。

品の出展を果たすことになるのである。また、モネは、この万博に出展されたマネの『オランピア』がアメリカに売却されるという話を聞き、2万フランを目標にして募金活動をして海外流出を防いだという逸話《いつわ》も残している。

モネと「睡蓮」の出会い

さて、それではその1889年パリ万博でのモネの運命的な出会いとは何か――それはモネと「睡蓮《すいれん》」との出会いであった。「睡蓮」といっても作品名ではなく、植物の「睡蓮」である。

この話は2021年10月15日から開催された三菱一号館美術館の「イスラエル博物館所蔵『印象派・光の系譜』展」図録に、安井裕雄・三菱一号館美術館上席学芸員により詳しく書かれている。この論文には「モネが睡蓮に関心をいだく直接のきっかけは、この万博（筆者注：1889年パリ万博）であったと考えて間違いないようである」とある。同論文によると、「19世紀後半のフランスでは、白い花の睡蓮だけが栽培されていたが、1879年にジョセフ・ポリィ・ラトゥール＝マルリアック（1830～1911）が交配によりピンクの睡蓮をつくることに成功した後、色数が増えた」とある。その色数の増えた、新しいタイプの睡蓮を、ラトゥール＝マルリアックが出品していたのが1889年パリ万

モネの『睡蓮』

博であった。

今も存続するラトゥール＝マルリアック社のホームページによると、この１８８９年パリ万博で、ラトゥール＝マルリアックの睡蓮はトロカデロ宮（セーヌ川をはさんでエッフェル塔の対面にあった。第35話）の前の「水の庭」に展示され、大評判となり、一等賞＊を受賞したという。それまで耐寒性の睡蓮は白色のものしかなかったが、ラトゥール＝マルリアックは繊細な黄色から赤紫色、そして深紅までさまざまな色の花を咲かせる睡蓮をつくりあげていたというのだ。このパリ万博はラトゥール＝マルリアック社にとっても睡蓮のビジネスを拡大する大きな契機になったという。

そしてこの万博会場で、そのラトゥール＝マルリアックの新技術の成果である色鮮やかな睡蓮に目を留めたのがクロード・モネだった。「モネはその睡蓮に驚嘆し、魅了され、そのすぐ後に、それまで借りていたジヴェルニー＊＊の土地を買って『水の庭』を作り始める」（同社ホームページより、筆者訳、以下引用も同様）ことになる。そして庭が完成すると、モネはラトゥール＝マルリアックに大量の睡蓮を発注したのである。

当時の最先端技術の結晶を描いた『睡蓮』

ラトゥール＝マルリアック社のアーカイブにはその注文の詳細が今も残っている。それによると、モネは数回のオーダーをしている。

最初のオーダーは１８９４年であり、この年はモネが「水の庭」をジヴェルニーに完成させた年である。この時は、睡蓮のほかにも睡蓮とほぼ同じ数のハスなど、合計40点近いオーダーをしている。

＊金賞のことと思われる。

＊＊パリから北西へ約70キロのあたりに位置する。

その後も１９０４年、１９０８年にも追加でオーダーをしている。

また、ラトゥール＝マルリアックは、モネの耐寒性への心配に答えて、モネへの請求書にハスについての指示書も添えている。

「ハスは、カタログに書いてあるように（ジヴェルニーのある）ウール地方でも室外で育てることができる。根茎は水平に植え、植えた池の中で注意深く土で覆わなければならない。根茎は水深50センチメートル以上深いところに置いてはならない」などと書いている。

しかし睡蓮の栽培は成功したが、ハスは成功しなかった模様だ。「もしハスの栽培に成功していたらモネの作品のタイトルは『睡蓮』ではなく『ハス』になっていたかもしれない」とある。なるほど、そんな可能性もあったのだ。***

モネが「睡蓮」をモチーフにした一連の作品を描き始めるのは１８９７年以降である。ジヴェルニーの自分の土地に日本風の庭をこしらえ、その「水の庭」に色とりどりの睡蓮を購入して育て、そしてそれを描いたというわけだ。

「モネは単に綺麗な花を描いたのではない。彼は植物学上の新しい成果をキャンバスにとらえたのであり、彼の絵は、ヨーロッパで育っていた白色以外の睡蓮の、最初の記録の一つなのである」ということである。

モネが、単に美しい花を描いたのではなく、当時の最先端技術の結晶を描いていた、と考えると、また『睡蓮』を見る眼も少し変わってくるのではないだろうか。

誰もが知るモネの『睡蓮』の連作も、１８８９年パリ万博での運命の出会いが始まりだった。パリ万博における新しいタイプの睡蓮との出会いがなければ、この一連の傑作

＊＊＊睡蓮とハスの違い。
睡蓮（water lily）はスイレン目スイレン科で、水面近くで花が咲く、葉に光沢があり大きな切れ込みがある、などの特徴がある。
ハス（lotus）はヤマモガシ目ハス科、水面より高い位置で花が咲く、葉に光沢がなく切れ込みがない、などの特徴がある。

は誕生しなかったかもしれないのだ。

ちなみに、このラトゥール＝マルリアック社はジョセフ・ポリィ・ラトゥール＝マルリアックによって１８７５年に設立されている。その後何度かオーナーが変わりつつも、今もパリ万博での成果のおかげか無事存続している様子である。パリから遠く南西南、ボルドーとトゥールーズの中間あたりに位置し、そこには１ヘクタールという広大な睡蓮の「水の池」があり、３００種近い睡蓮が楽しめるという。

41 いつも人気、大観覧車の始まり

大観覧車が誕生したシカゴ万博

観覧車といえば、古典的でありながら、今でも人気のデートスポットだろう。大型のものが、東京の葛西《かさい》臨海公園やお台場《だいば》、横浜《よこはま》みなとみらいなどに設置され、夜ともなると華やかなイルミネーションで飾られて人々を楽しませている。

２００５年「愛・地球博」にも登場した。

直径90メートル級の大型観覧車が「ファミリー愛ランド」に設置され、また直径50メートル級の観覧車を万博史上初めてパビリオン仕立てにしたという日本自動車工業会のパビリオン「ワンダーホイール　展・覧・車」も人気を集めていた。

この大型観覧車、もともとは1893年シカゴ万博で登場したものなのである。

1893年シカゴ万博は、正式には「世界コロンビア博覧会」（World's Columbian Exposition）といい、コロンブスのアメリカ大陸到達400周年を記念して開催された。もっとも400周年にあたるのは正しくは1892年だが、準備が遅れたせいで、実際には1年遅れの開催となったのだった。

このシカゴ万博は、市の中心部から8マイルほど南の「ジャクソン公園」という290ヘクタールの土地で開かれた。参加国数は19。日本も出展したこの万博には、もう一つ開催の目的があった。1871年のシカゴの大火災からの復興記念、ということもあったのだ。

大火災からの復興記念

1871年の大火で、シカゴ市は2億ドルの損害をこうむり、10万人の家が奪われた。再建にあたって、市は特に中心部で木造建築の建造を禁じ、煉瓦《れんが》や石、鉄の使用を義務づけるなどしたが、そのためもあってか、古代ギリシャや古代ローマの建築復興を目指す新古典主義建築の実験場のようになっていた。

「ホワイト・シティ」と呼ばれた万博会場にも、そういった古典様式の白い建築物が並び、アメリカの公共建築物は、この後1930年代までそれが主流となる。

1893年シカゴ万博会場は「ホワイト・シティ」と呼ばれた

またシカゴ万博が契機となって、万博の会場計画に携《たずさ》わったフレデリック・ロー・オルムステッドなどが提唱した「都市美化運動」は、ホワイトハウスなどのワシントンD.C.の都市計画などにも大きな影響を与えていくこととなった。ちなみに、オルムステッドはニューヨークのセントラル・パークなどの設計を手がけた都市計画家でもある。

こうして、当時ほとんど無名だった都市シカゴも、この万博で設置された本格的な「広告・宣伝部」の活躍もあって、一挙に世界的に有名となり、実に２７５０万人もの入場者を集めたのである。

40人乗り車両36個分！　超絶のスケール

ところで、今から１００年以上も前に開催されたこの１８９３年シカゴ万博で初登場した大観覧車は、その発明者の名にちなんで「フェリス・ホイール」と呼ばれていた。ピッツバーグの技師ジョージ・W・G・フェリス（1859〜1896）は、この高さ２６４フィート（約80メートル）もある大観覧車を企画し、私財をその事業につぎこんだのだ。

観覧車自体の記録は、17世紀のブルガリアの遊具の絵や、モスクワの公園で農奴が回転させたなどとして残っているが、フェリスが考えたのは桁外《けたはず》れにダイナミックなものだった。現在の一般的な観覧車とは異なり、40人も乗れる列車の車両のような箱を横にして36個、円周上に並べたものだったのだ。電気で動き、約10分間で1周し、１回の料金50セントという乗り物だった。

「フェリス・ホイール」は、シカゴ万博の中でも人気を集めたゾーン「ザ・ミッドウェイ・プレザンス」に位置していたが、ここは「ジャクソン公園」と「ワシントン公園」という2つの公園をつなぐ細長い土地に設置された娯楽街であった。この「ザ・ミッドウェイ・プレザンス」では、ドイツのビアホール、トルコ風バザール、エジプト式奇術、アルジェリアの扇情的なダンス、40カ国40人が参加した「世界美女大会」など、いくぶん怪《あや》しげなものも含め、さまざまなアトラクションがあった。

その中でも、この「フェリス・ホイール」は大人気で、会期中145万人が体験し、フェリスは40万ドルという投資金額を回収してもなお余りある財をなしたという。これは、この4年前、1889年パリ万博でエッフェルが300メートルの鉄塔によって、財を築いた話とよく似ている。

アメリカでは今でも観覧車のことを「フェリス・ホイール」というが、このシカゴ万博以降、観覧車は万博には欠かせないアトラクションとなっていく。

1893年シカゴ万博で登場した「フェリス・ホイール」

42 「動く歩道」で淑女も転ぶ？

シカゴ万博――モビリティの百花繚乱

今ではもう、当たり前のように見かける「動く歩道」。１９７０年、大阪万博で近未来的な技術として評判になったのだが、万博においては、19世紀からすでに姿を現していたものだ。

初めて万博に「動く歩道」が登場したのは、１８９３年シカゴ万博だった。観覧車「フェリス・ホイール」が登場したことでも有名なこの万博は、さまざまな交通手段が、展示に勝るとも劣らぬ評判になっていた。

まず、会場内のメインの移動手段として、電気で動く高架鉄道があった。敷地内を20分で1周でき、料金は10セントだったという。

また、人力車椅子が会場内で活躍していた。さらに水上を移動する「スライディング・レイルウェイ」や、ヴェニスからわざわざ運ばれてきたゴンドラ、氷上を移動する「アイス・レイルウェイ」など、多種多様な交通手段が展開された。

このシカゴ万博は、前述のように１４９２年のコロンブスのアメリカ大陸到達４００周年を記念して開催されたものだったが、それにちなんで、コロンブスの乗ってきた「サンタ・マリア号」と同じ大きさのレプリカが、スペイン政府によってミシガン湖畔《こはん》に展示されていた。これは万博に展示するために、実際にスペインから航海してきたというものだった。

GE社によって運営された「動く歩道」

さて、話は戻って、1893年シカゴ万博で登場したこの「動く歩道」だが、時速3マイル（約4・8キロ）と6マイル（9・6キロ）の2つのスピードに分かれていた。人間が普通に歩く速度が時速約4キロだとすると、9・6キロはかなり速い。

この「動く歩道」、ミシガン湖に突き出たカジノ埠頭《ふとう》と呼ばれる埠頭の周囲約1マイル（1・6キロ）を回る、電気で動く「乗り物」といった感じのものだった。この「乗り物」にはベンチも備えつけられており、「動く歩道」プラス「動くベンチ」といった様相を呈していた。

このアトラクションは前年の1892年にエジソン・ゼネラル・エレクトリック・カンパニーとトムソン・ヒューストン・カンパニーが合併して誕生した「ゼネラル・エレクトリック社」により運営されていた。

パリ万博でも大評判

「動く歩道」は、1900年第5回パリ万博でも

1893年シカゴ万博のカジノ埠頭の「動く歩道」

大人気となる。

このパリ万博では、歩道は3つのレーンに分かれており、一つは固定で動かないデッキ部分、一つは時速3・6キロの「動く歩道」、もう一つは時速7・2キロの「快速歩道」だった。

当時の写真を見ると、「動く歩道」の上でバランスを崩して転びそうになっている女性が写っていたりして、いろんな意味で評判になっていたことをうかがい知ることができる。

このパリ版「動く歩道」は高架式で、シカゴのときとは違ってベンチは備えつけられておらず、つかまるためのポールが立てられているだけだった。その後人気が出たため、椅子も備えつけられたという。50サンチーム（0・5フラン）で、シャン・ド・マルスとアンバリッドの間約3・6キロをつないだ「動く歩道」は、エッフェル塔と人気を二分する大人気アトラクションとなった。しかし、エッフェル塔とは違って黒字になることはなかったようだ。

1900年パリ万博の「動く歩道」Duquesne, Jaques. "L'exposition universelle 1900"（東京大学経済学図書館所蔵）より

43 万博の定番「大型映像」と「シミュレーター」の登場

映像の万博

史上初のスクリーンでの映画上映は、1895年12月28日に実現した。

その名は「シネマトグラフ」。

フランスの兄オーギュスト、弟ルイのリュミエール兄弟が、パリのキャプシーヌ大通りのグラン・カフェで公開したという。

そして、その5年後、1900年、パリでの最大の万博では、早くもさまざまな大型映像装置やシミュレーターが展開されていた。

万博史上初めて、「万博そのもの」が映像として記録されたのもこの1900年第5回パリ万博でのことである。

このパリ万博の大型映像装置については、『川上音二郎と1900年パリ万国博覧会展』（福岡市博物館）に収録の、「イメージの時代の予感」（脇山真治）に詳しい。その記述によると、リュミエール兄弟は、機械館の中に21メートル×16メートルの巨大なスクリーンを張り、大映像の映画を上映したという。このスクリーンは、機械館の「中央に張られ、表裏どちらからの鑑賞も可能で、一度に2万5000人の観客が巨大映像を楽しんだ」ということである。

1895年にリュミエール兄弟が使った「シネマトグラフ」

もともとこの企画は、エッフェル塔の塔脚に30メートル以上のスクリーンを張りわたして上映会場とするものだったが、強風のため中止になったらしい。75ミリのフィルムも、このために開発されたという。

こういったリュミエール兄弟の企画は、現在でも十分に通用するもので、120年前、映像を発明したばかりの人たちの発想力には驚くばかりである。

また、同書によると、リュミエール兄弟以外にも、クレマン・モリスという人物が『フォノ・シネ・テアトル』という音つきの映像を出展したほか、ラウル・グリモアン・サンソンという人物が、360度全周映画の「シネオラマ」を出展したという。クレマン・モリスは、当時の有名女優サラ・ベルナールなどを起用して人気を得たとのことである。

発明から5年後で、早くも360度全周映像までたどりつくとは大変なスピードだが、この「シネオラマ」は、直径約30メートルの全周スクリーンの劇場で、気球によるロケで仮想世界旅行の体験を提供したものだった。しかし、映写機の発熱のために映写技師が倒れ、火災の危

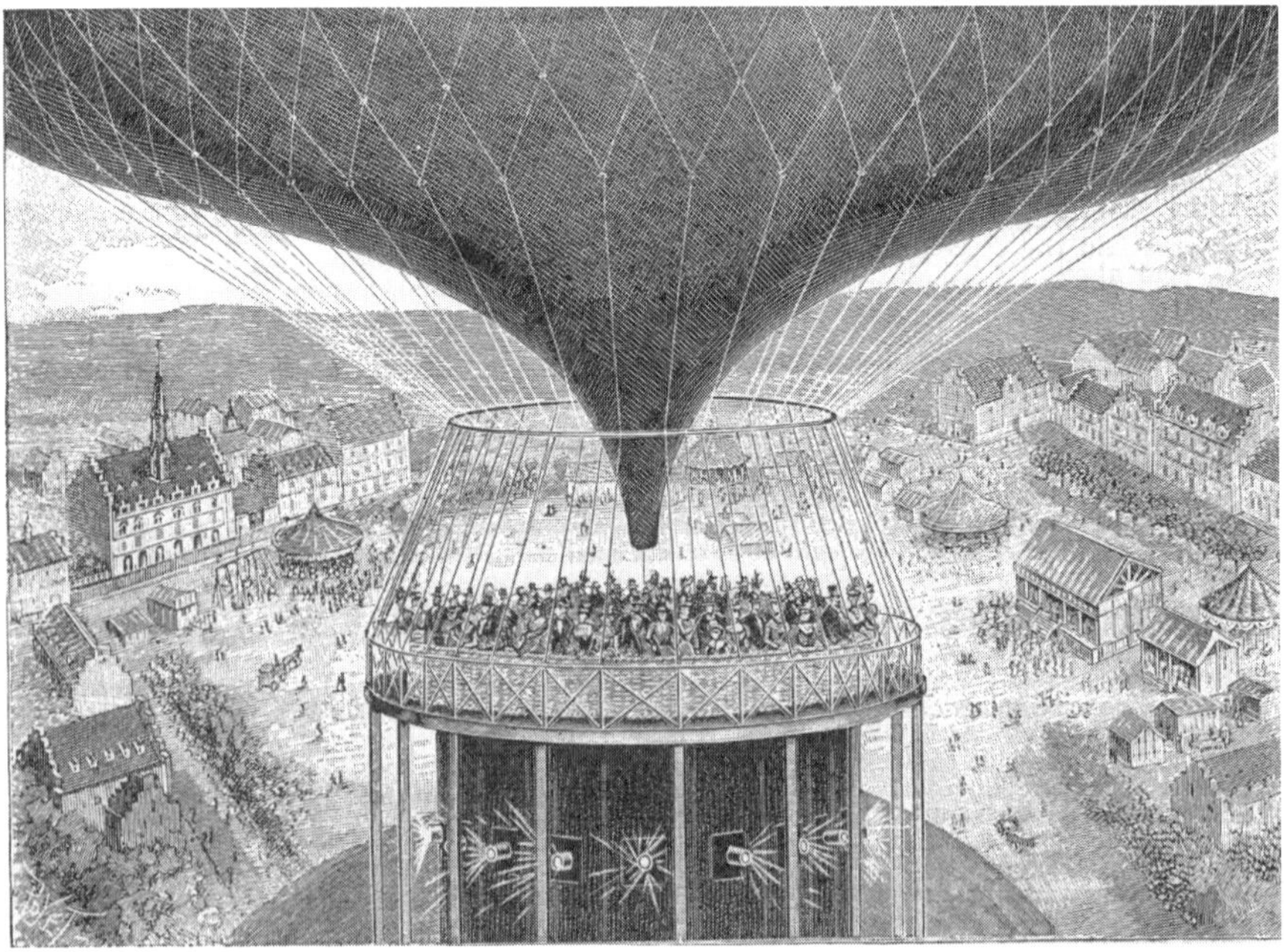

ラウル・グリモアン・サンソンの「シネオラマ」 by Louis Poyet

険性も指摘され、初日から4日目にしてあえなく中止となったという。

多彩なシミュレーターの登場

1900年第5回パリ万博では、「大型映像」のほか、「シミュレーター」も登場していた。

ロシアは、モスクワから北京への旅のシミュレーターともいえる「シベリア横断鉄道」を出展していた。これは、客車という設定で造られたシアターに座ると、窓の向こうの景色が変わっていき、モスクワから北京への景色を眺《なが》めながら旅をしている気分になれる、という優れもので、スラブ料理を食べながら窓の景色を楽しむことができたという。

そのほか、ヨーロッパ、アフリカ、アジアなど世界の旅をテーマにしたものが、ジオラマを中心とした展示方法で展開されていた。気球に乗ってジュール・ヴェルヌの『80日間世界一周』の気分を味わえる企画もあった。そして、「宇宙の旅」というアトラクションは宇宙への想像上の旅行に人々を連れていくもので、この「宇宙の旅」こそ万博で初めての宇宙関連の展示といえるだろう。

また、「マレオラマ」と呼ばれる、海の旅を仮想体験できる施設もあった。これは、シップ・シミュレーターとでもいうべきもので、仕掛け自体は「シベリア横断鉄道」と似ている。実際の船と同じようなサイズの船に乗ると、背景がロールで巻かれていき、景色が変わるというもので、マルセイユからコンスタンティノープルまでさまざまな世界の海辺の風景を見ながら、仮想船旅を体験することができた。1867年第2回パリ万博でレセップスが出展した「スエズ運河」も世界の風景の一つとして「マレオラマ」に含まれていた。また、この施設には、なんと海の匂いを出す仕掛けまで備えられていたという。

その後、大型映像は万博のたびに進化していくことになる。そして1970年大阪万博では、初めてカナダの大型映像装置ＩＭＡＸ《アイマックス》が、富士グループ・パビリオンにてお目見えすることになるのである。それ以来ＩＭＡＸは、万博で多用されることになり、2010年上海万博でも、ＩＭＡＸを使ったサウジアラビア館は、連日長蛇の待ち列をつくるほどの人気を得たのである。

44 パリを興奮させた「サダヤッコ」

当時を代表するダンサーがプロデュース

アール・ヌーヴォーが流行し、大型映像やシミュレーターが評判となった1900年第5回パリ万博。この万博では、エジソンが発明した電球が本格的に取り入れられ、「光パビリオン」がもうけられたり、アメリカ人ダンサー、ロイ・フラーのパビリオンで、初めてステージに電気照明が用いられたりと、光への関心が非常に高まっていたことがうかがわれる。

ロイ・フラーは、現在でもそのスカーフ・ダンスのビデオが残されているという、当

＊『甦るオッペケペー　1900年パリ万博の川上一座』：「聞き手を失った音：1900年パリ万博での川上一座録音」Ｊ・スコット・ミラー（東芝ＥＭＩ）

時を代表するダンサーだったが、日本からはるばるやって来た、川上音二郎《かわかみおとじろう》・貞奴《さだやっこ》一座のプロデューサーでもあった。

川上音二郎（1864～1911）といえば、明治の政治や風俗を風刺《ふうし》したオッペケペー節で有名なエンターテイナーで、その妻の貞奴（1871～1946）は後に一座の俳優となる。彼の率《ひき》いる川上音二郎一座は海外進出にも積極的だった。この欧米巡業については井上理恵著『川上音二郎と貞奴Ⅱ 世界を巡演する』に詳しい。

それによると、１８９９年からおこなったアメリカ巡業は、当初はいろいろと苦労が多かったようだが、徐々に人気となっていく。サンフランシスコ、シアトル、シカゴ、ボストン等を経て１９００年1月29日に首都ワシントンに到着する。ワシントンでの公演はマッキンリー大統領（第50話）も観劇した。その後、ニューヨークでの公演後、海を渡り、１９００年5月8日、一行はロンドンへ到着する。

彼らはヨーロッパで公演をおこなった最初の日本人といわれているが、英国の観衆はこのエキゾチックな演劇団に熱狂する。そしてとうとうバッキンガム宮殿において皇太子エドワード（後のエドワード7世）の面前で芸を披露《ひろう》するという栄誉に浴するまでになるのである。*

川上音二郎と川上貞奴　出典：近代日本人の肖像

このロンドン滞在中にパリ万博での契約が結ばれ、１９００年7月4日からロイ・フラーのパビリオンで公演することとなったのである。＊

大ブームとなった「ハラキリ」とサダヤッコ

この日本の一座は、パリで大変なブームを巻き起こした。公演では、少なくとも1回は「ハラキリ」がおこなわれるのが「お約束」となっていたようである。

その一座の中で、特に人気を博したのが貞奴だった。彼女の演技は、さまざまな文化人にも、大新聞「フィガロ」にも絶賛されている。作家のアンドレ・ジイドや音楽家クロード・ドビュッシーなども、貞奴から強烈な感動を受けたとされている。＊＊

一座は１９０３年まで欧米巡業を続けたが、貞奴人気はとどまるところをしらず、現在も香水で有名なゲラン社は、貞奴にちなんで「ヤッコ」という香水を売り出した。また、「オ・ミカド」という店は、「キモノ・サダヤッコ」という室内着を売り出し、万博で受賞するほどであった。そのほかにも「サダヤッコ石鹼《せっけん》」など、商品名にその名を使われるほどの「ブランド」になっていたのである。

18歳だったパブロ・ピカソ(1881～1973)も貞奴ファンの一人だった。彼は、貞奴のスケッチを残している。これは、１９０１年、再び訪れたヨーロッパで興行中の貞奴からポスター制作を頼まれて描いたもの、とピカソが語ったと伝えられている。＊＊＊

ピカソの貞奴への思いはかなりのものだったようで、「貞奴の芸はエッフェル塔の高さに匹敵する」と絶賛していたという。

また、貞奴はそのほか、ロダンやクレーなどの彫刻家や画家にも影響を与えた。欧米

＊『甦るオッペケペー　１９００年パリ万博の川上一座』:「聞き手を失った音：１９００年パリ万博での川上一座録音」J・スコット・ミラー（東芝ＥＭＩ）

＊＊『甦るオッペケペー　１９００年パリ万博の川上一座』:「聞き手を失った音：１９００年パリ万博での川上一座録音」J・スコット・ミラー（東芝ＥＭＩ）

＊＊＊『川上音二郎と１９００年パリ万国博覧会展』（福岡市博物館）

でもっとも早くその名を知られることになった日本女性といっても差し支えないだろう。

しかし、ほかの日本女性からは厳しい目で見られていたようで、与謝野晶子《よさのあきこ》は１９１２年にパリを訪れた際、「彼女は俳優ではない、芸者である」と言ったという****。確かに貞奴は、以前、現在の東京都日本橋人形町の芸妓置屋「浜田屋」の看板芸者で、当時の内閣総理大臣・伊藤博文（第47話、49話）の寵愛を受けていた経緯がある。しかし、この頃には、フランス政府から記章を与えられる*****など日本を代表する俳優としての名声を確立していたので、これはなかなか厳しいコメントといえる。

パリ万博で名を挙げた貞奴であるが、川上音二郎と死別し、その後は福沢諭吉《ふくざわゆきち》の娘《むすめ》婿《むこ》、初恋の相手だったともいわれる福沢桃介《ふくざわももすけ》と名古屋に住むことになる。

実は、20世紀末にこの１９００年パリ万博での川上一座の録音が発見された。ブリガム・ヤング大学日本語科准教授Ｊ・スコット・ミラー氏による発見で、「グラモフォン社」という会社が川上一座の公演を録音していたものが見つかったというのだ。それをＣＤにした『甦るオッペケペー　１９００年パリ万博の川上一座』（東芝ＥＭＩ）が入手できたのでさっそく聴いてみた。この録音で『オッペケペー』をはじめとして28の演目を聴くことができる。当時の日本人の声、あるいは日本語が意外と現在のものと変わらないことに驚くが、聴いているうちになぜか１９００年のパリにタイムスリップしたような気がしてくるのである。

**** 『川上音二郎と１９００年パリ万国博覧会展』（福岡市博物館）

***** 井上理恵著『川上音二郎と貞奴Ⅱ　世界を巡演する』

45　世界が驚いた御木本の真珠

今に残る1900年パリ万博

5000万人以上を集めた、19世紀最後にして最大の万博、1900年第5回パリ万博。5回目となるこのパリ万博は、現在もパリにさまざまなものを残している。

今も多くの来場者を集める美術館、「グラン・パレ」「プティ・パレ」。あるいは、1894年の露仏同盟の記念に、ロシア皇帝ニコライ2世の出席のもと、定礎式のおこなわれた「アレクサンドル3世橋」。そして「地下鉄1号線」も、この万博のために7月4日に開通した。「オルレアン新駅」も、万博に来場する人々のために設計されたものである。この駅は、その後「オルセー駅」と改称され、1986年以降は「オルセー美術館」となり、多くの来場者を集め続けている。また、新「リヨン駅」は、この万博のために着工されたが間に合わず、結局1901年、万博終了後の完成となってしまった。

アール・ヌーヴォーの万博

この1900年パリ万博は「アール・ヌーヴォー」が流行した万博としても有名である。エミール・ガレが、家具部門とガラス部門でグランプリを獲得したのをはじめ、地下鉄の駅舎の入り口をデザインしたエクトル・ギマール、また、ルネ・ラリック、アルフォンス・ミュシャの出展などアール・ヌーヴォーの足跡を多く認めることができる。

ちなみに、1925年のパリ万博は「装飾芸術・現代産業万国博覧会」というもので、まさに装飾芸術＝「アール・デコ」という名のついた万博であった。1900年パリ万博が「アール・ヌーヴォー」の流行と関係づけられるとすれば、この1925年パリ万博は、「アール・デコ」を世界に広めた万博ということができる。

さて、この1900年パリ万博にも、われわれになじみのある多くのブランドが出展している。

万博の常連であるティファニーやルイ・ヴィトンをはじめとして、ショーメや、ルネ・ラリック、エミール・ガレ、ドーム兄弟などが、アール・ヌーヴォーの宝飾品やガラス作品を出展していた。また、スイスの時計メーカーのオメガは、金のケースにギリシャ神話をモチーフにした見事な彫り物を施《ほどこ》した「グリーク・テンプル・ウォッチ」を筆頭にしたコレクションでグランプリを受賞し、同じく時計メーカーのゼニスも金賞を受賞している。バーバリーがコートを出展したという記録も残っている。また、1884年創業のアメリカの万年筆メーカーであるウォーターマンは、万年筆部門でグランプリを獲得している。

真珠の養殖に成功していた御木本幸吉

こんな中で、日本のとある出展が評判となっていた。

御木本幸吉《みきもとこうきち》（1858〜1954）が世界で初めて真珠の養殖に成功したのは、1893年、シカゴ万博が開催されていた年であった。その年、半円真珠を養殖で作ることに成功し、7年後の1900年パリ万博において、早くも養殖真珠を出展して世界の注目を浴びたのである。

御木本は、１９０５年には真円真珠の養殖にも成功して、明治天皇伊勢神宮行幸《ぎょうこう》の際には、行在所《あんざいしょ》で真珠養殖事業について説明している。

万博出展で世界の「真珠王」に

１９２６年、アメリカ独立１５０周年を記念して開催されたフィラデルフィア万博では、法隆寺《ほうりゅうじ》の五重塔をモデルに作った「御木本五重の塔」を出展した。これは、白蝶《しろちょう》貝《がい》、プラチナのほか、真珠１万２７６０個を使用したもので、その貝工芸の精密さと、ふんだんに使われた養殖真珠で大きな評判になった。

また、再びヨーロッパにおいて１９３７年のパリ万博に、帯留め「矢車」を出展した。この複雑な作品は、全部で25の部品と一つのねじ回しから構成されていた。そのたった一つのねじ回しを使って25の部品を動かし、帯留め、ブローチ、髪飾り、指輪など、12通りに使い分けられるように作られていた。真珠は、中心となる８・75ミリのもの１個と、左右に３・５～４・５ミリのものをそれぞれ20個、合計41個が使われていた。「矢車」は、このパリ万博後に即売され、その後、行方《ゆくえ》がわからなくなっていたが、１９８９年に突然ニューヨークのオークションに現れ、落札された。現在は、三重県鳥羽市のミキモト真珠島真珠博物館に里帰りしている。

御木本は、続く１９３９年のニューヨーク万博には「リバティ・ベル」（自由の鐘）を出展した。これは、１７７６年７月４日、アメリカの独立宣言が採択された際に打ち鳴

１９２６年フィラデルフィア万博「五重の塔」展示風景
写真提供／ミキモト

らされたリバティ・ベルを真珠で模したもので、なんと、1万2250個もの真珠と、366個のダイヤモンドが使用されていた。フィラデルフィア独立記念館に保存されている実際のベルの3分の1の大きさで、本物の鐘と同じように、ひび割れまで青い真珠で表現されている。この真珠によるリバティ・ベルは、「100万ドルの鐘」としてアメリカ中を驚かせたという。

こうして、数度の万博を経て、御木本幸吉は世界の「真珠王」の異名《いみょう》を取ることになったのである。

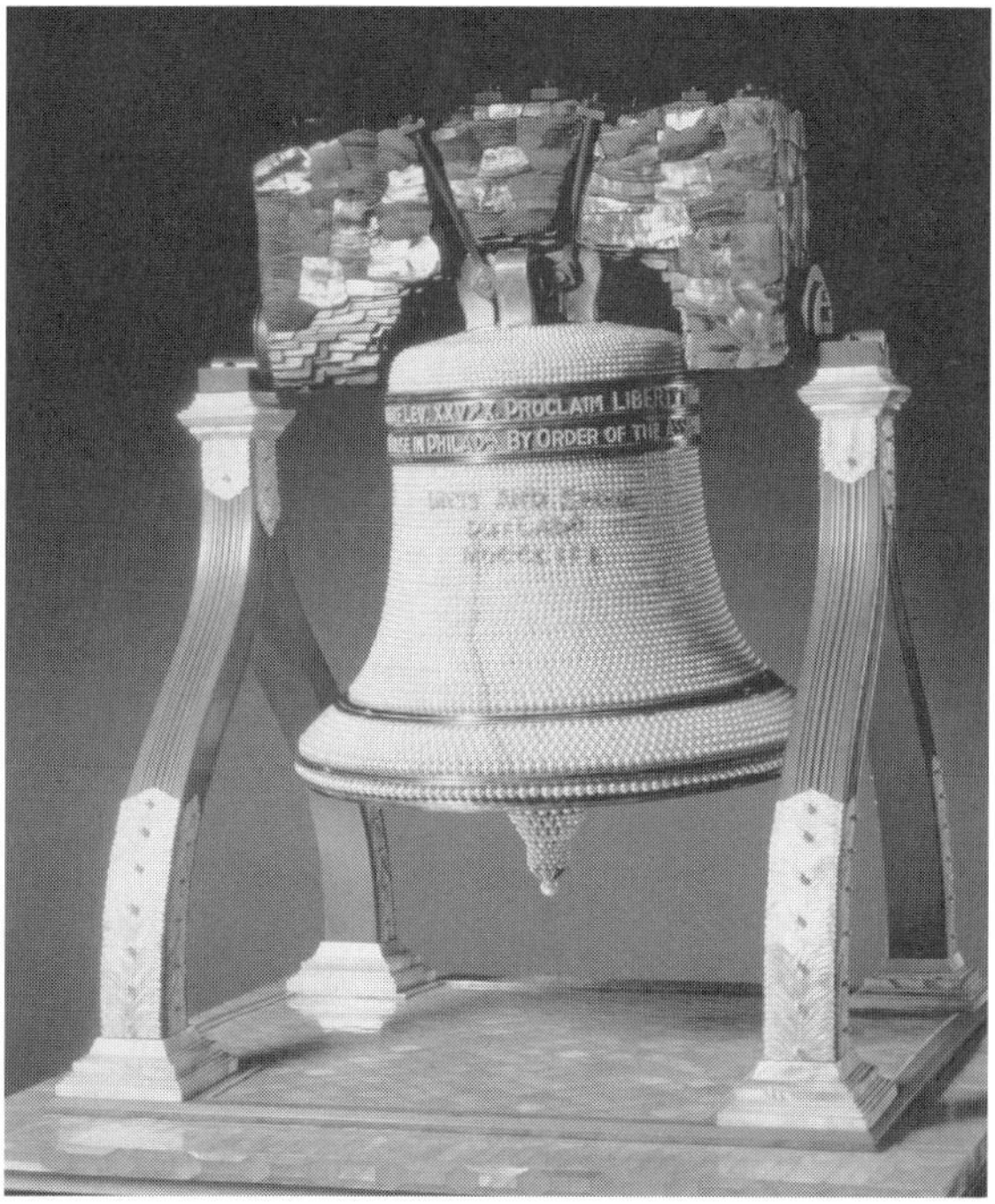

1939年ニューヨーク万博に出展の「リバティ・ベル」
ミキモト真珠島 真珠博物館蔵

46 「博覧会事務局評議員」渋沢栄一 ——渋沢栄一と万博の50年③

１９００年パリ万博で再び「評議員」を務める

さて、ここでまた渋沢栄一《しぶさわえいいち》に戻って、彼と万博のその後の接点を見ていこう。

１８９３年シカゴ万博で「事務局評議員」を務めた渋沢栄一、その後は万博とかかわったのだろうか。

引き続き「渋沢栄一伝記資料」と国会図書館の各臨時博覧会事務局の報告書を年代に沿ってたどっていく。

すると、「渋沢栄一伝記資料」の１８９６年（明治29年）11月14日のところに、

「パリ万博のために臨時博覧会事務局が設置されたが、栄一はこの日、事務局評議員を仰せつかった」

という記述が見つかった。渋沢はこの万博でもシカゴ万博に引き続き「事務局評議員」になったらしい。貞奴《さだやっこ》やミキモトの真珠が世界を驚かせた19世紀最大の万博——１９００年パリ万博。この万博でも渋沢栄一は万博とからんでいたのである。

詳しい情報を得るため「千九百年巴里《パリ》萬國《ばんこく》博覧会臨時博覧会事務局報告」を見てみよう。その「上」の巻には「評議員」として

「任命　明治29年11月14日　従四位　澁澤榮一」

渋沢栄一
出典：近代日本人の肖像

とある。ちゃんと「渋沢栄一伝記資料」と日付まで付合している。

大隈重信、岡倉天心、高村光雲、黒田清輝らと並び林忠正の名も

また、他に、我々の知る名前もいくつか発見できる。同じ報告書には「総裁」として「農商務大臣　伯爵大隈重信《おおくましげのぶ》」、「事務官長」として「林忠正《はやしただまさ》」、また、「評議員」として栄一より先に「東京美術学校長　岡倉覚三（岡倉天心《おかくらてんしん》の本名）」、そしてふたたび「林忠正」の名前も出てくる。林は「監査官」の欄にも出てくる。ということは林は「事務官長」「評議員」「監査官」と3つの役職を兼ねていたということになる。まさに中心的な役割だったと推測される。

また、同じ「監査官」として、林の他、「高村光雲《たかむらこううん》、黒田清輝《くろだせいき》、浅井忠《あさいちゅう》（以上、東京美術学校教授）」という記述を見つけることができる。黒田と浅井は1899年8月21日に「監察官」に「任命」され、同年12月27日にいったん「解職」されている。そして1900年5月21日付で、「出品ノ取扱及ヒ出品ノ整理」を担当する「嘱託員」にあらためて「任命」されている。この報告書には「海外派遣」という項目もあり詳しくはそこに記述があるので、第47話以降でこの詳細には触れることにしたい。

「評議員」の役割

話は戻って、それでは渋沢栄一が就任した今回の「評議員」とは何をする人か？

この報告書には次のようにある。

「……官吏、学者、技術者、経験家及び実業家より当初先つ六十一名を選抜して

之に評議員を命し、明治二十九年十一月十四日各評議員を招集して評議員会を事務局に開き、予め事務局に於て定めたる議事規則に従ひ、出品其の他に関する大体の方針及ひ出品規則を審議せしめたり。

第一　出品選択の方針

第二　出品整理の方針

第三　特殊の物品補助の方針

第四　参考品

第五　事務研究員派遣の方針」

以上のようなことが「評議員」のミッションだったようだ。

この報告書内の「海外派遣」のメンバーには渋沢栄一の名前はないし、「渋沢栄一伝記資料」にもそのような記述はないので、渋沢が実際に1900年パリ万博に行くことはなかったものの、日本出展の内容について識者として方針を示したり意見を述べる立場であったことがわかる。

さてこれで19世紀後半の万博と渋沢の関与の仕方についてはわかった。しかし渋沢は1931年に91歳で亡くなるという、当時としては例外的に長寿をまっとうした人物であった。1931年といえばパリで植民地博覧会が開催された年だが、その前にも万博がいくつか開催されている。渋沢との関連はないか。

「渋沢栄一伝記資料」によると、1900年パリ万博以降は、第5回内国勧業博覧会（1903年）、東京勧業博覧会（1907年）に、それぞれ「評議員」、「出品人総代」としてかかわっていることがわかる。ただし、この2つはどちらも日本国内の博覧会で「万博」ではない。

そして延期となった「日本大博覧会」。この博覧会は「万博」の名称は用いられていないが実質的には万博といえるものであった。日露戦争後の１９０７年に政府が東京での開催を決定したもので、１９１２年（明治45年）に開催が予定されていた。この万博は結局財政難で5年延期となり、さらにその後無期延期となったいわくつきの万博である。この件については第19話で少し触れた。もともとこの博覧会は青山から代々木一帯を会場として計画され、各国にも通知しており、すでにアメリカからはセオドア・ルーズベルト大統領、米国議会から参加出展の賛同も得ていたというものである。

さて、この「日本大博覧会」で、渋沢はまた「評議員」となっている。「渋沢栄一伝記資料」によると「明治41年6月6日（１９０８年）　是日栄一、当博覧会評議員ヲ仰付ラル。」とある。

やはりこういった国家の一大事業、特に万博関連の事業には渋沢が呼ばれる、ということだったのだろう。もしこの「日本大博覧会」という名の万博が実現していたら、渋沢にとって2度目の、しかも待望の、日本開催の万博に実際に参加できるということになったのだが、それはかなわなかったのである（第55話につづく）。

47　パリ万博が変えた林忠正の人生
——1900年のパリ出張事情①

当時の海外出張の実情は？

渋沢栄一《しぶさわえいいち》が「事務局評議員」として、日本の出展について関与していた1900年パリ万博。すでに第46話で述べたように、彼自身はこの万博のためにパリに行くことはなかった。

このときの万博関係者のパリ出張の様子は、国会図書館に保管されている「千九百年巴里《パリ》萬國《ばんこく》博覧会臨時博覧会事務局報告」でその詳細をうかがい知ることができる。

当「報告書」の「第二編　本邦の部」の中の「第一章　事務組織」、さらにその下の「第一節　臨時博覧会事務局」の（二）には「海外派遣」という項目があり、そこに日本の関係者がパリに行ったときのことが詳細に記述してある。

当時の万博のための「海外出張」とはどんな感じだったのだろうか？

早速、「海外派遣」の文章を見てみよう。

「……漸次事務の進捗に伴ひ交渉事務の頻繁を加ふるは勿論、……増加したるを以て、事務官長林忠正《はやしただまさ》は是れ等大体の事務を処理せんか為め、書記斎藤甲子郎を随へ明治三十一年（筆者注：1898年）七月八日発程佛國へ向ひ、同年八月七日巴

林忠正

里に到着したり。」

とある。１９００年パリ万博の会期は４月15日から11月12日までなので、事務官長の林忠正は開催１年９カ月前に準備のため、いったんパリに旅立ったことがわかる。

パリ万博と共に歩んだ林忠正

さて、この万博で、「事務官長」「評議員」「監査官」と３つの役職を兼ねていたという林忠正（1853～1906）。彼はどんな人物なのだろうか。

林忠正は、１８７８年、24歳のころ大学南校（のちの開成学校、その後東京大学）でフランス語を学んでいたが、１８７８年パリ万博に参加する貿易会社「起立（キリツ、キリュウとも）工商会社」の通訳兼商品説明係として採用され、パリに渡った人物で、その後パリを本拠地に日本美術品を売りさばくことになる画商である。

「起立工商会社」というのは、１８７３年ウィーン万博の際に、「博覧会事務局」副総裁だったあの佐野常民《さのつねたみ》が、随行して物品販売を手掛けていた松尾儀助《まつおぎすけ》と若井兼三郎《わかいかねさぶろう》に作らせた、欧米へ日本の物品を輸出するための会社である。設立は明治７年（１８７４年）。その後この会社は１８７６年のフィラデルフィア万博にも参画している。

この会社に、１８７８年パリ万博のタイミングで、フランス語のできる林忠正が入社することになったのだ。そして結果的には、彼は１８７８年パリ万博後もパリに居残ることになる。

日本文化のキューレーター

実は、林忠正は単なる画商ではなく日本文化や日本美術のキューレーターのような人物でもあった。1867年パリ万博での『北斎漫画《ほくさいまんが》』等の浮世絵紹介で火がつき、1878年パリ万博でその最高潮を迎えたともいわれるジャポニスムまっさかりのパリに根を下ろし、林忠正はエドガー・ドガ、クロード・モネ等印象派の画家たちとの親交もあった。アルベール・バルトロメにいたっては『林忠正のマスク』という作品を作っている。

日本政府は、1900年第5回パリ万博の日本出展において、このような「現地事情通」の人物を起用することにした。このパリ万博出展のための「臨時博覧会事務局」設置に際し、林忠正に「事務官長」以下3つの役職を与え、日本文化紹介に注力したのである。

ちなみに「事務官長」という職は通常、商工次官クラスの職位とされ、民間人で一商人とみなされていた林の大抜擢には反対も多く、日本の新聞はこぞってアンチ林キャンペーン、誹謗中傷を繰り広げたが、この人事は当時政治の中枢にいた伊藤博文《いとうひろぶみ》らの強い推薦で決まったものらしい。伊藤と林は、以前、伊藤がフランス訪問時に林が通訳を務めて以来の知り合いだったのである。伊藤はこのとき、林のヨーロッパにおける日本文化のあるべき姿への考え方を聞いて深く信頼し、この「事務官長」という大役を一民間人である彼に任せたのである。

48 1900年パリ万博の日本事務局出張所とは
――1900年のパリ出張事情②

「巴里出張所」の所在地を尋ねて

さて、1900年パリ万博の「海外派遣」に戻ろう。パリ到着後一行はどうしたのか。国会図書館の「千九百年巴里《パリ》萬國《ばんこく》博覧会事務局報告」には、

「……巴里市『リウ、ド、ラ、▨ン▨（字が潰れていてよく読めない）』街百二十九番に一家屋を借入れ、之に多少の修繕を施《ほどこ》し、以て臨時博覧会事務局巴里《パリ》出張所とし、明治三十二年一月一日より開始せり。」

とある。

この「臨時博覧会事務局巴里出張所」だが、この後の文章を読むと、「パリ市の東南部に位置しており、博覧会会場の第5門とおよそ『八町』離れている。建物は3階建てで、1階を『応接所及び客間』にあて、2階を事務室とし、3階を製図場及び会議室とした」、という内容が書いてある。

さて、この「臨時博覧会事務局巴里出張所」はいったいパリのどこの辺りにあったのか？

まずは「町」という単位はと調べると1町は約109メートルらしいので、「八町」は約870メートルであり1キロメートル未満という距離である。「博覧会会場の第5門とおよそ『八町』はなれていて」、とあるのでまあ会場に近い便利な位置に出張所を構えたということになろう。

次に気になるのは「博覧会会場の第5門」だ。この門がどこにあったのかを調べるために「重要万国博覧会会場配置図集」というのを当たってみた。これに、1900年パリ万博の図面も非常に細かく日本語に訳して作成されたものが残っている。

まずは日本館の位置を確認する。日本館はトロカデロ宮エリア（今シャイヨー宮が建っているあたり）のセーヌ川に近い場所に位置している。すると「第5門」は、セーヌ川の北側のトロカデロ宮エリアのどこかだったと思われる。しかし、この図面には「第5門」という名称は見当たらない。オルセー美術館あたりに保管されているフランス語の詳細図面には見つかるかもしれないので後日確認したいところだ。しかしあるいは、万博ではよく工事中のゲートと、開会後のゲートは場所も名前も違ったりするので、「第5門」は工事中のみの門、もしくは名称だった可能性もある。

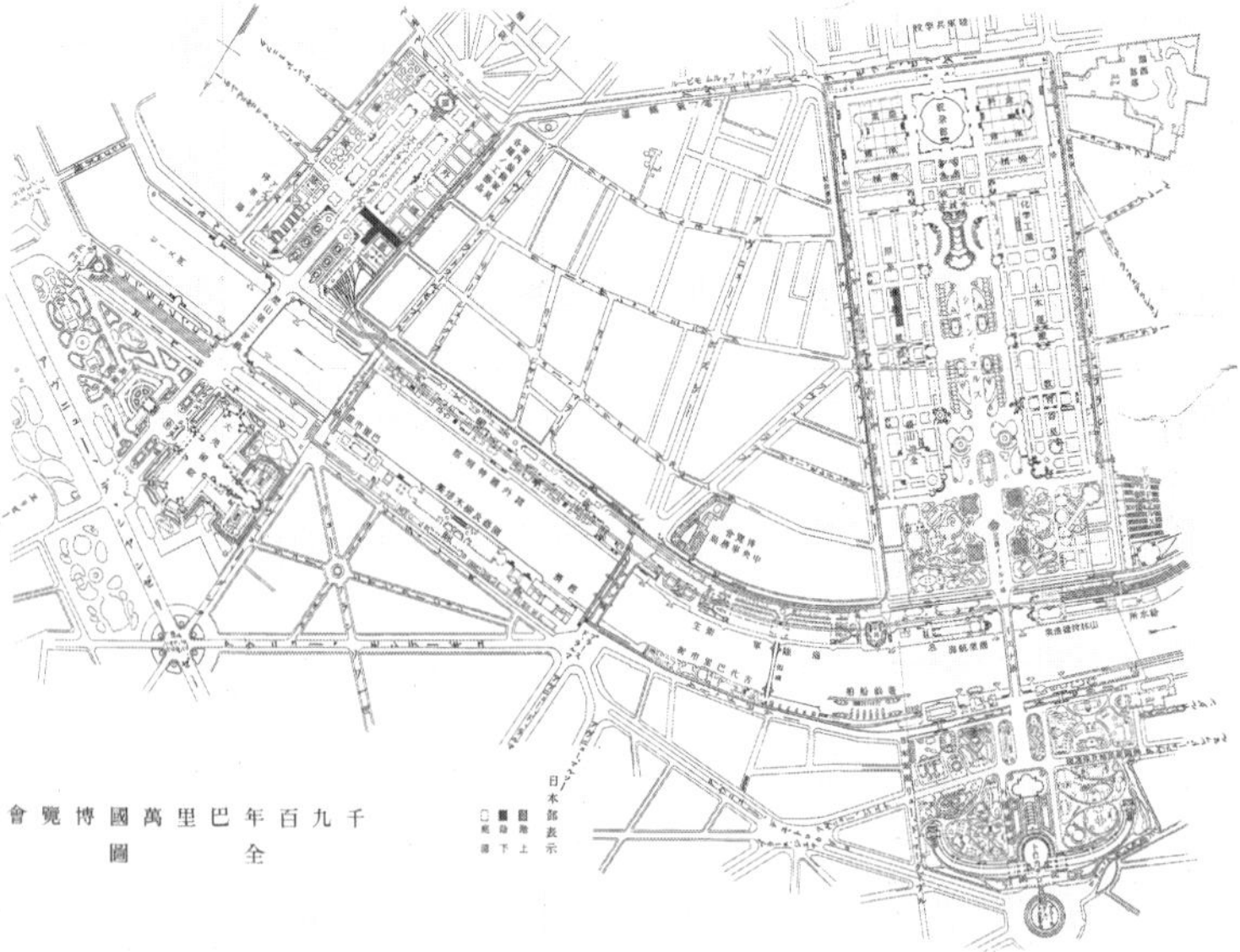

1900年パリ万博の会場地図（日本語訳） 出典：国立国会図書館「博覧会—近代技術の展示場」

この「重要万国博覧会場配置図集」には、コンコルド橋の北側近く（「グラン・パレ」、「プティ・パレ」近く）の「正門」は見つけられた。

「巴里出張所」の現在

次にこの住所である。

実はこの古い資料は字が潰れていてポンプかボンブか、ボンプかポンブかよくわからないが、試行錯誤の結果、「Lieu de la Pompe」らしく（つまりポンプが正解）、Google Map で「Lieu de la Pompe（ポンプ通り）」というのが見つかった。ではここの１２９番地はどこか？ １２９番地を打ち込む。すると……、

現在は「Sandro」というファッション・ブティックになっているらしい。ちなみにこの店のクチコミ評価は4・2となかなか悪くない（どうでもいい）。エトワール凱旋門《がいせんもん》からヴィクトル・ユゴー通りを南西方向へ行った方向で（徒歩約20分）、現在のトロカデロ広場の北西のあたりになる。１２０年前の当時の番地と今の番地が同じところにあるという前提だが、いずれにしてもそう離れてはいなさそうだ。

Google Map で調べると「Sandro」からトロカデロ駅まで６５０メートル離れており、徒歩８分。「およそ八町」（約８７０メートル）というのもそう外れてはいない。なかなか便利のいい場所だ。Google Map でビルの写真も見ることができる。パリでは平気で築１００年という建物が建っているので、もしかしたらこの写真のビルもそのころのものの可能性もあるが、隣と繋《つな》がった路面にお店が３つ並んでいる幅広のビルになっている

ので、改築したかファサードだけ作り替えたか、いずれにしても当時のビジュアルではない可能性が高い。機会があれば現地検証してみたいところだ。

ただし、この「臨時博覧会事務局報告」の「巴里《パリ》市の東南部」という記述は事実誤認だと思われる。パリ市全体から見るとむしろ「西部」といった方が正しいが、日本にいる人は誰もわかるはずもないので、報告書上の正確さもどうでもいい話だったのかもしれない。

49 万博任務完遂とその後の林忠正の人生
——1900年のパリ出張事情③

パリと日本を行き来する事務官長

さて、大体の出張所の状況がわかったところで、「千九百年巴里萬國《パリばんこく》博覧会臨時博覧会事務局報告」の「海外派遣」を読み進めてみよう。

それによると、その後、林忠正《はやしただまさ》は一度帰国することになる。

「事務ここに一段落を告げたると共に、内地において事務官長の処理すべき事項また甚だ多きを以て、事務官長は三十二年七月二十四日、一旦帰朝せり」

日本国内での事務官長としての仕事が多く一旦帰国したということだ。そしてまた、その年、１８９９年の年末にパリへ再び出発している。

「林事務官長は、帰朝以来五ヶ月間に於て諸般の事務を摂理し、本邦に於ける事務は稍其の大綱を挙ぐるを得たるを以て、同年十二月二十二日に至り、……、重ねて彼の地へ向けて出発せり」

林は５カ月間、日本国内で諸々の事務作業を処理し、またパリに戻ることになったのだ。

日本の画家たちとパリ万博

その後、万博が開かれた１９００年（明治33年）になって黒田清輝《くろだせいき》が渡仏する。黒田は、もともと法学を勉強していたが、林らの説得で西洋画家を志すようになった人物である。

「事務嘱託員、……黒田清輝、・・等亦同年（明治33年）二月より六月に至るまでの間に於て各用務の都合に依り漸次渡航セシメ、……」

とある。黒田は１９００年、「事務嘱託員」としてパリに派遣されたことがわかる。＊第39話で書いたように彼は『智・感・情』（当時のタイトルは『裸婦習作』）でこの万博で銀賞を獲得した。

また、洋画家浅井忠（第26話）もでてくる。

「別に彼の地在留者に事務を嘱託したる……、浅井忠《あさいちゅう》、……等をして建築技師『シャル・レギエー』、『ジャック・プチーグラン』、『ラフワエルギー』の３名と共に会務に従事せ

＊第46話で述べたように、黒田が「嘱託員」に任命されたのは同年5月21日のことだった。「黒田記念館」の「黒田清輝年譜」によると、「（１９００年）5月渡欧。7月パリ着。パリ万国博覧会に『智・感・情』『湖畔』など5点出品。銀賞を受賞」とある。
https://www.tobunken.go.jp/kuroda/archive/japanese/k_history01.html

洋画家の浅井忠
出典：近代日本人の肖像

しめたり。」とある。パリ留学中だった浅井忠は、「事務嘱託員」として外国人建築技師とともにパリ万博の業務に携《たずさ》わったことがわかる。

空前絶後の「日本古美術展」

ちなみに林が手がけた日本館の展示は来場者に大変評価されたらしい。特に林が企画した約1000点の美術品からなる「日本古美術展」は、絶賛された展示だったようだ。奈良時代に遡《さかのぼ》る日本のあらゆるジャンルの美術品が展示されたのだ。由水常雄著『花の様式』によると、その内容は、

「絵画は奈良時代の聖徳太子像をはじめ、仏画や大和絵、そして肖像画や山水図、絵巻や屏風、風俗画や肉筆浮世絵など、あらゆるジャンルにまたがっており、彫刻も、飛鳥時代の四十八体仏の一部と思われる金剛仏や木彫、伎楽面や能面、そして刀剣や甲冑、鎧や造り、蒔絵《まきえ》を中心とした漆工品の各種、天平時代の平文箱もあれば光琳の三輪硯箱も見られる。陶磁器や金鉱品にも、国宝級のものがずらりと並んでいる。」

とある。

それまではこのような系統だった、しかも一流品（多くは国宝、重美*レベルだった）による日本美術の紹介はなかったのだ。今まで日本美術といえば主に浮世絵などしか知らなかったヨーロッパ人はびっくりした模様だ。今でも、もしこんな展覧会が開催されたら前代未聞の爆発的な人気を博することだろう。それをパリまで持って行って実現したのだ。林の面目躍如といったところだろう。

1900年パリ万博での日本出展

*重要美術品。現在の重要文化財にあたり、国外への流出防止のため法で指定されていた。

帰国後の林忠正

さて、万博が無事開会してからは、仕事が終わった人たちからバラバラに帰国している。なかには現地パリで亡くなってしまった人や、病気になって帰った人もいたようだ。

林は翌年、最後に日本へ帰った模様だ。

「此の如くにして巴里出張所は三十四年二月末日に至り開鎖（筆者注：「閉鎖」の誤植と思われる）せられ、林事務官長は尚彼の地に於ける残務を処理したる上、同年四月八日を以て巴里を出発せり。之を最後の帰朝者とす。」

とあり、これで「海外派遣」の報告は終わっている。

この資料によると林は明治34年、つまり1901年に帰国している。しかし、パリに自分の会社と生活基盤を持っていた林が、それを清算して本格的に日本にいる家族のもとに帰国したのは1905年のことだった。

そして、その後しばらくして体調をくずしてしまう。

林について非常に詳しく書かれている木々康子著『林　忠正』によると、病状は「高熱を出し、寝巻も濡れるほどの汗をかき、食事も喉を通らない。息苦しさに、布団を積んで体を起こしている有様である。……胸部動脈瘤《きょうぶどうみゃくりゅう》の症状だったのだろうか。」とある。

世間の反対を押し切って、彼を1900年パリ万博の「事務官長」に指名したあの伊藤博文《いとうひろぶみ》も、翌1906年の2月にわざわざ見舞いに来たという。

そして、林はその2カ月後、1906年4月10日に、53歳という若さで亡くなってしまうのである。

フランスで最も権威ある文学賞の一つである「ゴンクール賞」を創設したことで有名なエドモン・ド・ゴンクールなど、フランスにいた多くの研究者を助けて日本文化の正しい理解をヨーロッパで広げようと努力した一民間人、林忠正。

当時、一民間人にして「事務官長」を引き受け、そのために世の中から誹謗中傷され、国賊扱いまでされ、しかし、日本文化の系統だった正当な紹介を成し遂げた人物。

その林の苦労が彼の寿命を短くしたとしたら「事務官長」に任命され、万博にかかわったことが彼にとって、そして彼の家族にとって幸せなことだったかどうか、今は誰にもわからない。

「ゴンクール賞」を創設したエドモン（左）と弟のジュール（右）
photo by Nadar

50　万博会場で起こった大統領暗殺事件とは

ナイアガラの滝とバッファロー万博

万博の第1回目となるロンドン万博から、ちょうど半世紀後にアメリカで開催されたのが、1901年バッファロー万博であった。これが20世紀初めての万博ということになる。「バッファロー」と聞いても馴染《なじ》みのない人が多いだろうが、「ナイアガラの滝」は誰もが知っている人気スポットだろう。

読者のなかには実際にこの壮大な滝を訪れ、「霧の乙女号（Maid of the Mist）」で滝のすぐ近くまでいくボートツアーを体験したことのある方もいらっしゃるかもしれない。

実はこの「バッファロー」、ナイアガラの滝の観光基地ともいえるニューヨーク州西端部の都市なのである。ニューヨーク・マンハッタンからナイアガラの滝の観光に行く人は、だいたいバッファロー空港まで飛行機で行くことになる。滝はそこから車で約35分ほどの距離だ。

そしてこのバッファロー万博、またの名を「汎《パン》アメリカン万国博覧会」は、このナイアガラの水力発電が可能にした、大規模で安価な電力供給を記念するものでもあった。「ナイアガラの滝」も万博に関連するものだったのだ。

万博会場はバッファロー市北部の、現在のデラウェア公園とその北側のエリアのあたりで約148ヘクタールの敷地であった。ナイアガラの滝からは車で約30分の距離である。

シカゴ万博を意識した計画

この万博は、「汎アメリカン万国博覧会」として、アメリカが中南米諸国との「関係強化」、あるいは「調和」をアピールするものであったが、実際はアメリカの第三世界に対する覇権《はけん》が色濃く感じられるものであった。新しく「植民地」とされたフィリピンからの100人の「人」を含む村全体の「展示」等、のちの1931年パリ植民地博覧会を彷彿《ほうふつ》とさせる内容もあった。

バッファローは、1893年に万博を開催したシカゴを意識しており、この万博を契機にシカゴと同じくらいの知名度と経済力を獲得したかった模様である。その結果、この万博の「事務総長」とでもいえる役職には、１８９３年シカゴ万国博覧会にも関与したアメリカの外交官ウィリアム・ブキャナン氏が指名され、そのブキャナン氏はシカゴ万博の会場計画に携《たずさ》わったフレデリック・ロー・オルムステッドをチームに引き入れた。あの「都市美化運動」（第41話）を推進していた人物である。

結果、この万博はシカゴの「ホワイト・シティ」から進化（？）し、「レインボー・シティ」といわれる美しい彩色の会場となった。また会場中に彫刻が散りばめられ、非常に統一の取れた会場設計となっていた。会場全体を「1枚の絵」としてとらえ、パビリオンや彫刻はその一部として彩色・デザインされる、という考え方に基づいた会場計画であった。

万博のシンボルとしては、会場の中心に位置する「電気塔（The Electric Tower）」があった。これは約３７５フィート（１１５メートル）の高さで、夜になると4万以上の電球が辺りを照らした。これもナイアガラの大規模で安価な水力発電が可能にしたものだった。また、昼間は塔の上部から、会場全体のみならず、エリー湖、ナイアガラ川、その西側のカナダ国境の向こう岸まで見えたという。

また、企画者がシカゴ万博と同じだったせいか、この万博にもシカゴ万博のときとおなじく「ザ・ミッドウェイ」（シカゴのときは「ザ・ミッドウェイ・プレザンス」という名前だった）という娯楽街が登場し、「カイロ街」「メキシコ街」「月への旅」「ハワイ村」「クレオパトラの寺院」「エスキモー村」「ドリームランド」などの出し物が並んでいた。

「メキシコ街」では闘牛もおこなわれた。また、「ドリームランド」の入り口は30フィート（約9・1メートル）もある大きな女性の顔の彫刻になっていて、非常に印象的であった。

中身は鏡を多用した迷路のアトラクションになっていた。

ここには日本からの出展「バザール・オブ・フェア・ジャパン」もあり、日本庭園と太鼓橋、人力車や芸者といった「展示・実演」がおこなわれた。

災難つづきの万博

しかし、とにかくこの万博は多くの災難に見舞われつづけた。

準備期間中の1898年には、キューバをめぐってアメリカとスペインの間に緊張が走り、ついに米西戦争に発展した。また、アメリカはフィリピンとの間でも米比戦争（1899～1902）を始めてしまった。

もともとこの万博は1899年に開催が予定されていた。あの19世紀を代表する1900年パリ万博の前年である。しかし戦争が勃発したため、1901年の5月1日に開幕日の延期を余儀なくされた。

また、工事の最盛期だった1900年の年末から1901年の頭にかけて悪天候に悩まされ、開幕直前の4月には雪にも見舞われた。結果工事は遅れ、「5月1日開幕」の予定は変更しなかったものの、開幕式典は5月20日に延期せざるを得なかった。

そして開幕した後も、5月と6月は集中豪雨に見舞われ、さらに6月には30年ぶりという寒波に襲われた。踏んだり蹴ったりである。結果、入場者数においても大苦戦した。

万博最大の「災難」

そして最大の「災難」とでもいえるのが、万博会場に来場したアメリカ大統領の暗殺であった。

ウィリアム・マッキンリー第25代大統領（1843〜1901）は1901年9月5日に万博会場を訪問し、そのスピーチは来場者からの熱狂的な歓声を浴びた。

そして翌9月6日、大統領は午後に予定されていたレセプションの前に、ナイアガラの滝観光に出かけた。「霧の乙女号」はこのときすでに航行していたので、このボートツアーを楽しんだかもしれない。大統領はナイアガラ観光後、レセプションに出席するため万博会場内の「音楽の聖堂（Temple of Music）」へと戻った。

この「音楽の聖堂」は1万5千ドルをかけたパイプオルガンが設置され、非常に凝った装飾のほどこされた2000人収容のオーディトリアムで、そのドームは180フィート（約55メートル）の高さのあるものであった。

大統領は、この「音楽の聖堂」で多くの来場者と握手をしていた最中の午後4時7分、来場者の一人から銃弾を受けて倒れてしまった。

その後大統領は手当を受け、一時は持ち直したかに見えたが再び急変し、9月14日の朝に死亡してしまった。犯人は一人の無政府主義者だった。来場者もスタッフも信じられなかったに違いない。まさか「平和の祭典」であるはずの万博会場で大統領が暗殺されるとは……。

歴代アメリカ大統領で就任中に暗殺されたのは4人。マッキンリーは、アブラハム・リンカン（第16代：1809〜1865、第73話）、ジェームズ・ガーフィールド大統領（第20代：1831〜1881）に続き暗殺された3人目のアメリカ大統領となった。そして4人目は1964／65年ニューヨーク万博のためにローマ法王と交渉し、ミケランジェロのピエ

暗殺の現場「音楽の聖堂」

タをバチカンから借り出して展示する交渉に成功したが、その展示を見ることなく会期前に暗殺されてしまったジョン・F・ケネディ大統領（第35代：1917～1963、第71話）である。

「聖地」となった「音楽の聖堂」

万博会場での大統領の暗殺は、全米に衝撃を与えた。万博は大統領が死亡した9月14日、翌15日と閉鎖された。今なら警備体制の不備等が懸念され、その後の来場者は激減すると思われるが、逆にこの事件がアメリカ人の愛国心に火をつけたのか、事件後には来場者数は急上昇した。そして銃撃現場である「音楽の聖堂」は、ある種の「聖地」となり、アメリカ中から来場者をひきつけ続けたのである。

しかし、結局前半の天候不良等による来場者不振を挽回することはできず、来場者数は目標としていた１８９３年シカゴ万博の２７５０万人に遠く及ばず、８１２万人に終わった。そして、万博主催組織は３００万ドル以上の赤字を計上することとなったのだった。

バッファロー市にあるデラウェア公園近く、その北側を走るフォーダム・ドライブ。ここにはこの暗殺事件を後世に伝えるための小さな石碑が今でもたっている。

この石碑は「バッファロー歴史協会」が建てたもので、表面には「ここが汎《パン》アメリカン万博の『音楽の聖堂』があった場所であり、マッキンリー大統領が１９０１年９月６日、死に至る銃撃を受けた場所である」という意味の英語が刻字されているのである。

マッキンリー大統領暗殺を伝える石碑　photo by Coingeek

51 ポルシェの「電気自動車」、バッキーの「エコ・カー」とは？

万博での自動車展示の始まり

毎年世界各地で開催されるさまざまな「モーターショー」。どんな新車が出展されるか、楽しみにしている方も多いのではないだろうか。実は万博でもモーターショーさながらの展示がおこなわれており、自動車は万博展示の花形だった。

自動車が万博に初めて出展されたのは、1862年ロンドン万博だといわれている。当時はまだ蒸気機関の自動車で、次の1867年第2回パリ万博では、フランスのロッツ（ロッシュとも）という人物が開発したプロペラ型の三輪蒸気自動車が展示された。デモンストレーション走行もあり、この万博の中心会場であった「シャン・ド・マルス宮」の周りの庭園を走ったという。現場にいた渋沢栄一《しぶさわえいいち》や佐野常民《さのつねたみ》もこの走り回る「自動車」を目撃したかもしれない。

ベンツ、ダイムラー、ポルシェの出展

自動車は、その後の万博で大きな目玉となる。

1878年第3回パリ万博では、オットーの4サイクルエンジンが、その後1889年第4回パリ万博では、ドイツのカール・ベンツにより、世界初のガソリンエンジンの三輪車が展示される。同じ万博に、同じくドイツのゴットリープ・ダイムラーも「シュタール・ラート・ワーゲン」という自動車を出品している。

さらに1893年シカゴ万博では、「ホースレス・カー」（馬なしの車）として、ダイム

ラー、ベンツなど数台の自動車が展示された。

　1900年第5回パリ万博では、自動車の展示のほか、自動車レースがおこなわれた。このときおこなわれたレースはパリ－トゥールーズ間往復1422キロの距離で競《きそ》われたもので、53台の参加車のうち完走できたのは20台だったということである。*

　この万博ではドイツのフェルディナンド・ポルシェが「ローナー・ポルシェ」と呼ばれた、電気モーターによる2シーター・カーを出展し、大評判となっている。ボイラー爆発の恐れがあり、煤煙《ばいえん》や火の粉などをまき散らす蒸気自動車の問題点を解決するとして、このころは電気自動車の開発が盛んにおこなわれていたのである。

百花繚乱のセントルイス万博

　そして、1904年セントルイス万博では、160台もの自動車が展示された。シカゴ万博からわずか10年のうちに、自動車は飛躍的な発展を遂《と》げたのだ。この160台の中には、石油で走るもの、電気で走るもの、蒸気で走るものなどさまざまあり、その中の1台は、万博記念のデモンストレーションとして、セントルイスからニューヨークまで走ったという。

GM、フォード、クライスラーの登場

　1915年サンフランシスコ万博では、いよいよアメリカのヘンリー・フォード（1863~1947）が登場する。「交通館」で展示されたフォードの「アッ

*『アール・ヌーヴォーの世界1』（学習研究社）

ポルシェの電気自動車「ローナー・ポルシェ」

センブリー・ライン」（組み立てライン）は評判になった。このシステムで、フォードは実際に1日18台のフォード・モデル・Tを組み立て、自らラインに立つこともあった。

そして１９３３／34年シカゴ万博では、ゼネラルモーターズ、フォード、クライスラーといったアメリカを代表する３大自動車メーカーがそれぞれ独自の企画を展開する。

クライスラーは自動車レースをおこない、ゼネラルモーターズは１１７フィート（約36メートル）のタワーを備えたパビリオンを設営した。そしてフォードは、全長９００フィート（約２７５メートル）、面積11エーカー（約４・５ヘクタール）という広大な敷地に、当時で５００万ドルという大金をかけて出展した。このパビリオンは来場者の70パーセントを獲得し、会期中で、もっとも人気の高いパビリオンとなった。また、この万博では、グレイハウンドのバス60台が、来場者の会場内輸送で活用されたという。

バックミンスター・フラーの出展

「宇宙船地球号」という概念を生み出したことで有名な、デザイナーで建築家のバッキーことバックミンスター・フラー（1895～1983）も、このシカゴ万博に自動車を出展していた。「ダイマクション・カー」と名づけられたこの流線型の自動車は、前輪が2輪、後輪が1輪であり、後輪で走る向きを変える仕組みになっていた。そしてスピードが出てくると、後輪が地面から浮き、前輪だけで走るようなシステムだった。

この万博では、「ダイマクション・カー　Ｎｏ・３」が出展され、実際に来場者を乗せてデモンストレーション走行もしたという。この11人乗りの「ダイマクション・カー　Ｎｏ・３」は、１ガロン（３・７８５リットル）で、30マイル（約48キロ）を走り、１リット

シカゴ万博第2期に展示されたバックミンスター・フラーの「ダイマクション・カーＮｏ・３」
写真提供　ユニフォトプレス

ルあたり12・68キロの燃費を誇った。

さすが「宇宙船地球号」の提唱者の手による自動車である。

ちなみにバックミンスター・フラーだが、彼の考案による直径70メートルの巨大な球形の「ジオデシック・ドーム」（通称「フラードーム」）が、この後１９６７年モントリオール万博でアメリカ館として展開されることになった。このドームは現在も「モントリオール・バイオスフィア」として万博跡地に残っている。

52 万博の花形「自動車」——三大メーカーの競演

伝説のパビリオン「フューチャラマ」

１９３３／34年のシカゴ万博ではフォードの後塵《こうじん》を拝したゼネラルモーターズだが、威信《いしん》をかけて、１９３９／40年のニューヨーク万博に臨《のぞ》み、そのパビリオン「フューチャラマ」は、絶大な人気となった。

「フューチャラマ」は、シカゴ万博でもゼネラルモーターズのパビリオン建築を手がけたアルバート・カーンの設計によるものである。「フューチャラマ」は、著書『地平線』（Horizons）で大胆な流線型のデザインを発表し、当時の社会に大きな衝撃を与えたインダストリアル・デザイナー、ノーマン・ベル・ゲデス（第29話、59話）が、「１９６０

１９３９／40年のニューヨーク万博で、20年後（１９６０年）の未来社会を描いた「フューチャラマ」
photo by Richard Garrison

年（20年後）の未来社会」を描いたものであった。

一つ一つ異なったデザインを施《ほどこ》された50万戸のミニチュアの家、18種類100万本以上の木々、5万台の模型自動車などからなる、1ヘクタールもの円形のミニチュア・シティを、一度に552人が座れる「動くシート」から見下ろす仕組みになっていた。ここではすでに、時速100マイル（約161キロ）で走れる7車線の高速道路などが予見されている。

この「フューチャラマ」で、ゼネラルモーターズは、1960年までに自動車の台数は3800万台まで増大するだろうと予測していたが、実際の1960年には、予測をはるかに超える6100万台の自動車が世の中にあふれることになった。

「フューチャラマ」再び

ゼネラルモーターズは、1964／65年のニューヨーク万博で再びパビリオン「フューチャラマ」を展開する。この万博でも「フューチャラマ」は一番人気となり、約5161万人の入場者のうち、半数以上の2900万人余りを集めた。

前回のパビリオンの設計をしたアルバート・カーン自身は1942年に亡くなっており、このときの設計は、アルバート・カーン・アソシエイツが担当した。

1964／65年ニューヨーク万博の「フューチャラマ」
photo by Bill Cotter

また、前回のニューヨーク万博では、ノーマン・ベル・ゲデスという一人のインダストリアル・デザイナーが予見した未来を示したものだったが、今回のニューヨーク万博では、外部には頼まず、ゼネラルモーターズ社内のデザイナーたちが展示内容を担当した。

観客は、音声のついた3人掛けの車463台に座り、500メートル以上続く6つのパートを、15分間かけて旅した。

「月への旅行」「氷の下の生活（南極）」「海底の風景」「ジャングル訪問」「砂漠の中で」という初めの5つのパートで、ゼネラルモーターズが考案した未来のモビリティを見たあと、最後に「未来の都市」を見る、という仕組みである。

そこでは、月面車を含む月のコロニーや海底のホテルが展示されていた。

また、主婦をターゲットにした三輪実験自動車「ランナバウト」もあった。「ランナバウト」は、自動車の後部にショッピングカートが組み込まれていて、店内で買い物をするときには取り外しができ、買い物が終わると、買った品を載せたカートをそのまま車に合体させて自宅に帰れる、というとても便利な仕組みになっていた。

そして、極めつきは「ロード・ビルダー」。

「動く工場」とでもいったらいいのか、5階建ての建物と同じ高さで、30人で運転され、ジャングルの中を突き進んで自動的に木を察知しては切り倒し、毎時1マイル（約1・6キロ）の速さで4車線のスーパー・ハイウェイを造っていくというものだった。

環境問題に関心の高いSDGs時代の今では「炎上必至」でとても展示できないものだが、自然破壊など深く考えなくてよかった時代の産物といえるだろう。

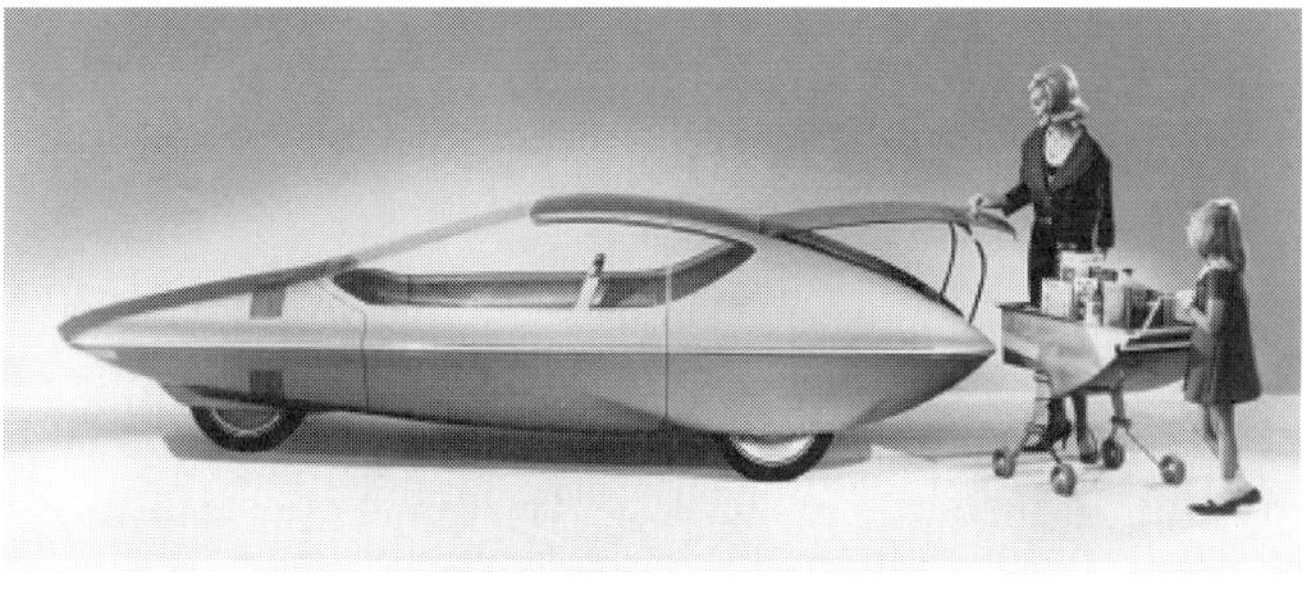

「ランナバウト」
Photo by Michael Ochs Archives/Getty Images

ゼネラルモーターズはそのほかにも、宇宙関連技術を含む「宇宙時代研究」ゾーンを展開していた。１９６1年4月12日の、ソ連によるガガーリンの有人宇宙飛行以来、アメリカでは「宇宙熱」が高まり、１９６９年のアポロ月面着陸へと向かう時代となっていた。その最中の万博にふさわしい展示だったのである。

クライスラーとフォード

一方、クライスラーは、１９３９／40年ニューヨーク万博では「軌道外宇宙旅行」という展示を、次の１９６４／65年ニューヨーク万博では、10階建ての高さの巨大ロケットを展示した。宇宙産業が次代を担うと真剣に考えていたのだろう。

もちろん、自動車に関してもおこたりない。ロケットの横に、高さ6メートル、長さ24メートルの巨大な車をかたどったパビリオンを造り、その中ではクライスラー車のスタイリングに関する展示がおこなわれていた。

さて、三大自動車メーカーの残りの1社は、１９３３／34年シカゴ万博で大成功をおさめたフォード。フォードは１９３９／40年のニューヨーク万博で、「ロード・オブ・トゥモロー」（明日の道）という、この万博のテーマである「ワールド・オブ・トゥモロー」にちなんだ名称の乗り物系のパビリオンを展開した。

これは全長1キロにおよぶ、乗って楽しむパビリオンで、実際の新型フォードＶ８やリンーカン・ゼファーＶ12が使われていたという。観客は展示と同時に、新車の乗り心地も楽しむことができたのである。

「ロード・ビルダー」
photo by Bill Cotter

ディズニーが手がけた「マジック・スカイウェイ」

また、フォードは、1964／65年のニューヨーク万博でも、「マジック・スカイウェイ」という巨大な施設を造り、自社の車を使って、乗って楽しむ展示をおこなった。このとき使った160台もの車の多くが、この万博が初お目見えとなるマスタング・コンバーチブルだった。これらの車は、一度観客が乗るたびにきれいに磨かれて、次の観客を乗せるようになっていたという。

「マジック・スカイウェイ」は、ディズニーの「オーディオ・アニマトロニクス」というシステムを採用しており、前史時代から宇宙時代までを約12分間で旅するというものだった。カーラジオがオーディオの役割を果たし、4カ国語に対応できたという。

万博会期中1500万人の観客が、「マジック・スカイウェイ」に乗り、この「ピープル・ムービング・システム」は、万博終了後、1967年にディズニーランドに導入されることになる。

このように、万博の歴史の中では、自動車の進歩はことに著《いちじる》しく、特にアメリカで開催された万博で、三大自動車メーカーがしのぎを削った展示をおこなっている。この100年をたどると、さながらタイムトラベルでも経験するような感慨がある。

ちなみに、万博から離れた単独のモーターショーは、早くも1898年にパリで開催され、大きな人気を博した。その後も定期的におこなわれ、1900年以降のパリのモーターショーは、1900年第5回パリ万博で造られた「グラン・パレ」を会場として、華やかにおこなわれることになる。

53　ホットドッグ、ハンバーガー、始まりは万博？

明治初期の万博でクリームソーダやポップコーンが登場

万博は飲食物でもさまざまな「伝説」を生んでいる。

クリームソーダや、ポップコーン、ホットドッグ、ハンバーガー、アイスクリーム・コーン、アイスティー、はたまたインスタント・コーヒー、こういったなじみの深い食べ物や飲み物がみんな「万博で生まれた」、というのだが果たして本当なのだろうか。

まずはクリームソーダとポップコーンについては、１８７６年フィラデルフィア万博生まれという説がある。

万博史のある本には、この万博で「クリームソーダが初めて売られた」というような記述があり、別の本には「ソーダ水が売られた」といった記述もある。ポップコーンが販売され、人気となったとも書かれている。

１８７６年フィラデルフィア万博といえば、１８７３年ウィーン万博に引き続き、日本が明治政府として正式に参加した万博である。この万博は、グラハム・ベルが電話機を出展、エジソンが四重電信装置でデビューするなど話題の多い万博だったが、会場では来場者にこういった、今では身近な食べ物が販売されていたというのだ。誰がいつクリームソーダを発明したか、正確なところはわからないが、フィラデルフィアのロバート・M・グリーンという人物がこの万博で販売し、その後大流行したという記述は見つからなかった。

ホットドッグを巡る諸説

万博における初のホットドッグ販売については、1893年シカゴ万博という説と、1904年セントルイス万博という説の2つが見受けられる。

実は、ホットドッグは、1871年にニューヨークのリゾート、コニー・アイランドで発明されたという説がある。ドイツ人の肉屋だったチャールズ・フェルトマンが、コニー・アイランドに最初のホットドッグ・スタンドを開店し、最初の年で3684個を売ったというのだ。そのホットドッグは、ミルクロールパンに「ダックスフント・ソーセージ」（フランクフルトのような大きなソーセージではなく、短い、小さなソーセージのこと）をはさんだものだったらしい。*

1893年シカゴ万博では、ソーセージがやたら大量に消費されたという。ある「ホットドッグ歴史家」によると、もともとソーセージをパンにはさんで食べる習慣を持っていたドイツ人が、その習慣をアメリカに持ち込み、認知された食べ物になったのだろうということだ。** 多くのアメリカ人にホットドッグが知れわたり、大量消費されたのは、この1893年シカゴ万博が最初だった可能性が高い。

1893年は、野球場でホットドッグが売られた最初の年でもあるようだ。メジャー・リーグのチーム、「セントルイス・ブラウンズ」のオーナーであり、セントルイスのドイツ移民クリス・フォン・デ・アへが観客に売り始めたという。

また、今日の細長いパンにソーセージをはさんで食べるスタイルのものは、ドイツのバイエルンからの移民、アントン・フォイヒトヴァンガーによって、1904年セントルイス万博で始められたという説がある。***

*『錯乱のニューヨーク』（レム・コールハース著　鈴木圭介訳　ちくま学芸文庫）

**ＮＨＤＳＣ(National Hot Dog and Sausage Council)による hot-dog.org/culture/hot-dog-history

***同右

その説によると、フォイヒトヴァンガーは最初、ソーセージのみを売っていたようだ。彼には悩みがあった。熱いソーセージを客に渡す際、手で直接持ってもらうのではやけどしてしまうため、客に白い手袋を貸していたが、その手袋が客から戻ってこないのだ。そこで、パン屋だった義理の兄に相談した。兄はソーセージにあうような細長いソフトロールパンを作った。このパンで熱いソーセージをはさんで客に渡すことにより、熱いソーセージを客にやけどをさせずに、しかも手袋を貸すことなく渡すという問題は解決された。こうして現在のホットドッグができた、ということだ。

この説が正しければ、1904年セントルイス万博が「現在の形」のホットドッグが生まれた場であったという説も、俄然《がぜん》説得力を帯びてくるのである。

正確なところは、今となっては判然としないが、ホットドッグが万博でブレイクした、ということは間違いないようだ。

ハンバーガーはオールド・デイヴが万博に出店？

ハンバーガーの誕生については、これまた諸説ある。

テキサス州アセンズ説、ウィスコンシン州シーモア説、ニューヨーク州ハンバーグ説、コネチカット州ニューヘヴン説などである。

マクドナルド社はテキサス州アセンズ説を取っているようである。

1893年シカゴ万博会場
出典：国立国会図書館「博覧会—近代技術の展示場」

テキサスの歴史家フランク・トルバート氏の説によると、テキサス州アセンズのフレッチャー・デーヴィス、通称「オールド・デイヴ」がハンバーガーを発明した。

１８８０年代後半には、デーヴィスは二つに切ったパンの間に、牛ひき肉をはさんだ名前のないサンドイッチを売っていたということである。その後、デーヴィスは１９０４年にセントルイス万博に行き、そこに出店したとされている。

証拠としては、「ニューヨーク・トリビューン」の記者が、万博会場からのレポートで、「ハンバーガー」と呼ばれる新しいサンドイッチの発明について書いている、ということが挙げられている。

この記者は発明者の名前には言及していないが、アセンズの住人クリント・マーチソンは、「彼の祖父が１８８０年代後半のその発明についてははっきりした記憶があった。その発明者のことは『オールド・デイヴ』として覚えていた」、という。実は、マーチソンは彼の祖父が撮った１９０４年セントルイス万博の写真を持っており、それには「オールド・デイヴズ・ハンバーガー・スタンド」と記されているという。

この説では、「ハンバーガーは名前がなかったが、この１９０４年セントルイス万博でハンバーガーと名づけられた。セントルイスにはドイツの南の地方から来た人々が多かった。彼らドイツ南部出身の人々はドイツの北部出身の人たちを『ひき肉を大食いする人たち』としてからかっており、それで、この食べ物をドイツの北方の都市ハンブルクにちなんで『ハンバーガー』と名づけた」ということだ。

もし、この説が正しければ、少なくとも「ハンバーガー」という名前はこのセントルイス万博から生まれた、ということになる。

さて、ホットドッグやハンバーガーといえばケチャップを思い出す人も多いかもしれない。今や世界中で使われている「ハインツ」のケチャップが初めて万博に登場したのは1876年フィラデルフィア万博のことであり、この万博を機会に小規模な家族企業がグローバル企業に成長することになったのだ。

万博と飲み物の歴史をひもとく

飲み物と万博も切っても切れない関係にある。

1851年ロンドン万博においてシュウェップスが登場し、ソーダ水などで大きな収益を出したことは前に述べたが（第12話）、そのシュウェップス社の営業店では、すでにコーヒーがサービスされていた。また、コーヒーに入れる角砂糖については、1889年第4回パリ万博において、現在世界中のホテルやレストランで見られ、ネット等でも買えるベギャンセ社のペルーシュ角砂糖が金メダルを受賞している。

また、1855年第1回パリ万博では、ロワゼルのコーヒーのほか、当時は珍しかったミネラルウォーターが登場し、続く1867年2回目のパリ万博では、ドイツのビールが大流行。そのほか製氷機も登場し、1876年フィラデルフィア万博では前述のクリームソーダが初登場したわけである。

日本と関連するところでは、1889年のパリ万博で「白鹿」の11代辰馬吉左衛門《たつうまきちざえもん》が、日本酒でメダルを受賞している。

日本人化学者が発明した「ソリュブル・コーヒー」

次にインスタント・コーヒーは、1899年にシカゴ在住の日本人化学者、加藤《かとう》サトリ（一説にはサトルリ）博士によって発明されたといわれている。博士はコーヒーをいったん液化し、その原液から水分を除いて固体化する「真空乾燥法」を発明し、コーヒーを粉末化することに成功したのである。

この発明は、1901年アメリカ・ニューヨーク州で開催されたバッファロー万博（汎《パン》アメリカン万博）に、初めて「ソリュブル・コーヒー」（溶けるコーヒー）として出展、販売された。これが、インスタント・コーヒーを世に出した最初の万博ということになる。

1901年バッファロー万博で配られたKato Coffee Co.のパンフレット表紙

アイスティーやワッフルの流行

フォイヒトヴァンガーが義理の兄のパンを使いホットドッグを売り、「オールド・デイヴ」がハンバーガーを売ったとされる1904年のセントルイス万博。実はこのときに、アイスクリーム・コーンとアイスティーも登場した、ともいわれている。

アイスクリーム・コーンは、「万博会場でアイスクリームの容器が不足していたとき、ワッフルを売っていた人がワッフルを薄く焼いて巻き、容器代わりにしたら、評判になって大繁盛した」という説がある。

一方、アイスティーは、紅茶を無料で配布していたが、セントルイスの暑い暑い夏の間、熱い紅茶を受け取ってもらえなかったため、氷を入れて「アイスド・ティー」として配ったら、それが大評判になったという。

しかし、「アイスド・ティー」自体は以前からあったという説もある。誕生秘話には諸説あるようだ。


また、この万博では、ウィスキー部門に、「リンチバーグ」という、当時ほとんど無名のウィスキー・メーカーが出展し、金メダルを獲得した。このメーカーこそが、現在テネシー・ウィスキーのメーカーとして世界的に有名な「ジャック・ダニエル」である。

さらに20世紀後半の1964／65年ニューヨーク万博では、ベルギーの「『ベル・ジェム』ワッフル」が大評判となった。この「新発明」といわれたものは、ワッフルにホイップクリームとイチゴをたっぷりとトッピングしたもので、この万博に行った多くの人は、万博の思い出を聞かれると、まずこのワッフルのことを話し、それからほかの体験を語るほどだったという。このワッフルはベルギーエリアだけでなく万博会場中で楽しめたということだ。

ここで取り上げたクリームソーダやポップコーン、ホットドッグやハンバーガー、アイスクリーム・コーンやアイスティーなど、今となっては誰がいつ発明したか、どう誕生したかを究明するのは難しい。いろんな人がいろんな説を主張している、というのが現状のようだ。

これらは「伝説」としてとらえておくのが妥当だろう。

1964／65年ニューヨーク万博で大人気だった「ベル・ジェム」ワッフル　photo by Bill Cotter

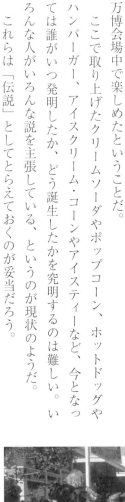

ただ、そういった飲食物がいろいろな「万博」の機会に、大規模に提供され、流行したことで、その存在や名前が一般的なものになっていった、ということはいえるだろう。

54 スエズとパナマ、二大運河と万博

レセップスの「スエズ運河」

世界的に有名な大運河といえば、スエズ運河とパナマ運河であるが、これら2つの運河は、ともに万博と密接な関連を持つ。

まず、スエズ運河である。

スエズ運河の入り口にモニュメントを建設するプロジェクトに携《たずさ》わっていたフランスの彫刻家フレデリック・オーギュスト・バルトルディが、古代エジプトのイメージをもとに『自由の女神』を造り上げたことは第30話で述べたとおりである。

スエズ運河はフランスが国を挙げて推進していた事業であるが、1867年第2回パリ万博において、「スエズ運河計画」としてその

建設中のスエズ運河 "Le Monde illustré" 1867年9月28日号より by BnF

杭打《くいう》ち技術、油圧機械などとともに展示されていた。

フランスの外交官だったフェルディナン・ド・レセップス（1805～1894）が手がけたこのビッグ・プロジェクトは、１８５９年4月25日に起工され、10年後の１８６９年11月17日に開通することになる。総延長１６０キロ以上にもおよぶこの大運河であるが、１８６７年のパリ万博では、竣工《しゅんこう》を2年後に控え、すでにかなり進んでいた工事の現状やその全体計画概要を、レセップスが自ら説明するなどして話題となった。その、レセップスが説明をしている図が今でも残っている。

パナマ運河開通記念の万博

そしてもう一つの世界的な運河であるパナマ運河であるが、これに関しては、「パナマ運河開通記念」として万博が開催されることになる。

これが１９１５年に開催された「サンフランシスコ万博」、別名「パナマ太平洋万国博覧会」である。

太平洋と大西洋を結ぶ「パナマ運河」は、１９１４年8月15日に開通したが、それを記念する万博を開催しようというアイデアは、サンフランシスコ以外にも、サンディエゴ、ニューオリンズから出されていた。しかし、サンディエゴでは小規模な

1867年パリ万博でレセップスがスエズ運河を説明　出典："L'illustration" 1867

博覧会が開催されることになり、メインとしての万博は、サンフランシスコでおこなわれることになった。この万博はパナマ運河開通を祝うとともに、パナマ運河が可能にした「太平洋の新しいトレード・センター」サンフランシスコのオープニング、という意味合いもこめられていた。

サンフランシスコは、1989年にも大地震の被害をこうむったことで記憶に新しいが、実は1906年にも大地震に見舞われており、街はそれに伴う火災などで大変なダメージを受けていた。パナマ運河開通の機会に、「太平洋の新しいトレード・センター」として、その災害からの復興を記念して開催されたのがこの万博というわけである。1893年シカゴ万博が1871年のシカゴ大火災からの復興記念、ということも含めて開催されたことが思い起こされる。

さて、このサンフランシスコ万博では、「シビック・センター」などが再建された。また、このとき建てられた「美術宮」は、現在も「エクスプロラトリウム」(Exploratorium)という体験型科学学習施設として活用され、多くの来館者でにぎわっている。ハワイから「ウクレレ」が出展され、大評判となったのもこの万博である。

実は、このときすでに第1次世界大戦が始まっていたが、アメリカはこの万博を決行し、市民に活力と希望を与えた。

万博会場の上空を毎日飛行機が飛んだり、世界初の「飛行機の室内飛行」が機械館でおこなわれたりと、飛行機が本格的に活躍し始めた(初めて、飛行機が展示されたのは

スエズ運河開通直後の風景

1900年第5回パリ万博)。また、もちろん「パナマ運河」についての展示も充実しており、その動く模型などが展示されていた。

ゴールデン・ゲート・ブリッジ、ベイ・ブリッジと万博

余談であるが、サンフランシスコといえば1939/40年にも万博が開催された都市である。この1939/40年万博は、「二つの運河」ならぬ「二つの橋」の完成を記念したものであった。

その橋とは、サンフランシスコに行く人は必ず通るという「ゴールデン・ゲート・ブリッジ」、そして通称「ベイ・ブリッジ」と呼ばれる「サンフランシスコ=オークランド・ベイ・ブリッジ」である。この二つのサンフランシスコの「名物」もまた万博に関連する事物だったのである。「ゴールデン・ゲート・ブリッジ」は、ちょうどスペインの画家ピカソがパリ万博のために『ゲルニカ』を制作中だった1937年5月27日に完成している。また、「ベイ・ブリッジ」のほうは、その前年に開通している。

「美術宮」だった「エクスプロラトリウム」 photo by bth

55 渋沢栄一「人生最後の万博」——渋沢栄一と万博の50年④

パリ以来の万博訪問

「渋沢栄一と万博の50年」もこれで最終話となる。

筆者が調べた限り最後の、そして実現しなかった「日本大博覧会」も含めれば6回目となる渋沢と万博の関連は、1915年サンフランシスコ万博（パナマ太平洋万博）ということになる。

渋沢は、1914年（大正3年）6月23日、このパナマ運河開通記念で開催された万博の準備のために設立された「臨時博覧会事務局」の「評議員」に任命され、その後「名誉賛助」に就任していたことがわかった。しかも今回は1867年のパリ以来初めて、約50年ぶりに、現地サンフランシスコの万博会場を、渋沢自身が実際に訪れていたのだ。

「渋沢栄一伝記資料」によると1914年のところに、

「是より先、政府は、アメリカ合衆国政府の要請に応じ、パナマ太平洋万国博覧会に参同することを決定し、是年五月、臨時博覧会事務局を設置す。是日栄一、同事務局評議員を仰付けらる。爾後栄一、桑博観覧協会の名誉賛助に就任する等、右博覧会のため種々尽力し、四年十月二十三日、博覧会観覧を兼ね渡米の途に就く。」

とある。

1915年サンフランシスコ万博会場風景

この万博における「評議員」とはどの程度の役職だったのか。資料を見ると「総裁」（農商務大臣）、「副総裁」（海軍大将）、「事務官長」の次、４番目に「評議員」が位置している。そこに「従三位勲一等男爵　渋沢栄一」という名前を見つけることができる。

　この「サンフランシスコ万博」は、１９１５年２月20日～12月４日に開催された。渋沢は会期も終わりに近づく１９１５年10月23日に横浜を出航、渡米の途につき、11月１日にホノルルに寄港し、11月８日にサンフランシスコに上陸している。

万博会場に足繁く通う渋沢

　このときの旅については渋沢の日記が残されているのでその詳細がわかる。

　上陸翌日の11月９日には、午前７時半に起床、入浴、朝食をとったあと、多くの客と面会している。「其他来訪ノ内外人頗《スコブ》ル多シ」とある。

　そしてその午後から早速万博へ行っている。「先ツ日本館ヨリ参観シ」とある。日本館では、鹿苑《ろくおん》寺《じ》金閣《きんかく》を模し、ベランダから会場の風景が楽しめたという、建築家・武田五一（1872～1938）が設計した「接待館」や、その隣の「事務室」等での時間を楽しんだことだろう。

　翌11月10日以降も、客人との面会等多忙を極めている。そんな中、11月12日、13日、14日と、11月10日、11日の２日を除き毎日万博会場を訪れている。12日には午前中から万博会場へ赴き、午後１時からこの万博の総裁であったチャス・C・ムーア氏主催の会場内での宴会に出席し、演説をしたりしている。

しかし長い航海の後、翌日からほぼ毎日万博を訪れるというのは非常に体力を消耗することである。万博に一度でもいらっしゃった方ならおわかりになるだろうが、会場に入るまでも、そして入ってからがとにかく広く、長い距離を歩くことになるのだ。いくら渋沢が頑強な身体だったとはいえ、そしていくらＶＩＰ待遇での移動だったといっても、当年75歳の渋沢にとっては大変なことだっただろう。

しかし渋沢にとっては、１８６７年27歳のときに、チョンマゲ姿でパリ万博を訪れて以来初めての、実に48年ぶりの万博である。万博に対するいろいろな思いが込み上げてきたのではないだろうか。

渋沢最後の万博訪問日

その後翌15日、渋沢はサンフランシスコを離れシアトルに向かい、ポートランドを経て22日にシカゴ着。その後ピッツバーグ、フィラデルフィア、ニューヨーク、ボストンをめぐり、再びニューヨークへ戻ったのち、12月５日にワシントンD.C.へ向かった。そして６日にホワイトハウスでウッドロー・ウィルソン米国大統領と面会している。その後８日にワシントンをたってシカゴからロサンゼルスをめぐり、14日に再びサンフランシスコに戻り、12月18日にサンフランシスコより乗船し24日にホノルルに寄港後、１９１６年１月４日に横浜に帰着している。

12月14日から18日までサンフランシスコ滞在期間が４日間あるが、万博は12月４日に終了している。「日記」によると、その４日の間、切れ目なくさまざまな人と面会したり、車でスタンフォード大学を訪れたりしており、終了後の万博会場を訪れた様子はない。

よって、渋沢が最後に万博会場に行ったのは、「1915年11月14日」ということになろう。

渋沢栄一の半世紀にわたる万博との付き合いも、この日が最後になったのだ。

56 夢の競演「オールスター・ゲーム」秘話

身近になった「オールスター・ゲーム」

今や多くの日本人が活躍し、日本でもリアルタイムで観戦できるようになったアメリカのメジャー・リーグ。ロサンゼルス・エンゼルスの「二刀流」大谷翔平《おおたにしょうへい》選手も大活躍し、日本人ファンのみならずアメリカ中を熱狂させている。そして大谷選手は、2021年7月には、その球界のスターたちが一堂に会する夢の球宴「オールスター・ゲーム」にも、史上初めて「二刀流」で出場した。

実は、このビッグ・イベントも万博から生まれたものであった。

1933／34年のシカゴ万博は、大不況の真っ最中に開催された。

このシカゴ万博は、正式には「『進歩の世紀』万博」といわれ、会場内には、エア・コンディションや蛍光灯によって初めて可能になった窓のない建築物が立ち並び、アメリカの思想家であり技術者でもあったバックミンスター・フラーの「ダイマクション・カー Ｎｏ・３」という、低燃費の自動車が走り回っていた。流線型で三輪、11人乗りの一種のエコ・カーである（第51話）。

しかし、ともかく景気が悪かった。

この万博は、アメリカ連邦予算に頼らずに、株式を発行して資金を調達しようとしていたのだが、株式発行開始の日が、歴史に残る１９２９年10月24日のニューヨーク株式市場における株価大暴落の前日という、前途多難なスタートだったのである。

それ以後、アメリカでは経済不況が続き、世界恐慌まで引き起こした。１０００万人以上の失業者を生み、シカゴ万博が開催された１９３３年は、フランクリン・ルーズベルト大統領がニュー・ディール政策を開始した年でもあった。

万博でも抽選付前売入場券を発行して、なんとか事前の収入を確保しようとしたりしていた。

このような暗い時代にあって、人々に明るい興奮を与えたのが、シカゴ万博のイベントの一つとして開催された「オールスター・ゲーム」だった。

少年の投書とベーブ・ルース

万博から離れて現在も残るこのビッグ・イベントは、一説によると、「シカゴ・トリビューン」紙に届いた一人の少年の投書がきっかけだったという。その説によると、その手紙には、「ア・リーグ（アメリカン・リーグ）のベーブ・ルース（ヤンキース）が、ナ・リーグ（ナショナル・リーグ）のカール・ハッベル（ジャイアンツ）の球を打つような試合が見たい」と書かれていた。メジャー・リーグは各リーグに分かれてチャンピオンを決めるため、勝ち抜いてワールド・シリーズにたどり着かなければ、この二人の対戦は見ることができなかったのである。

そんな少年の声に応《こた》えて実現した、第1回「オールスター・ゲーム」は、万博のイベントとして、1933年7月6日午後1時15分に開幕した。このシカゴ万博の正式名称は、前述したように、「『進歩の世紀』万博：A Century of Progress, International Exposition」だったが、この「オールスター・ゲーム」は、「世紀のゲーム：Game of Century」といわれた。

会場となったシカゴのコミスキー・パークは、4万7595人もの観客で埋めつくされていたという。

3回裏、タイガースのゲリンガーがファーストに出塁した場面で、ベーブ・ルースが登場する。ベーブ・ルースは大谷選手と同様「二刀流」として活躍したことで有名だが、オールスター・ゲームには打者として登場し、投書した少年の期待に応えるように、大会史上1本目のホームランを右スタンドに打ちこみ、4対2でア・リーグがナ・リーグを下したのであった。

この、歴史に残るイベントを創設することになったシカゴ万博は、苦しい環境下で開催されたにもかかわらず、株式も万博開催前年までに、なんとか774万株が売れ、結果的には黒字

ニューヨーク・ヤンキース時代のベーブ・ルース

を残すという偉業を成し遂《と》げることになるのである。

メジャー・リーグと万博の関係

メジャー・リーグと万博の関係は、その後の1967年、カナダのモントリオール万博にも続いた。この万博にちなんで名づけられ、1969年に創設された「モントリオール・エキスポズ」は、カナダの野球チームでありながら、外国チームとして初めて同年、アメリカのメジャー・リーグ（ナショナル・リーグ）に加盟した。しかしその後2005年、本拠地をゆかりのカナダ・モントリオールからアメリカの首都ワシントンD.C.に移すことになり、名称も「ワシントン・ナショナルズ」に改称している。

57 『ゲルニカ』がたどった数奇な運命

万博のスペイン館に展示された名画

誰もが知るスペインの画家ピカソの代表作『ゲルニカ』。

第2次世界大戦の気配がひたひたと押し寄せてきていた1937年4月26日、スペイン内乱で、ドイツ軍を中心とする、イタリア軍も参加した空軍部隊が、スペイン北部バスク地方の古都「ゲルニカ」を爆撃した。その後スペインの独裁者となるフランシスコ・

フランコ支援のための爆撃だった。この爆撃によって、およそ人口7000人のこの小さな町の1654人が死亡、899人が負傷し、町は壊滅状態となった。反ファシズム闘争に身を挺《てい》していたピカソは、爆撃への怒りをこめて『ゲルニカ』を描いた。以後『ゲルニカ』は反戦の象徴、民主主義の象徴として世界中に知られることになる。

このピカソの『ゲルニカ』、実は、1937年に開催されたパリ万博のために制作されたものであった。

1937年パリ万博は、「現代生活の中の美術と技術」をテーマに開催されたが、実際は世界情勢を反映して、かなり政治色の濃いものだった。その象徴が「ドイツ館」と「ソ連館」。東西に並んで建てられたこの2館は、そこだけ異様に高い50メートルほどの建物で、明らかに競争しているように対峙《たいじ》して建っていた。そして東側のドイツ館の隣に、まるで高層マンションに隣接する平屋建てのように建っていたのが「スペイン館」だった。そのスペイン館のエントランスホールに展示されたのが、『ゲルニカ』である。*

スペイン共和国政府は、キュビスム（立体派、立方体派）の旗手として当時すでにスペインを代表する画家となっていたパブロ・ピカソ（1881～1973）に15万フランを支払い、**スペイン館のための壁画を描いてくれるよう依頼した。テーマを任されていたピカソは、ゲルニカ攻撃の後、戦争への抗議をこめて『ゲルニカ』を描いた。

このモノクロームに近い作品、『ゲルニカ』には、戦争に対する悲しみや怒り、自由への祈りなどのメッセージがより強くこめられているようで、多くの万博来場者の心を打ったという。

＊この「スペイン館」では『ゲルニカ』のほか、ジュアン・ミロの『刈り取り人』、アレクサンダー・カルダーの『水銀の泉』等の作品も展示されていたが、開館にこぎつけたのは、パリ万博正式開会日の5月25日から約2カ月遅れた7月12日のことだった。

＊＊ピカソはもともと、『ゲルニカ』は寄贈するつもりだったので、対価の受け取りを拒否していたが、共和国の強い要望で、15万フランを受け取った。しかし、ピカソはそれを大きく超える額を、共和国支援金として寄付している。

防弾ガラスで守られていた『ゲルニカ』

『ゲルニカ』は、このパリ万博で展示された後、旅に出ることになる。

翌年にはノルウェー、デンマーク、スウェーデン、イギリスと回り、さらにその翌年の１９３９年には、カッサンドルの描いたポスター（このポスターも１９３７年パリ万博に出展されている）で知られるフランスの豪華客船「ノルマンディー号」に乗ってニューヨークに行く。この年にはニューヨークで万博が開かれているが、筆者の調べた限りでは、ニューヨーク万博に『ゲルニカ』が出展されたという記録は見つかっていない。５月にアメリカに到着した『ゲルニカ』は、まずニューヨークの画廊で展示され、その後ロサンゼルス、シカゴ、サンフランシスコなどを巡回し、11月に再びニューヨークに戻り、ニューヨーク近代美術館でのピカソ回顧展に出展されたようである。

そして、『ゲルニカ』がアメリカを巡回している間に第2次世界大戦が勃発《ぼっぱつ》した。そのため『ゲルニカ』は、１９７５年にフランコが死去した後、スペインの政情が安定し、１９８１年にマドリッドのプラド美術館に返却されるまで、40年以上もニューヨーク近代美術館に保管されることになったのである。

ただし、『ゲルニカ』はその間、2回ヨーロッパに渡った。

１９５３年にはイタリアのミラノで、１９５５～56年にはパリの後、

『ゲルニカ』パブロ・ピカソ　1953年

なんとドイツのミュンヘン、ケルン、ハンブルクで展示されたという。ドイツ、イタリアという、ゲルニカ爆撃をおこなった当事国で展示されたところが、政治的な宿命を持つ『ゲルニカ』らしいエピソードである。

１９９２年に『ゲルニカ』は、マドリッドの「ソフィア王妃芸術センター」に移され、現在にいたっている。新しく美術館として改装された建築物の中で、それまで作品保護のために設置されていた防弾ガラスを取り払われた『ゲルニカ』は、また少し違った印象をかもしだしているように見えた。

58 「タイムカプセル」も万博生まれ!?

テレビやロボットなどが登場した1939／40年ニューヨーク万博

１９３９／40年のニューヨーク万博は、１７８９年に就任した米国初代大統領、ジョージ・ワシントンの就任１５０周年を記念して開催された万博である。

この万博では、多くの近未来の技術が展開されていた。

1937年パリ万博会場。エッフェル塔の右の高い建物が「ソ連館」。左の高い建物が「ドイツ館」。　写真提供　ユニフォトプレス

たとえば、アメリカの電気機器の会社ＲＣＡ（Radio Corporation of America）が、当時はまだほとんど普及していなかった「テレビ」を紹介し、注目を浴びたのもこの万博である。フランクリン・ルーズベルト大統領による１９３９年4月30日の万博オープニング・リマークスは、ニューヨーク地区にテレビ放送され、話題となった。第２次世界大戦前のことである。日本でテレビ放送が始まったのは１９５３年、カラー放送開始が１９６０年だから、さかのぼること14年。テレビ技術の発達は思いのほか速い。

この万博では、ナイロン繊維や、カラー写真も評判となっていた。また、アメリカの電機メーカーであるウェスティングハウス社は、早くも身長約２・４メートルの金属製ロボットの展示をおこなっていた。このヒト型ロボット「エレクトロ」（Electro）は、歩く、話す、見る、歌う、臭いをかぐ、指で数える、腕を上げ下げするという動作ができたという。「エレクトロ」は１９４０年の会期ではロボット犬「スパーコ」（Sparko）を引き連れており、子どもたちの人気の的《まと》だったという。

「ロボット」とは、１９２０年にチェコの作家カレル・チャペックが書いた戯曲《ぎきょく》から生まれた言葉だが、機能はまだ稚拙《ちせつ》であるにしろ、言葉ができてから20年足らずで現実にそのロボットが生み出されたわけだから、この間の科学技術の発達はたいしたものだった。

ちなみに、現在、ロボットの開発は大変な勢いで進んでおり、ヒト型ロボットをはじめとして、介助用や愛玩《あいがん》用、また

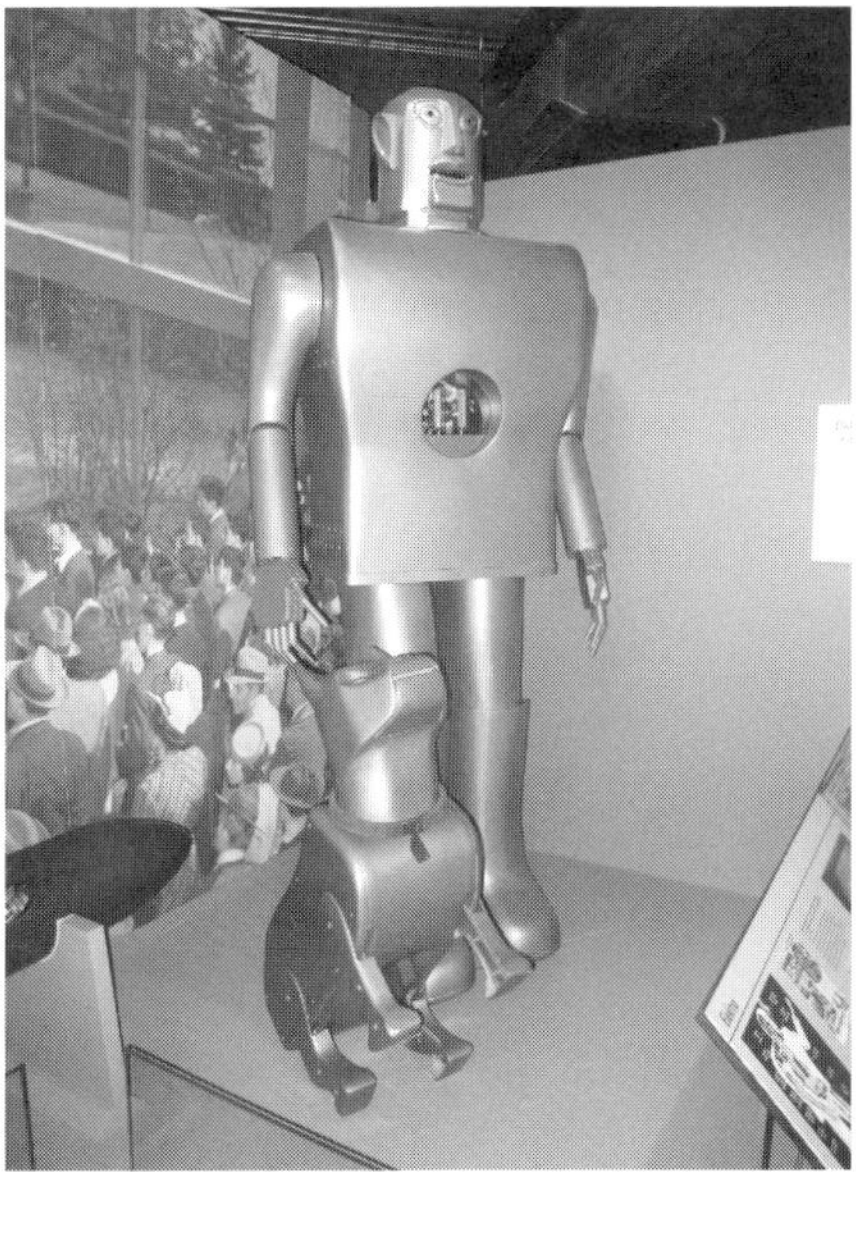

ロボット「エレクトロ」とロボット犬「スパーコ」
photo by Daderot

人間の立ち入れない領域での作業用などに向けて、各メーカーがしのぎを削っており、２００５年「愛・地球博」でもさまざまなロボットが多くのパビリオンで紹介され活躍していた（第91話）。

さて、さらにこの万博で、ウェスティングハウス社は５０００年後まで開けてはならないという「タイムカプセル」を、万博会場地下約15メートルに埋める企画で評判となった。

１８７６年に企画された世界初のタイムカプセル

実はすでに、１８７６年のフィラデルフィア万博で「センチュリー・セーフ」（世紀の金庫）というタイムカプセルが企画され、１００年後に開かれることになっていた。これが「世界初のタイムカプセル」といわれている。

ニューヨークの雑誌発行人であったアンナ・ディームという女性がこの万博で企画したもので、金箔のほどこされたペンとインクスタンド、禁酒マニュアル、アメリカ人のサインのコレクション、当時大統領だったユリシーズ・グラント第18代大統領や他の政治家たちのスナップショット、８万人以上の政府職員の名前が書かれた本などが、高さ約５フィート（約1.5メートル）の鉄の箱に入れられたものであった。この鉄の箱は万博閉会後の１８７９年に封印・施錠されたのち、ワシントンD.C.に移され、国会議事堂の東ポルチコの下に埋められた。

その後、この金庫のことはほとんど忘れ去られていたらしいが、１９７６年アメリカ

世界初のタイムカプセル「センチュリー・セーフ」（１８７６年フィラデルフィア万博）
Photo by Getty Images

建国200周年祭に際して再発見されたのである。このときはすでに鍵のありかもわからず、錠前工に頼んで開けてもらわなければならなかったという。しかし、結果としては、計画通りちょうど100年後の1976年7月1日に、無事この「センチュリー・セーフ」の公式な開封式典が開催されることとなった。この式典にはジェラルド・フォード第38代大統領も出席し、アンナ・ディームへの感謝を表す演説をしている。

「タイムカプセル」もまた万博で生まれたものだったのだ。

5000年後に開かれるタイムカプセル

そして今回のウェスティングハウス社の5000年後まで開けてはならないという「タイムカプセル」だが、1938年9月23日、ニューヨーク万博のオープン6カ月前に「ウェスティングハウス」パビリオンの敷地に埋められることになった。

その形は長さ2・18メートル、直径20センチの細長い円筒ロケット形で、この中には、『ブリタニカ』のマイクロフィルム、紙幣、トランプとその遊び方、電気カミソリなどが収納され、現在も地中に埋まっている。

これ以降、タイムカプセルは、万博で流行することになる。

1964／65年のニューヨーク万博では、ウェスティ

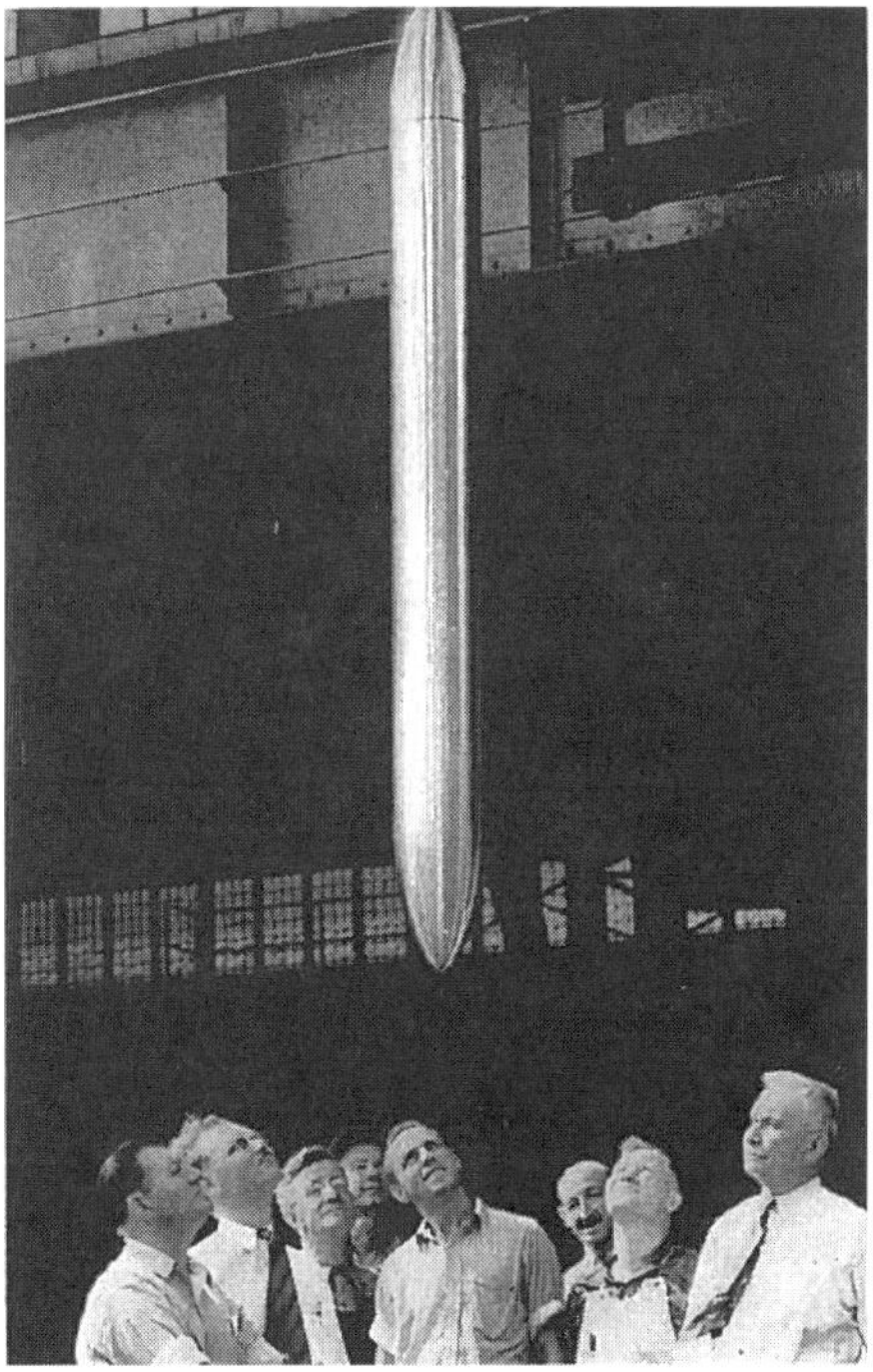

ウェスティングハウス社のタイムカプセル（1938年）
出典："The Story of the Westinghouse Time Capsule"
(CC BY-SA 3.0)

ングハウス社が再度同じような形態のタイムカプセルを企画した。

このタイムカプセルに何を入れるかは、選定委員会による選択のほか、万博来場者の意見も含め、民主的に選ばれた。そして1965年の10月16日、1938年のタイムカプセルの横に埋められることとなったのである。

このとき埋められたものには、当時流行していたビキニの水着、ポラロイドカメラ、電動歯ブラシ、ボールペン、トランジスタ・ラジオ、コンタクトレンズ、ビートルズのレコード（!）、そして、ニューヨーク万博のオフィシャルガイドなどがあった。

1970年大阪万博では、毎日新聞社と松下電器産業が共同事業として、ニューヨーク万博と同じく5000年後に開けるというタイムカプセルを、地下15メートルに埋設した。

このタイムカプセルは、大阪城天守閣《てんしゅかく》の正面に2個埋設されているもので、それぞれ1号機、2号機と呼ばれている。双方同じ、深さ約15メートルの埋設管の中にあり、1号機は深さ14・4メートルの地点にあって、5000年間まったく手をつけずにおくもの、2号機は深さ9・5メートルの地点にあって、まず30年後に開封され、点検した後すぐにまた埋め、100年ごとに開封・埋設を繰り返すというものである。今回の内容としては自然科学、社会、芸術、その他、の大きく4分野から2098点という膨大な数のアイテムが埋められている。

1970年の30年後、というと西暦2000年である。そう、西暦2000年にすでにこの「タイムカプセルEXPO'70」2号機は一度開封されたのである。2000年4

月に開封をはじめ、11月23日にはまた埋め戻された。大阪市立博物館（現在の大阪歴史博物館）では、この「タイムカプセルＥＸＰＯ'70」の本体ならびに内容物の同型品を保管しており、この開封を記念して展覧会が開催された。

このように、タイムカプセルの企画は１８７６年をその起点として、万博でたびたびおこなわれているのである。

59 「平和の祭典」のシンボルの悲しい末路とは

１９３９／40年のニューヨーク万博

ニューヨーク州では、主だったものとしては、１８５３～54年、１９０１年、１９３９／40年、１９６４／65年と、合計４回の万博がおこなわれている。１回目はマンハッタンのミッドタウン、２回目はマンハッタンを遠く離れたバッファローで開催された（第50話）。あとの２回は、クイーンズ区の同じ場所を会場として開催された。現在、フラッシング・メドーズ・コロナ・パークと呼ばれている公園がその跡地である。場所的には、現在のラ・ガーディア空港に近く、もともとコロナ・ダンプと呼ばれるゴミ捨て場の湿地帯だったところである。

「トライロン」と「ペリスフィア」

テレビ、ロボット、5000年のタイムカプセルを第58話で紹介した1939／40年のニューヨーク万博は、「明日の世界」（The World of Tomorrow）をテーマとして華々しく始まった。

約210メートルの高さを誇る三角錐《さんかくすい》「トライロン」と、直径約60メートルの巨大な球体「ペリスフィア」をシンボルとするその会場は広大で、面積約500ヘクタール、広さでは1904年のセントルイス万博（508ヘクタール）にわずかにおよばず万博史上第2位（当時）、という規模を誇っていた。この地域を公園として再開発することも万博の目的の一つで、万博で利益がでた場合、200万ドルは優先的に公園の開発資金にあてられる予定になっていた。

会場のシンボル、「トライロン」と「ペリスフィア」は、フーバー社の流線型掃除機やニューヨーク・セントラル鉄道の弾丸型列車「20世紀号」を生んだ、当時売れっ子のインダストリアル・デザイナー、ヘンリー・ドレイファス（1904～1972）が手がけたものだった。

「ペリスフィア」の内部には、テーマ展示「デモクラシティ」という造語を名前にしたパノラマが展開されていたが、これは、労働人口25万人、

トライロン（右）とペリスフィア（左）
photo by Samuel H. Gottscho

人口１００万人の未来の大都市をイメージしたものだった。

インダストリアル・デザイナーの競演

この万博は、ほかにも多数のインダストリアル・デザイナーが活躍したことで知られている。その中の一人は、ゼネラルモーターズの「フューチャラマ」をデザインしたノーマン・ベル・ゲデス。彼は著書『地平線』により、流線型のデザインで世の中をあっといわせた人物であった（第29話、52話）。

さらに、もう一人有名なデザイナーがこの万博に参加していた。日本でも煙草《たばこ》の「ピース」のデザインを手がけたことで知られるレイモンド・ローウィ（1893～1986）というフランスの人物である。彼は当時の流線型のデザインをたくみに取り入れ、大胆なデザインを「口紅から機関車まで」あらゆるジャンルで展開した。たとえば、お菓子の不二家のロゴマーク、アサヒビールのラベル、煙草「ラッキー・ストライク」のパッケージ、シェル石油のロゴマークなど、われわれにもなじみの深いデザインを手がけている。

このニューヨーク万博においては、ローウィが手がけた流線型デザインの蒸気機関車が会場を時速60マイル（約96キロ）で走った。この機関車「６１００」は１４０フィート（約42・7メートル）の長さと、５２６トンの重量を誇るペンシルヴァニア鉄道最大のものであり、この万博における屋外展示のハイライトの一つであった。

第2次世界大戦の影響

さて、この広大な敷地で、アメリカの世界企業がそのプレゼンスを競ったニューヨーク万博だが、1939年に勃発《ぼっぱつ》した第2次世界大戦の影が、アメリカにも忍び寄っていた。

世界中が戦争に突入する中、博覧会のテーマは、「明日の世界」から、翌年には「平和と自由のために」(For Peace and Freedom) に変更された。しかし、結局世界は悲惨《ひさん》な戦争を拡大していった。ドイツはもともとこの万博には参加しておらず、ソ連は第2次世界大戦勃発に伴い、1940年にはパビリオンを撤収した。

この万博には、国際機関として初めて、「国際連盟」が参加していた。しかし、その甲斐《かい》もなく、「平和の祭典=万博」のシンボルであった「トライロン」「ペリスフィア」は売却され、スクラップにされ、皮肉なことにそのスチールは第2次世界大戦の軍備のために使用されることになったのである。

このニューヨーク万博で現在も残る建築物としては、「ニューヨーク市館」であった「クイーンズ・ミュージアム」がある。この美術館には、1939／40年、そして1964／65年の両ニューヨーク万博の資料が、今でも大量に保管されている。

60 戦前戦後の万博をつないだ人物とは――「幻の万博」を尋ねて①

小松左京が書き残した気になる記述

２０２５年に大阪・関西万博が開催される。「いのち輝く未来社会のデザイン」をテーマに、さまざまな企画が進行中ということで、個人的にも大変楽しみである。

一方、「大阪で万博」というと、やはり世代によっては１９７０年大阪万博を思い起こす方も多いだろう。この「日本最初の万博」が実現するには約１００年を要したという話は第19話で少し触れた。

さて、今回の出版にあたり１９７０年大阪万博に関する本をいろいろとふりかえっていた中、『日本沈没』等で有名なＳＦ作家、小松左京《こまつさきょう》の書いた『大阪万博奮闘記』という文章を読みかえしていたとき、ふと気になる部分があった。

この本には、小松左京や彼の仲間が有志として「万国博を考える会」という会を、１９６４年７月、京都祇園花見小路のとある旅館でスタートしたことが書いてある。その場には当時大阪市立大学助教授だった梅棹忠夫《うめさおただお》氏、京都大学人文研の加藤秀俊《かとうひでとし》氏、大阪朝日放送の出版課長で「放送朝日」編集長Ｎ氏、朝日放送の営業Ｙ氏等が集まった、というような記述があり、「加藤秀俊氏がいちはやく『博覧会学』を公に提唱した」とある。

彼らは大阪で万博を、と思って自主研究していたのである。その中で「昭和15

「幻の万博」の会場プラン
出典：「萬博」21号（１９３８年２月号　東京都中央区立京橋図書館所蔵）

年（1940）の皇紀二千六百年記念に計画され13年（1938）にご破算にせざるを得なかった『幻の東京万国博』の関係者が政界にまだ健在で、万国博誘致を熱心に国会に働きかけている。」という話を聞き、「この情報は、ちょっと私たちをおどろかせた」、という場面がでてくる。

「幻の万博」関係者の戦後、というテーマ

筆者もこの文章を見てちょっと驚いた。この「幻の万博」については筆者もひととおりの知識はあった。これは、第19話に記述したとおり、「紀元2600年（1940年）記念『日本万国博覧会』の東京月島《つきしま》一帯での万博開催が決定。しかし、その後無期延期」となった万博のことである。

この万博は皇紀*2600年記念という名目で、東京・月島（現在の晴海《はるみ》）一帯を東京会場、横浜山下町・山下公園一帯を横浜会場として計画されていたが、太平洋戦争が始まる前、内外ともに騒がしい時期で結局中止になったものである。この「幻の万博」のメインゲートとして造られたのが、現在も東京に残る「勝鬨橋《かちどきばし》」であり、この万博のために「抽籤券附《ちゅうせんけんつき》回数入場券」が販売され、その入場券は1970年大阪万博でも使用可能だった。

そういったひととおりのことは把握していた。

だが、1970年万博のために1940年「幻の万博」の関係者がいろいろと動いていた、という話は知らなかった。第2次世界大戦というとても大きな出来事が間にある

＊皇紀というのは初代天皇の神武天皇が即位した年を元年として年数を数える日本独自の「紀元」である。明治以降の政府の書類では「皇紀」ではなく「紀元」という表記が一般的である。

だけに、その間は全く断絶しているかのように想像していたのだ。しかし、なるほど、実現した大阪万博は１９７０年。「紀元二千六百年記念」として計画されたいわゆる「幻の万博」開催予定年１９４０年とは30年しか離れていない。「１９４０年関係者」が万博の東京開催を目論んでも不思議ではない。結果的にはこの人たちの進めていた「東京での万博開催」は実現せず、「東京でオリンピック、大阪で万博」ということになるのだが、この「１９４０年関係者」とその１９４０年「幻の万博」について調べていくことにしよう。

61　壮大なテーマ「東西文化の融合」はこうして決まった!?
――「幻の万博」を尋ねて②

豊田雅孝氏の記事

小松左京の本には、その「政界にまだ健在の『幻の東京万国博』の関係者とは、当時参議院議員だった豊田雅孝氏」とあるので、まず豊田雅孝という人物を調べてみる。デジタル版日本人名大辞典には次のようにある。

「豊田雅孝　とよだまさたか　１８９８－１９９１　昭和時代の官僚、政治家。

勝鬨橋

明治31年9月5日生まれ。商工省にはいり、昭和20年商工次官となる。退官後、商工組合中央金庫理事長、日本中小企業団体連盟会長などをつとめる。28年参議院議員（当選2回、緑風会のち自民党）。平成3年2月14日死去。92歳。愛媛県出身。東京帝大卒。」

万博研究ではよくあることだが、万博のことは特に触れられていない。

いろいろ調べていくと、国立国会図書館の資料の1966年「通商産業研究14（5）」に、「万国博覧会の思い出と期待――参議院議員 豊田雅孝氏にきく――」という記事を見つけた。どうやら大阪万博の4年前に、「思い出」も含めて何か語ったらしい。

しかし、残念ながら国会図書館のネット閲覧サービスにこの記事は含まれていない。しかも筆者の住む東京にはなく、国会図書館の関西に保管されているようだ。が、「国立国会図書館複写受託センター」にオンラインで注文を入れられるようになっている。そうすると指定したページがコピーされて送られてくるという。料金は資料が届いてから振り込めばいいとのこと。大変ありがたいサービスだ。リクエストを出してからきっかり2週間で届いた。

「幻の万博」の始動

豊田雅孝氏関連の資料を早速読んでみた。なかなか興味深い。タイトルでわかるように豊田氏へのインタビュー記事となっている。このときはすでに1970年大阪万博開催が決まっており、1940年「幻の万博」の「思い出」と、1970年大阪万博への

「期待」を聞く、というかたちになっている。

まず、戦前の「紀元二千六百年記念日本万国博覧会」のときに「商工省博覧会監理課長」として準備を進めていたという豊田氏にその経緯を尋ねている。

それによると、当時は博覧会ばやりで全国に博覧会の専門家がたくさんおり、その人たちを中心に「博覧会倶楽部《クラブ》」というものが東京にあって、このクラブを中心に昭和4年（1929年）ころ、日本で万博をやりたいという建議が政府に出された、ということである。

その一方で、東京市では月島《つきしま》埋立地（今の晴海《はるみ》埋立地）が完成してその利用・開発計画がいろいろと検討されており、

「（当時の）東京市長牛塚虎太郎《うしづかとらたろう》氏が万国博覧会の開催に非常に熱心で、月島埋立地で日本最初の万国博をやり、埋立地の開発にも大いに役立てようという一石二鳥の狙いで東京商工会議所などにも働きかけ、さきに言ったとおり昭和四年には政府に建議が出されました。」

とある。

国としても紀元二千六百年記念事業を検討中だったので、この東京市の万博開催建議はちょうどよく、オリンピックとともに二大記念事業として昭和11年（1936年）に国から指定された、ということである。そこで商工省に「博覧会監理課」という一課が特設された。豊田氏はこの初代課長になり、そこから戦争拡大で中止と決まるまで一切の基本計画を担当した、という。まさに万博事業の中心にいた人のようである。

「幻の万博」のテーマ

そのときのテーマは「東西文化の融合」。

「建国以来、二千六百年間の日本民族発展の歴史は東洋文化と西洋文化の融合の歴史である。また将来の日本の発展もこの東西文化の融合の完成にあり、それこそ日本に課せられた世界的使命であるというようなところから、誰言うとなく」こう決まったらしい。そんな「誰言うとなく」のような決まり方があるのかと思うが、当時はそんな感じだったのかもしれない。

東洋で万博がまだおこなわれていなかったということもあり、テーマも壮大だ。このテーマで万博が実際に開催されていたとすると、いったいどんな内容になったのか。興味は尽きない。

ちなみに、この豊田雅孝氏、戦後は参議院議員となり、1970年大阪万博の「テーマ委員会」に、ソニーの井深《いぶか》大《まさる》社長、作家の曽野綾子氏や武者小路実篤《むしゃのこうじさねあつ》氏、日本人初ノーベル賞受賞者の湯川秀樹京都大学教授等とともに名を連ねている。「東西文化の融合」から「人類の進歩と調和」へ、まさに戦前戦後の万博をつないだ人物といっていいだろう。

紀元二千六百年記念日本萬國博覧会のポスター
（東京都中央区立郷土天文館「タイムドーム明石」所蔵）

62　公募で決まった『日本萬国博覧会行進曲』とは
——「幻の万博」を尋ねて③

「萬博」は「バンハク」だった？

この「幻の万博」をもっと詳しく調べるために東京都中央区月島《つきしま》図書館に行く。ここには決定版ともいえる資料『復刻版近代日本博覧会資料集成』（加藤哲郎／監修・解説　増山一成／編・解説）というものが収蔵されている。これは、この万博のために毎月発行されていた「萬博」という雑誌の復刻版に解説のついた、何冊にも分かれている素晴らしい資料だ。以下の情報の相当部分はその中からのものによる。

ちなみにこの「萬博」という雑誌。実は創刊の昭和11年（1936年）5月からしばらくはローマ字表記がないが、昭和12年（1937年）11月号からずっと裏表紙には「BANHAKU」というローマ字表記がある。当時「萬博」は「バンハク」と発音されていた可能性があるのだ。

これが途中から「BANPAKU」になるのだが、調べていくとそれは昭和14年（1939年）1月号からだ。昭和13年（1938年）12月号までは「BANHAKU」になっている。何があったのかわからないが、そういう意味では1939年というのが日本における「バンパク」元年ということかもしれない。当時の関係者に実際はどう発音していたの

「萬博」の表紙写真
出典：「萬博」22号（1938年3月号　東京都中央区立京橋図書館所蔵）

か聞いてみたいところだ。しかしいずれにしてもそれはすでに「幻の万博」が無期延期（1938年7月15日）になって以降の話だ。

抽籤券附回数入場券

それはともかく、この万博（当時はまだ「バンハク」時代）は順調に準備を進めていた。

1938年3月10日には、総額1000万円分の第一回「抽籤券附回数入場券《ちゅうせんけんつき》」が発売されている。販売価格10円で大人入場券が12枚綴になっているもので、当選金は1等賞金2000円が360本、2等賞金100円が1600本、3等賞金10円が1万2000本となっており、合計100万円に達する当選金が設定されていた。つまり入場券売り上げの10パーセントを当選金に回したということである。ちなみに抽選券付きの万博入場前売り券はこれが初めてではなく、1889年と1900年のパリ万博、1933年シカゴ万博でも採用されていたものだ。

この1000万円という第一回売り出しの総額だが、「萬博」を読んでいくと、1937年当時の事業計画として事業予算4450万円となっており、「抽籤券附回数入場券」の収入総額は3650万円と想定されている。第一回売り出しの総額は1000万円分だが、その後の発売も含め、事業規模の80パーセント以上を前売り入場券でまかなうという計画であった。

横綱も参加した地鎮祭に巨大ネオン

また、同年5月には月島4号地工事開始にあたり安全を祈願する地鎮祭も開催された。

「萬博」１９３８年６月号にはその様子が詳しく書かれている。そこには大日本相撲協会の全面協力で、双葉山、玉錦、男女ノ川《みなのがわ》、武蔵山の４横綱の「地固め手数いり（でずいり・横綱の土俵入りのこと）」がおこなわれたとの記述がある。

東京銀座の、今も小学生が通う中央区立「泰明《たいめい》小学校」の校舎の屋上部分にも漢字１文字の大きさ５尺５寸（約１・67メートル）角という巨大な「日本萬國《ばんこく》博覧會《はくらんかい》 INTERNATIONAL EXPOSITON OF JAPAN」というネオンサイン（！）が取り付けられ、全国各地で本格的なＰＲがはじまった。

吉本興業も一役買っていた万博のＰＲ

同じ頃、万博のＰＲのために東西の芸人も集結した。東京では講談師の大島《おおしま》伯鶴《はっかく》、落語家の桂《かつら》文楽《ぶんらく》、柳家《やなぎや》小《こ》さんなどが登場し、大阪では、吉本興業の漫才師が起用された。同じ「萬博」１９３８年６月号によると、「漫才代表者懇談会　５月31日大阪で」と見出しがあり、

「大阪に於ける漫才代表者との懇談会は記念演奏会の翌５月31日正午より新大阪ホテルにて開催、吉本興業の金澤支配人、橋本宣伝部長と共に出席した演芸家側の顔ぶれは、

桂《かつら》三木助《みきすけ》、花月亭《かげつてい》九里丸《くりまる》、花菱《はなびし》アチャコ、都家《みやこや》文雄《ふみお》、一輪亭《いちりんてい》花蝶《かちょう》、三遊亭《さんゆうてい》川柳《せんりゅう》、林田《はやしだ》五郎《ごろう》、柳家《やなぎや》雪江《ゆきえ》、林田《はやしだ》十郎《じゅうろう》、芦《あし》の家《や》雁玉《がんぎょく》、三遊亭《さんゆうてい》柳枝《りゅうし》、秋山《あきやま》右楽《うらく》、秋山《あきやま》左楽《さらく》、玉松《たままつ》一郎《いちろう》の諸君、本会側は柴山事業、池園報道両部長以下係員三名で、両部長より万博計画詳細の説明を行ひ、出席者からも熱心

泰明小学校屋上に設置されたネオンサイン
出典：「萬博」23号（１９３８年４月号　東京都中央区立京橋図書館所蔵）

な質問あり、午餐を共にし、萬博行進曲を唱和して午後三時散会した。」
とあり、その場面の写真も出ている。この顔ぶれを見ても失礼ながらほとんど誰だかわからないという感じだが、名前だけ見てもなにやら面白そうだ。林田五郎と林田十郎の関係は?とか調べたくなってくる。いずれにしても当時はみな超大物の人たちだったらしい。ちなみにこのときに同席していた「吉本興業の橋本宣伝部長」という人は、『吉本興業百五年史』によれば、昭和7年（１９３２年）10月に入社した「橋本鐵彦」氏のことであり、その後１９７３年に吉本興業の代表取締役社長となる人物である。

また、続く6月7日には「園芸・舞踊、演芸に関する懇談会」が開催されており、松竹、東宝、新橋演舞場の代表者等と並んで「吉本興業・林社長」の名前もある。

今もお笑い業界をリードし続けている吉本興業も「幻の万博」に一役買っていた「万博銘柄」（?）だったのだ。そういえば同じく吉本興業所属のダウンタウンのお二人が、ノーベル賞受賞者の山中伸弥《やまなかしんや》教授等とともに２０２５年大阪・関西万博「アンバサダー」として一役買っているのも思い起こされる。

『日本萬国博覧会行進曲』

さて、これに先立つ１９３８年4月、『日本萬国博覧会行進曲』も発表された。この歌詞は一般公募され、最終審査員には東京音楽校長、菊池寛《きくちかん》、北原白秋《きたはらはくしゅう》等の他、あの「商工省商務局博覧会監理課長・豊田雅孝《とよだまさたか》」の名前もある。1万通以上の公募歌詞から当選作品が決定し、それに東京音楽学校が曲をつけて大々的に発表された。その他、『躍進日本行進曲』、『萬博をどり』、『萬博音頭』などの曲が作られた。そういえば１９７０

年万博の時も三波春夫《みなみはるお》の『世界の国からこんにちは』が世の中でずーっとかかっていた気がするが、これも毎日新聞社主催の一般公募で選ばれた歌詞に中村八大《なかむらはちだい》が曲をつけたもので、実は三波春夫以外にも、坂本九《さかもときゅう》、吉永小百合《よしながさゆり》、山本《やまもと》リンダ、西郷輝彦《さいごうてるひこ》・倍賞《ばいしょう》美津子《みつこ》等の歌手の皆さんがレコーディングして発表していたものだった。この総売り上げは300万枚を超えたそうだ。

この『日本萬国博覧会行進曲』。内容は、どんなものだったか。歌詞をちょっと見てみよう。

*

一、若《わか》き亜細亜《あじや》の　黎明《しののめ》に
命輝《いのちかがや》く　新日本《しんにっぽん》
見《み》よ悠久《いうきゅう》を　貫《つら》ぬける
大和心《やまとごころ》の　その精華《せいくわ》
お丶　絢爛《けんらん》と今《いま》ひらく
日本萬国博覧会《にっぽんばんこくはくらんくわい》

二、大和櫻《やまとざくら》の　潔《きよ》きあり
秀麗富士《しうれいふじ》の　高《たか》きあり
見《み》よ比《たぐひ》なき　清明《せいめい》の
歴史《れきし》が生《う》める　大文化《だいぶんくわ》
お丶　清新《せいしん》の香《か》に薫《かお》る
日本萬国博覧会《にっぽんばんこくはくらんくわい》

三、世界《せかい》は集《つど》ふ　極東《きょくとう》の　櫻《さくら》の國《くに》の　朝《あさ》ぼらけ
見《み》よ匂《にほ》やかに　咲《さ》き誇《ほこ》る　産業日本《さんげふにっぽん》　光《ひかり》あり
お、　躍進《やくしん》の意氣《いき》燃《も》ゆる　日本萬国博覧会《にっぽんばんこくはくらんくわい》

四、星霜二千《せいさうにせん》　六百年《ろっぴゃくねん》　試煉《しれん》に耐《た》へて　我等《われら》あり
見《み》よ洋々《やうやう》と　展《ひら》けゆく　若《わか》き日本《にほん》の　大使命《だいしめい》
お、　潑剌《はつらつ》と幕《まく》ひらく　日本萬国博覧会《にっぽんばんこくはくらんくわい》

*

やはり色濃く戦前の国威《こくい》発揚《はつよう》的な雰囲気が漂っている歌詞である。が、西洋諸国に比《ひ》肩《けん》して日本で初めて万博を開催し成功させ、日本を発展させていくのだ、という当時の日本人の意気込みが、ある種のノスタルジーとともに今の我々にも伝わってくる気がするのだ。

63　「愛・地球博」で「幻の万博」の入場券が使えた！

――「幻の万博」を尋ねて④

「後日を期して盛大に挙行」

「幻の万博」、準備は着々と進んでいたかに見えるが、戦局が進むにつれ「萬博」誌の内容にも微妙な記事が増えていく。

あの渋沢栄一《しぶさわえいいち》の娘婿の阪谷芳郎《さかたによしろう》（男爵・万博名誉会長）は「萬博」昭和12年（1937年）10月号において「萬国博と支那事変に対する所懐」というタイトルで寄稿している。内容は「支那事変の勃発に萬博の開催を危ぶむ向きもあるが、断然これを断行すべし」というもので、1877年の第1回内国勧業博覧会が東京上野で開催されたときは西南戦争のときだったが大久保利通《おおくぼとしみち》内務卿が「断然これを断行し」、明治天皇の行幸《ぎょうこう》を仰いだ、とか、1895年第4回内国勧業博覧会が京都で開催されたときも日清戦争のときだったが「敢然之《これ》を開催した」とのことで、「日本の博覧会開設は『戦勝』を表徴するものである」と断じている。

しかし、結局日中戦争が拡大の一途をたどり、1938年7月15日の閣議決定で、とうとう「オリンピック東京大会を中止し、日本萬国博覧會を延期する」という結論がでた。新聞等では、

「後日を期して盛大に挙行」

という大見出しで報じられた。一見すごく威勢が良さそうだが実態は中止だ。何かを中止したいときに今でも使えそうな（?）フレーズである。

延期後もおこなわれた抽選

「抽籤券附《ちゅうせんけんつき》回数入場券」は同じ1938年の3月10日から売り出され、5月10日に第1回抽選がおこなわれたばかりだった。月刊誌「萬博」は、さすがにショックのためか（?）7月15日の延期決定直後の翌8月号は休刊したものの、9月から何もなかったかのように発行は続いた（その後1941年3月には休刊、4月から名前が「博展」となり、『復刻版近代日本博覧会資料集成』によると1944年3月まで発行は続いている）。また、「抽籤券附回数入場券」の抽選も引き続きおこなわれた。しかもあと5回（全部で6回）抽選が実行された。「萬博」誌にはいちいちその報告がレポートされ、最後は昭和15年（1940年）1月号に「萬博回数券第6回当選番号公告」とある。これについて調べていくと、新たな「抽籤券附回数入場券」が売り出されたわけではなく、第1回売出し分についての抽選を6回やった、ということらしい。実は延期決定前の「萬博」誌上には、2回目の「『抽籤券附回数入場券』売出し予告」がされていたが、さすがにそれは売出しされなかった模様である。

「抽籤券附回数入場券」のその後

ちなみにこの「抽籤券附回数入場券」、1970年大阪万博でも使用することができた。これについては当時いろいろと議論があり、主催組織等も違うこともあり一旦は使用不可という結論が出た。しかし再度議論となり、結果的には使用できることとなり、欠票のない回数入場券1冊につき、大人1人または小人2人の優待入場を認めることになった。そして実際に3077冊が使用されたのである。

また、実はこの「抽籤券附回数入場券」、なんと2005年「愛・地球博」でも使用可能だった。「愛・地球博」公式記録によると、

「昭和15年（1940）に開催が予定されたが、戦争の激化により幻となった『紀元2600年記念日本国際博覧会』の回数入場券所持者に対し、回数入場券1冊に対して愛知万博招待券2枚を交付することとし、交付実績は96件（192枚）であった。」

とある。

いったいどこのどなたがどういう経路で「幻の万博」の入場券を所持されていて、なぜ使用しようと思われたのか、当事者がいらっしゃったらぜひお聞きしてみたいところだ。

1938年7月15日に無期延期と決定された「1940年日本万国博覧会」＝「幻の万博」。

しかし、この万博の「抽籤券附回数入場券」が使えたという1970年日本万国博覧会（「大阪万博」）、2005年日本国際博覧会（「愛・地球博」）の大成功を見るとき、あの「後日を期して盛大に挙行」という見出しが30年、65年を経て、ついに現実になったとも思えるのだ。

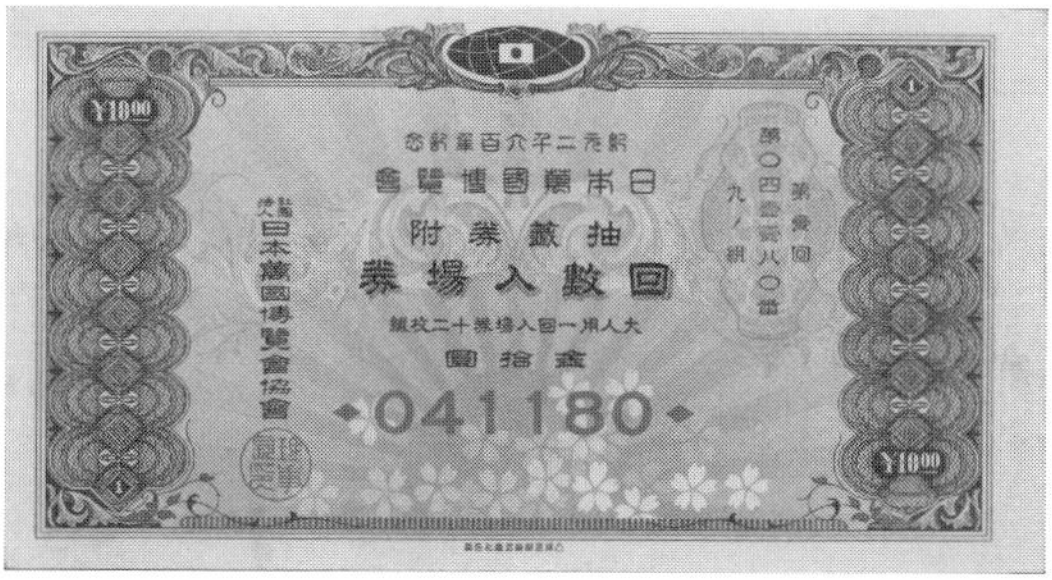

幻の万博の抽籤券附回数入場券（東京都中央区立郷土天文館「タイムドーム明石」所蔵）

64 今はなき「幻の万博」事務局棟跡を発見！

――「幻の万博」を尋ねて⑤

「幻の万博」の痕跡を探して

いろいろと「幻の万博」について調べてみると、この万博に関するいくつかの書籍が見つかった。それぞれこの「幻の万博」について詳細に調べてある良書揃いだと思うが、本によっては、この万博については、今の東京都中央区月島《つきしま》、晴海《はるみ》のあたりを中心に会場が設定されていたが、今は、勝鬨橋《かちどきばし》以外何もその痕跡が残っていない、という記述も見つかる。

果たして本当だろうか。

そこで調べてみることにした。まずはGoogle Mapで拡大して見てみるが何も万博に関する表示らしきものは発見できなかった。晴海臨海公園というあたりに「ふるさと晴海資料展示館」という施設があるので、何かあるとしたらここかもしれないと目星をつける。

地下鉄大江戸線勝どき駅で降りて南に向かう。運河を渡って左に晴海アイランドトリトンスクエアを見ながら進む。余談だが、ここは我が家も以前、よくランチに来た場所だ。トリトンスクエアは、当時ここに入っていた「クイーン・アリス」というフレンチ・レストランが2005年「愛・地球博」開催時、「クイーン・アリス アクア レストラン」を長久手《ながくて》会場北エントランス近くに出店した、という立派な（?）「万博関連施設」で

長久手会場北エントランス近くに出店した「クイーン・アリス アクア レストラン」©GISPRI

もある。このレストランは筆者も「愛・地球博」期間中は、仕事関係者や訪れてくれた友人・家族等と合計10回以上はお世話になった記憶がある。７０００円の「万博記念コース」と３５００円の「クイックコース」の２つのコースがあったが、どちらもビジュアル的にとても綺麗な料理だった記憶がある。例えば金箔《きんぱく》の入った冷製スープなどおいしい料理を出していただき重宝させていただいた。さらに余談だが２０２１年時点で、トリトンスクエアには東京２０２０オリンピック・パラリンピックの組織委員会が入っている。なるほど、晴海の会場近くに位置していて便利そうだ。

東京都庁が建っていたかもしれない「月島四号地」

このあたりは１９３１年（昭和６年）に埋立が完成し「月島四号地（あるいは単に四号地）」とよばれており、「東京市庁舎」を丸の内から移転して建設する構想もあった場所である。１９３３年（昭和８年）にこの「東京市庁舎」の「四号地への移転」は一度決定され、建物の設計コンペもおこなわれたが、結局強い反対があったこともあり翌１９３４年には移転は取り消しとなった（「東京市庁舎」はその後有楽町、現在「東京国際フォーラム」が建っている場所へ移転した。そして１９９１年には現在の新宿に移転した）。

それはともかく、左にトリトンを見ながら次の大きな通りを渡る。ここは以前はその先に真っ直ぐに行ける大きな通りがなく、右に行くと晴海展示場、左に行くと豊洲方面につながっていたところあたりだ。晴海で展示会の業務をやっていたときに関係者が宿泊した「東京ホテル浦島」がこの辺りにあった。今はもう見当たらない。プジョー中央ショールームになっている。「幻の万博」の敷地はこの辺り一帯のはずだ。とりあえず「ふるさと晴海資料展示館」を目指してみる。公園の中に小さな建物がある。しかし、ガラス越しに見てみるとここはお祭り時に使う御神輿《おみこし》等が保管されているところのようだ。しかも閉館中であった。万博がお祭りに関係している可能性もあるが、直接的にはハズレのようだ。残念。

偶然発見した事務局棟跡の看板

そこで、今日は西側を探索することにし、また、大きな交差点に戻って晴海通りを西側に渡って南側方面に左折し、1本目の比較的小さな道を右に折れてみる。駐車場的なところや倉庫が建ち並び、何かありそうな気配もする。何かないかゆっくり左右をチェックしながら進む。しかし、人通りもあまりなく何も見当たらない。しばらく行くとまた片道1車線くらいの道にぶつかった。その先にあまり何かある予感がしないので、そこを右に折れて、晴海通りにつながる大きい通りに出てみる。たまたま信号が青だったのでその大通りを渡った。多分あるとしたらここから左側(西側)、東京オリンピック・パラリンピック選手村に向かうエリアだろう。ということで通りを渡って左に曲がる。すると……、

歩道のすぐ左手に何かの表示板が見える。なんだろうと思って見ると、なんと、

「紀元二千六百年記念　日本万国博覧会事務局棟跡　所在地中央区晴海三丁目三・九番地域」

とある。たまたま青で信号を渡ったおかげで貴重な標識を発見した！

65 「幻の万博」事務局棟跡の現在――「幻の万博」を尋ねて⑥

事務局棟跡の標識

たまたま発見した「幻の万博」関連の標識。

さて、何と書かれているか。ちょっと長いが今回の探索の成果を引用しよう。

＊

この地域には、昭和十五年（一九四〇）に日本を会場とする初の万国博覧会（紀元二千六百年記念日本万国博覧会）の開催に向けて建設した万博事務局棟がありました。

紀元二千六百年記念日本万博の会場予定地は、京橋区晴海《はるみ》町の月島《つきしま》第四号埋立地（現在の中央区晴海）と深川区豊洲の月島第五号埋立地（現在の江東区豊洲）を主会場とする一五〇万平方メートルの広大な敷地でした。

この万博は、昭和十五年三月十五日から八月三十一日までの一七〇日間で、四五〇〇万人の来場を見込んだ国家的プロジェクトでしたが、戦争の激化や参加国の減少により、開催直前に延期されたため「幻の万博」といわれています。

「幻の万博」事務局棟
出典：「萬博」30号（1938年11月号　東京都中央区立京橋図書館所蔵）

万博事務局棟は、昭和十三年（一九三八）九月、開催に先立って会場予定地に建設された最初の建物でした。施工は株式会社大林組が担当し、木造二階建、間口約一〇二メートル、奥行約四〇メートルの日本建築で、延べ面積約五四八五平方メートルもある事務局庁舎でした。

しかし、建物の竣工と同年に万博の開催延期が決定されたため、陸軍の傷病兵収容所（東京第一陸軍病院月島分院）へと転用されました。昭和十五年に完成した万博のメインゲート・勝鬨橋の開橋式では、当院で療養中の兵士がくぐり始めを行なったエピソードも残されています。

豪壮な万博建築として竣工した事務局棟は、昭和期の度重なる戦禍の中でその姿を消しました。

平成二十四年三月　中央区教育委員会

*

なるほど、中央区恐るべし。何よりこ

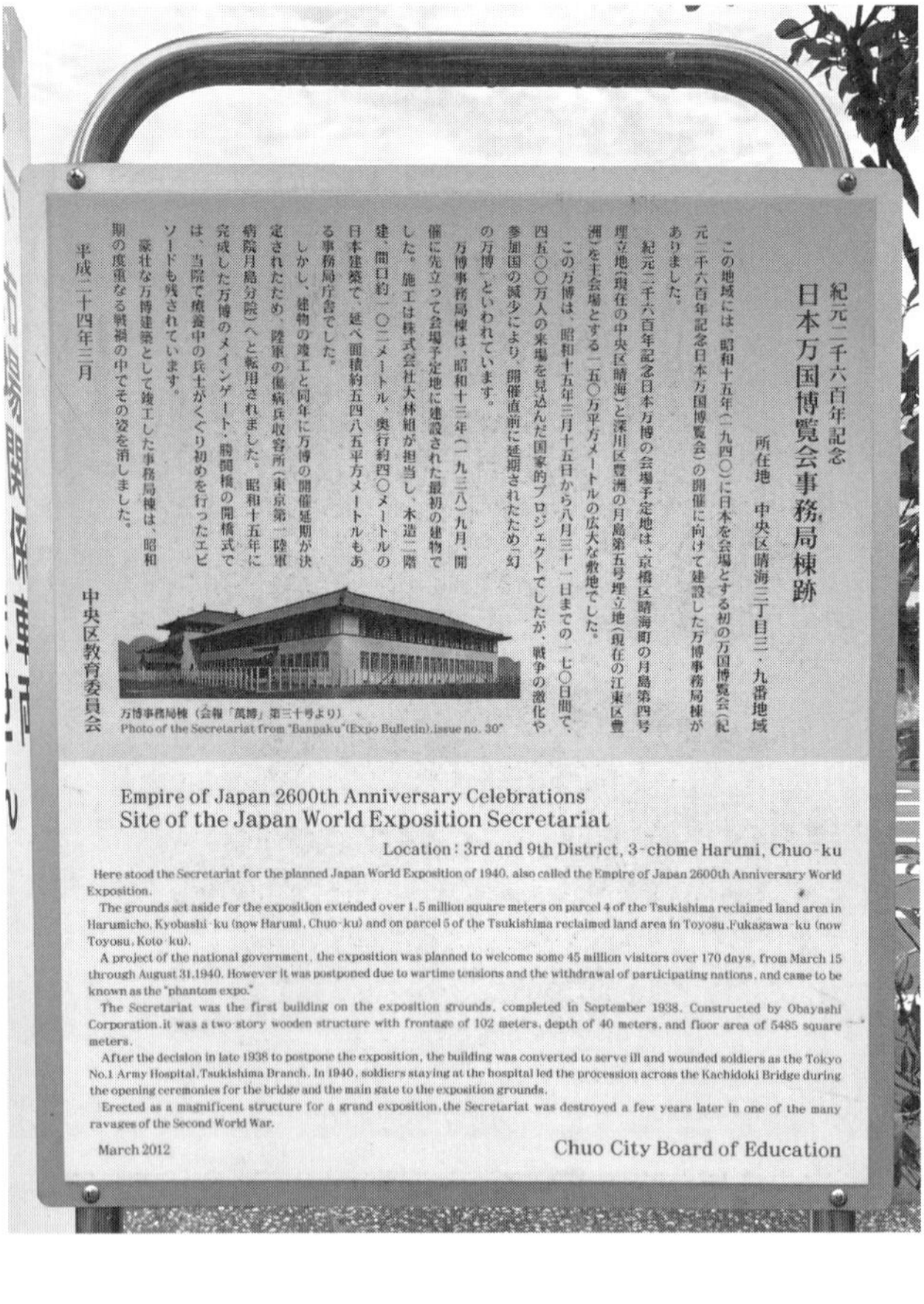

「幻の万博」事務局棟跡の標識

の万博跡地に歴史的価値があると評価し、この標識を立てようと考えるところが素晴らしい。しかも、その下には英語の翻訳バージョンもついている。

東京オリパラと標識

この標識が建てられたのが「平成二十四年」ということなので西暦2012年。東京2020オリンピック・パラリンピック開催が決まったのは2013年9月7日、アルゼンチンのブエノスアイレスでのIOC総会だったので、看板の設置はそれ以前。

つまり、オリンピック・パラリンピックのために設置した標識ということではなさそうだ。しかし結果としてこの先のエリアがオリンピック・パラリンピックの選手村として使われることになったわけだ。

現在、この標識の前の土地は半分工事中のような感じになっていて、工事用フェンスで囲われ、中には数台の都営バスが駐車している。その背面には小ぶりな建物が見える。ここは「ホテルフクラシア晴海《はるみ》」(旧晴海グランドホテル)というホテルだったらしいが、ホームページによると2021年3月10日をもって閉館、となっている。これもコロナ禍の影響か。

しかし、少なくともこれで「幻の万博」の痕跡を一つ発見できた、といえるだろう。

「幻の万博」事務局棟跡地の現在の様子

66 東京都中央区に残る「万博」の痕跡──「幻の万博」を尋ねて⑦

ちなみに中央区図書館（京橋・月島《つきしま》）ではこの万博に関する資料を数多く収集している。この「幻の万博」の事務局棟の写真もあるし、当時の関係する図面もある。例の雑誌「萬博」関連資料も所蔵している。中央区図書館の資料をもとに書き出すとそれだけで数冊の本が書けそうだ。

大林組と万博

さて、標識に戻ると、次に文中で気になるワードは「大林組」。前話で書いたように標識には「……施工は株式会社大林組が担当し、……」とある。大林組のホームページに何か資料が出ていないか？　そこで検索してみると……、

大林組のホームページには「大林組八十年史」というセクションがあり、その「第四章」のタイトルに「日本万国博覧会」とある。これは期待できるかもしれない。

しかし、恐れていたとおり（?）、記述は1970年大阪万博に関するものが主である。「第一節　エキスポ'70開催まで」の冒頭には、

「昭和三十九年（一九六四）のオリンピック東京大会に次いで、国民的行事としてえらばれた目標は万国博覧会の開催であった。これはオリンピックと同様、従来欧米以外で開かれた例がなく、わが国では昭和十五年（一九四〇）に皇紀二六〇〇年記念として東京で開催することが決定し、入場券まで準備しながら、国際情勢の悪化によって中止した歴史がある。東京オリンピックを契機としてこれがふたた

び話題となったのは、当時ニューヨークで世界博が開かれ、また一九六七年（昭和四十二年）にモントリオール万国博が決定していたこともあり、アジア最初の開催を目ざす国民の心意気を示すものであった。」

との記述はあるが、大林組がその皇紀二六〇〇年記念万博の「万博事務局棟」を施工したことはどこにも触れられていない。ちょっと残念な結果であった。

だが、「第二節」には「ことに大林組の場合は、明治三十六年（一九〇三）の第五回内国勧業博覧会が社業興隆の基礎となった歴史もあり、万国博にそそぐ熱意は他社をしのぐものがあった。」という記述があり、大林組が内国勧業博覧会時代から博覧会事業に注力していたことがわかる。

世界中から東京に来たどれだけのオリンピック・パラリンピックの選手がこの辺りを散歩したかわからないが、たまたまこの標識を見た選手の中には、約80年前に計画されていた「幻の万博」に想いを馳せた人も何人かはいたのではないだろうか。

パリ万博に出品された『メッセンジャー』

ちなみに東京都中央区と言えば、万博関連のものは他にも区内に存在する。例えば……。

東京駅から佃《つくだ》リバーシティ方面に向かって八重洲《やえす》通りをまっすぐに行くと、隅田川《すみだがわ》にぶつかる。そこにかかっているのが中央大橋である。この橋は開発が進んでいた佃地区と新川《しんかわ》地区を結ぶために１９９３年８月26日、レインボーブリッジと同じ日に開通したもので、その特徴的な形はいろいろなドラマにもロケ地として登場している。

さて、その中央大橋の真ん中あたりに川上を向いて立っているのが、1937年パリ万博に出品されたものと同じ、彫刻家オシップ・ザッキンの『メッセンジャー』という立像である。像の後ろに設置されている解説版によると、

「当時の万国博覧会の案内書によるとこの作品は『稀少木材を求めて海外に船を派遣するフランスの守護神を表したもの』とされている。『メッセンジャー』は、パリ市の紋章にも描かれている帆船を思わせる船を抱いている。」

とある。パリ市は東京都と姉妹都市（1982年～）であり、セーヌ川は隅田川と友好河川（1989年～）となっている。この作品はそういった関係で、親日家で有名で、普通の日本人も知らないような日本の山奥の温泉に行くのが趣味だったというジャック・シラク パリ市長（当時）から東京都に友好の印として贈られたものである。今も、パリ・セーヌ川のアンバリッド橋近くの左岸にある公園にも同じザッキンの『メッセンジャー』が立っている。

これもまた我々の周囲に知らず知らず、万博に関連するものが存在することの一つの例といえるだろう。

東京スカイツリーに向かって立つ『メッセンジャー』

67 今も残る「幻の万博」のメインゲート「勝鬨橋」

――「幻の万博」を尋ねて⑧

銀座から築地へ。万博ゆかりの場を歩く

とある休日、銀座で香蘭社《こうらんしゃ》の視察を終えた筆者は、散歩を兼ねて昭和通りを左に曲がり、晴海《はるみ》通りを右折して徒歩で勝鬨橋《かちどきばし》へ向かった（ちなみに、この話は第31話と同じ日のものである）。東銀座を越え、築地の交差点を越えて隅田川《すみだがわ》へ向かう。

東銀座のあたりからは左に築地《つきじ》電通旧本社ビルが見える。このビルは１９６７年に竣工したものだ。１９７０年大阪万博の会場計画を手がけた丹下健三《たんげけんぞう》の設計による、今見てもユニークなデザインの、高さ62メートルのこのビルもすでに解体工事に入っており、下の方が工事フェンスで覆われている。以前近くで見た「解体工事のお知らせ」によると、この標識を設置したのが２０２１年３月19日で、工事予定期間は２０２１年４月18日～２０２２年７月31日とある。しかし今のところは内部工事をしているらしく、まだ建物自体はそのまま残っている様子だ。

「新建築」１９６７年４月号を見ると「築地・電通第1次計画」がいかに大規模なものだったかがわかる。この頃は現在旧電通本社ビルが建っている土地だけでなく、晴海通りまでの一帯を総合開発しようという壮大な計画だった。結果、諸事情でこのビルだけが建つことになった。筆者が入社した頃、とある先輩社員から、この左右をバサッと何かで切られたような、これからもどこかにつながりそうなデザインは、これからも会

取り壊しが決まった築地電通旧本社ビル

社がどんどん成長していこうとしていることを意図している、と解説してもらったが、丹下健三の本当の思いはどうだったのか。結局このビルは竣工後55年で姿を消すことになった。

　そんなことを考えながら歩いていくと、市場通りに出る。左手に「築地本願寺」が見える。この一風変わったお寺の建築設計は伊東忠太《いとうちゅうた》が手がけた。伊東忠太といえば、渋沢栄一《しぶさわえいいち》が創立にかかわった一橋《ひとつばし》大学（東京商科大学）の「兼松講堂《かねまつこうどう》」等の設計で有名だ。彼はまた、「幻の万博」のために設置された「会場計画委員会」の委員にも名を連ねている。やはり、身の回りには万博関連のものが多い。そんなことを思いながら隅田川《すみだがわ》へと向かう。

「かちときのわたし」の石碑

　隅田川にあたるすぐ手前右側に、今回の目的地の「かちどき　橋の資料館」がある。なかなか年代を感じさせる小ぶりな資料館である。入り口右側には由緒ありそうな「かちときのわたし」と書かれた石碑が立っている。ありがたいことに中央区教育委員会のパネルが立っている。「幻の万博」事務棟の跡地に立っていたものと同じパターンで、下半分は英語になっているものだ。少し抜粋してみよう。

　「『勝鬨《かちどき》』の名は、京橋区の有志が日露戦争における勝利を記念して名付けたことに由来します。当地にある石碑には、正面に『かちときのわたし』とあり、側面には『明治三十八年一月　京橋区祝捷會挙行之日建之　京橋区同士會』と陰刻されて

「かちときのわたし」石碑

います。なお、当初に設置された渡船場は、ここから約百五〇メートル西の波除稲荷神社の先にありましたが、関東大震災後に現在地付近へ移設されました」

とある。

さて、「幻の万博」との関係は？　と思いながら読み進めるが、その後はこの渡船は月島への労働人口の集中を容易にさせた、ということ等が書いてあり、

「関東大震災後、隅田川を航行する大型船舶のために、中央径間部が跳開する可動橋の工事が進められました。その結果、昭和十五年（一九四〇）六月に『勝鬨橋』が完成し、渡船の廃止に至りました。」

とある。残念ながら「幻の万博」のメインゲートウェイとして企画されたことは、あまりに専門的すぎて、一般向けには書いてないようだ。ちなみに「勝鬨の渡し」は英語版では「Ferry Site of KACHIDOKI」と訳されている。

さらに橋に近づいてみると、近くにまた碑が設置してある。読んでみよう。

「日本国重要文化財　勝鬨橋」とあり、その下に「東京都知事　石原慎太郎」とある。この名前の部分は自筆を用いたものだ。

「諸元」として、

橋長　二百四十六・〇メートル、幅員　跳開部二十六・六メートル、固定部二十五・八メートル

上部工　中央径間　鋼製跳開橋、側径間　鋼製タイドアーチ橋二基

「所有者」　東京都

「指定年月日」　平成十九年六月十八日　指定（建第二五〇二号）

かちどき　橋の資料館

とあり、その後ろには「指定の意義」が14行ほど書いてある。

つまりこれは勝鬨橋が２００７年に国の「重要文化財」に指定された、ということを主に伝えるものだ。

１９７０年まで開閉していた勝鬨橋

さて、いよいよ資料館の中に入ってみる。入口で手の消毒をして入る。入場料は無料だ。
スペース的には小規模だが、見どころは結構ある。工学的な説明もある。「構造諸元」として、
上部形式：（中央径間）シカゴ型二葉式跳開橋　（側径間）下路式タイドアーチ橋
下部形式：鉄骨鉄筋コンクリート橋脚　鉄筋コンクリート橋台
とある。あとは橋長等、先程の碑にあった情報が書いてあるが、その下に、
開通日：１９４０年（昭和15年）６月14日
最終開閉日：１９７０年（昭和45年）11月29日
工事期間：１９３３年（昭和８年）６月〜１９４０年（昭和15年）５月
「幻の万博」開催予定年の１９４０年６月に開通し、大阪万博が開催された１９７０年の11月29日を最後に開かなくなったということだ。
この資料館には「全国の可動橋一覧」とか可動橋のシステムの種類とかそういったものがいろいろと展示されており興味深い。勝鬨橋に使われた

勝鬨橋から佃リバーシティ（右奥）をのぞむ

技術がいかにすごいものだったかもわかる。ビデオ上映もあり、勝鬨橋が70秒で70度まで跳ね上がっていた、といった情報も得られる。また壁に貼ってある新聞のクリッピングなどには「幻の万博」について語られているものもある。興味は尽きず、気がつくと結構長時間の滞在になってしまっていた。

橋の資料館を出て、あらためて勝鬨橋を眺める。このがっちりとした、それでいて滑らかなデザインをもつ絶妙な色合いの勝鬨橋は隅田川に悠然《ゆうぜん》と横たわり、向こうの近代的な佃リバーシティの高層マンション群を望む景色は素晴らしい。「1940年日本万国博覧会」は幻に終わったが、もし開催されていたとしたら、この勝鬨橋は世界に向けて立派にそのメインゲートとしての役割を果たしたに違いない。

68 近代建築の巨匠ル・コルビュジエと「アトミウム」

「崩壊したテント」のようなパビリオン

第2次世界大戦後、初めて開催されたBIE公認の大型万博は、ベルギーで1958年に開催されたブリュッセル万博であった。この万博は、4145万人という膨大《ぼうだい》な入場者を集め、特に建築関係の展示が充実していた。

ル・コルビュジエが設計したフランス・ロンシャンの礼拝堂

スイス人のル・コルビュジエ（1887～1965）は、フランスの「ロンシャンの礼拝堂」や、東京上野の「国立西洋美術館」を設計した著名な建築家である。このル・コルビュジエが登場したのが１９５８年ブリュッセル万博だった。

ル・コルビュジエは、１９２５年にパリで開催された装飾芸術・現代産業万博（通称「アール・デコ万博」）で、「エスプリ・ヌーヴォー」館を手がけてすでに評判となっていた。このモダニズムの作品は、当時としてはかなり大胆なデザインで、一般には受け入れられず、万博協会はその建物を開会直前まで、高さ６メートルのフェンスで隠してしまうほどだったという。

１９２５年「アール・デコ万博」から30年以上を経て、70代となっていたル・コルビュジエは、１９５８年のブリュッセル万博ではフィリップス・パビリオンを担当した。この建築は、「１９５８年ブリュッセル万国博覧会　公式記録」（財団法人日本万国博覧会協会が翻訳《ほんやく》し、１９６６年1月に作成した日本語版のもの）によると、次のように評されている。

「計画では、こだまと照明のための反射面を持つ閉鎖された無際限の空間が要求された。全体はあまり大きくないことが必要とされた。この前代未聞の計画は、直線を母線とする一連の円錐《えんすい》曲線体によって、予想もされなかったような形で実体化する。これらの円錐曲線体は明確な周囲とのつながりがないので、内部に入ると可視的限界のない袋を作る。母線は直線でなければならぬという点から、鉄筋コンクリート用鉄筋ケーブルの間に菱形の薄いコンクリートをはさみ、テント屋根のような二つの面を用いて館を建てることが可能になった。明確な問題から生まれたこれらの技術を用いて設計者はその館を野外彫刻のように扱った。造形的美点と影のリズムは真の芸術家が作りだしたものである」

ほめられてはいるようだが、何だかよくわからない批評である。

しかし、この建築に対する当時の一般の評価は必ずしも高くはなく、しばしば、「崩壊したアルミニウム製テント」とか、「重大な飛行機事故」と評されたという（こちらの方がわかりやすい）。

建築物としての評価はともかく、このフィリップス・パビリオン自体の人気はなかなかのものだった。コンセプトは、エドガー・ヴァレーズ作曲の『電子の詩』をもとにしていて、この500人収容の会場の中で、光、色、音を楽しむために、毎日群衆が押しかけたという。

鉄の分子構造を模したシンボルタワー

さて、建築面でさまざまな話題を提供したこのブリュッセル万博は、シンボルタワーでもセンセーションを巻き起こした。このときのシンボルタワーは「タワー」という概念を打ち破るようなものだった。

それは、「アトミウム」という名前の、鉄の分子の

アトミウム photo by o palsson（CC BY 2.0）

構造を１６５０億倍にして表現した、高さ１０２メートルの構造物だったのである。そして、この「アトミウム」こそ、１９４５年８月、日本に落とされた原爆という悲劇を受けて人類の存続を問いかけた、戦後初の大型万博であるこの万博のシンボルとなった。

「アトミウム」は、９つの巨大な球体をつないだモニュメントで、それぞれの球体はエスカレーターでつながれ、球体の中には、レストランや、科学展示がもうけられた。万博閉幕後、「アトミウム」はブリュッセル市が買い取り、現在でも一般に公開されている。

69 米ソ宇宙戦争と万博

スプートニクで先行したソ連

１９５８年ブリュッセル万博になると、時代は宇宙に入っていく。すでに１９００年パリ万博で、「宇宙の旅」というアトラクションが想像上の宇宙旅行を構想していたが（第43話）、それがいよいよ人類にとって現実のものとなってきたのである。

ソ連は、人工衛星の「スプートニク」関連の展示をメインにおこなった。

「地球は青かった」という言葉で有名なユーーリ・ガガーリン（1934～1968）の人類初の有人宇宙飛行は、１９６１年4月12日に実現することになるが、この万博はその３年前、まだ、人類の有人宇宙飛行が実現していない時点での開催であった。当時ソ連は宇宙開発に非常に積極的で、「スプートニク」のプロジェクト推進に邁進《まいしん》していた。

人類が初めて宇宙に人工衛星を打ち上げたのは、1957年10月4日のこと。「スプートニク」と名づけられたこの人工衛星は、電離層の観測実験のためのものだった。

そして、その1カ月後、11月3日には早くも「スプートニク2号」が打ち上げられることになる。このときは、動物を宇宙に連れていくことが目的であった。モスクワの野良犬だった「ライカ」という名の雌犬が人工衛星の中に入れられて宇宙に放たれたのだ。この「ライカ」は生きて帰ることはなかった。そもそも計画上、最初から生きて帰る予定もなかった。今なら動物愛護の観点から相当問題になっただろう。

それから半年後、ブリュッセル万博開催中の1958年5月には、早くも「スプートニク3号」が打ち上げられた。

ブリュッセル万博のソ連館には、これらスプートニク1号から3号までの模型が展示され、大人気を博したのである。

アメリカの巻き返し――シアトル万博

東西冷戦真っ只中のこの時期、世界に先駆《さきが》けたソ連の宇宙開

1958年ブリュッセル万博のソ連館　photo by Wouter Hagens (CC BY-SA 3.0)

発と世界への影響力にあせったアメリカは、さっそく巻き返しに入る。すでに1958年にはエクスプローラー1号の打ち上げに成功するが、宇宙開発への国民の理解を得るとともに、子どもたちをはじめとした国民への科学教育の重要性を訴えるために、1962年にシアトル万博を開催することになる。

「宇宙時代の人類」という総合テーマを掲げたこの万博では、現在もその跡地にあり、さまざまな文化施設を包含する「シアトル・センター」に残る、「スペース・ニードル」をシンボルタワーにして、アメリカの科学力のプレゼンテーションをおこなっていた。その中心となったのが、日系二世でシアトル生まれの建築家ミノル・ヤマサキ（1912〜1986）設計による「アメリカ科学パビリオン」である。

ニューヨーク万博での宇宙関連展示

1964／65年のニューヨーク万博は、BIE（博覧会国際事務局）の認可をシアトルと争い、結局、BIE公認の万博としてではなく、独自のスキームでおこなった博覧会である。

このニューヨーク万博でも、シアトルと同じく、宇宙をテーマにした出展が多かった。万博のシンボルであった「ユニスフィア」という高さ140フィート（約42・7メートル）のオブジェ自体が、宇宙時代を象徴していた。この「ユニスフィア」は、アメリカの景観設計家ギル

1964／65年ニューヨーク万博のシンボル「ユニスフィア」photo by Anthony Conti（CC BY-SA 2.0）

モア・クラーク（1892～1982）の作品で、地球を表す球体の外側を3つの巨大なリングが取り囲んでいたが、それは、宇宙に打ち上げられた人工衛星を象徴していた。この90万ポンド（約408トン）ものスティールを使ったオブジェは世界最大の地球模型で、そのスチールはUSスチール社の寄付でまかなわれていた。金額にすると200万ドル（当時）であったという。

また、「ホール・オブ・サイエンス」では、宇宙旅行、原子エネルギー、医療の進歩の展示があったが、NASA（アメリカ航空宇宙局）が屋外に巨大ロケットと宇宙船を展示しており、このセクションのメイン展示ともいえた。NASAは、「アメリカ宇宙パーク」にも協力していたが、このパークはNASAと国防総省がスポンサーとなった2エーカー（約8000平方メートル）もの広さのある場所で、マーキュリー・カプセル、アポロ宇宙船の模型、月面車、サターンVロケットなどが展示された。

当時NASAは、月面着陸へ向けてアポロ計画を推進中で、その予算獲得のためもあり、広く国民に宇宙開発の重要性を認識してもらうことが大きな課題であるととらえていた。そのための格好の宣伝場所が、このニューヨーク万博であったというわけである。

70　今も大人気のパビリオンがあった

日系二世の建築家ミノル・ヤマサキ

２００１年９月11日の同時多発テロ事件は、アメリカ経済のシンボルともいえる１１０階建て、高さ４１０メートル超を誇る超高層ツインビル、「ワールド・トレード・センター」を無残にも崩壊させてしまった。

実はこの「ワールド・トレード・センター」、日系二世でシアトル生まれの建築家ミノル・ヤマサキ（1912～1986）の設計によるもので、１９７３年に完成した。そしてミノル・ヤマサキは、１９６２年シアトル万博で中心的な存在であった「アメリカ科学パビリオン」を設計したことでも有名である（第69話）。

この「アメリカ科学パビリオン」の建物は、ワシントン州シアトルで今でも見ることができる。

ありし日の「ワールド・トレード・センター」photo by Jeffmock

シアトルの中心街から、シアトル万博のために造られ今も運行しているモノレールに乗ると、数分で終点の「シアトル・センター」に到着する。もっとも、このモノレールは始発と終点の2つの駅しかないのだが……。この「シアトル・センター」は、チルドレンズ・ミュージアムなどの教育施設や、マイクロソフト社の共同創立者であるポール・アレンが資金を提供したＥＭＰ＊（エクスペリエンス・ミュージック・プロジェクト）という体験型音楽ミュージアムがあったりして、シアトル市民の文化、教育エリアの中心となっている。

＊ＥＭＰは、２０１６年にＭｏＰＯＰ（Museum of Pop Culture）と名称変更されている。

この活気のある「シアトル・センター」内に、ひときわ大きなスペースを占める「パシフィック・サイエンス・センター」という科学博物館がある。これこそがミノル・ヤマサキが設計した、1962年シアトル万博のときの「アメリカ科学パビリオン」なのである。

アポロ計画の成功をもたらしたシアトル万博

この「アメリカ科学パビリオン」の展示テーマは「西暦2000年の生活ビジョン『宇宙時代の人類』」。4年前の1958年ブリュッセル万博で、ソ連がスプートニク号の模型を展示し、宇宙開発のリーダーとして世界にその存在をイメージづけようとしたのに対抗するものだった。もっといえば、このシアトル万博全体のテーマが、「宇宙時代の人類」であり、ソ連に対抗し、アメリカが科学大国であると証明するためのものであったといっていいだろう。そして、これに続くアメリカのアポロ計画の進展と1969年の月面着陸は、この万博の成果であると考えられている。この万博があったからこそ、月面着陸という成果が得られ、そしてこのときの成果である「月の石」こそが、いうまでもなく1970年大阪万博の目玉となっていくのである。

跡地利用の成功例

さて、「アメリカ科学パビリオン」だが、74エーカー（約30ヘクタール）あったシアトル万博会場全体の約10パーセントの面積7エーカー（約2・8ヘクタール）を占め、その中には6つのビル、中庭、人工池が含まれていた。現在の「パシフィック・サイエンス・

「パシフィック・サイエンス・センター」

センター」は、このときの建物をほぼそのまま活用している。恐竜の展示や、小規模なプラネタリウム、のちほど追加された施設であるＩＭＡＸシアターなどがあり、いつも子どもたちでにぎわっている。

シアトル万博のシンボルとしては、高さ184・4メートルの「スペース・ニードル」というタワーも建てられた。この「スペース・ニードル」も、現在「シアトル・センター」に残っている。

この万博では、会場の4分の3は、万博閉幕後、市民のための恒久的施設として残すことを前提にして、会場設計がおこなわれた。その構想は、60年たった今でも、年間100万人が利用している「シアトル・センター」を見ればわかるとおり、跡地利用としては大成功したものといえるだろう。

「スペース・ニードル」とモノレール

71 ポップ・アートVSミケランジェロ

アートにあふれた万博

万博は、その時代のアーティストにとって、ある種の実験場のようなものである。常に最先端のアートが展示されてきた。しかも、最先端と古典の競演が見られるのも万博ならではの面白さではないだろうか。

特に20世紀になって、アメリカのパワー全盛の時代がくると、アメリカのモダン・アートの存在感が大きくなってくる。

１９３９／40年のニューヨーク万博では、サルヴァドール・ダリ、イサム・ノグチ、アレクサンダー・カルダーらが制作した彫刻や壁画が、会場のあちこちにちりばめられていた。万博のデザイン委員会が、「ニューヨーク万博には、装飾絵画や壁画、彫刻などが不可欠」と考えていたためである。会場になったのは、ラ・ガーディア空港近くの、現在は「フラッシング・メドーズ・コロナ・パーク」という公園になっている場所である。

「コンテンポラリー・アーツ・ビルディング」（１９４０年に「アメリカン・アート・トゥデイ・ビルディング」に改称された）では、「アメリカ美術の現在」展が開催され、ウィレム・デ・クーニングなど、アメリカで活躍する現存アーティストの作品約８００点が展示された。

１９３０年代のアメリカは不況で、ニュー・ディール政策をおこなっており、「何百万人もの人々のためにアートを」というコンセプトで、アートを日常生活に取り入れるための活動がこの万博でおこなわれた。雇用促進政策の一環として、１００人以上のアーティストを雇《やと》うため、という涙ぐましいものでもあったが、結局この万博では、１５８の壁画と１７３の彫刻が制作されたのである。

ポップ・アートの登場

次の１９６４／65年のニューヨーク万博では、いよいよアメリカを代表するポップ・アートが取り上げられることになる。ポップ・アートは、生まれてまだ数年だった。１９６０年代に高揚期を迎える大量消費情報社会の中で、広告デザインやテレビの映像、大量生産品などを主題に、写真やシルクスクリーンといった制作方法で日常的な大衆社会を表現するのが、ポップ・アートだった。スープ缶やコカ・コーラの瓶《びん》を繰り返し並べた作品で有名になったアンディ・ウォーホール（1828-1987）は、この万博で「ニューヨーク州パビリオン」のために、『13人のお尋ね者』という実際の犯罪者の写真を使った壁画を制作した。ただし、さすがにこの作品は物議をかもし、政治的に慎重に取り扱わねばならないものとして、開幕の少し前に取り下げられることになる。

「ニューヨーク州パビリオン」の壁画としては、そのほかジェームズ・ローゼンクイスト、ロイ・リキテンシュタイン、ロバート・ラウシェンバーグ、エルズワース・ケリーなどのそうそうたるアーティストが作品を提供していた。ラウシェンバーグの『スカイウェイ』という作品には、万博開幕の5カ月前に暗殺されたジョン・F・ケネディ大統領の写真が使われているなど、ウォーホールの一件もあわせ、ある意味非常にスキャンダラスな展示となっていたのである。

伝統的な芸術展示も

この万博ではこのように、いろんな意味でポップ・アートが話題になったが、伝統的な芸術展示も充実していた。「バチカン・パビリオン」が建設され、ローマ法王パウロ6世がこの万博を訪れたが、この「バチカン・パビリオン」には、1499年以来、バチカンから動くことのなかった門外不

「ニューヨーク州パビリオン」に壁画として展示されたロイ・リキテンシュタインの『Girl in Window』 photo by Bill Cotter

出の名作、ミケランジェロ作の『ピエタ』が出展されていたのである。

『ピエタ』は万博開催前年の1963年7月2日、当時の大統領ケネディがローマ法王パウロ6世にトップ交渉して出展してもらったものであるが、ケネディ本人は万博開幕の5カ月前に暗殺されてしまい、この展示を見ることはなかった。

『ピエタ』のディスプレイはブロードウェイの舞台デザイナーが担当し、ある意味キッチュな展示になっていたが、これもアメリカ的といえばいえるし、混雑を防ぐために、観客が「動く歩道」の上から鑑賞するシステムになっていたのも、いかにもアメリカらしい。

また、スペインからはゴヤの『裸のマハ』『着衣のマハ』をはじめとして、ベラスケス、エル・グレコ、ピカソ、ミロの作品も出品され、見ごたえのある展示となっていた。ポップ・アートと伝統芸術が見事に競演する万博だったといえるだろう。

ミケランジェロ『ピエタ』
photo by Stanislav Traykov（CC BY 2.5）

72 サーリネン親子が手がけた万博とは

BIE非公認のニューヨーク万博

1964／65年に開催されたニューヨーク万博。万博誘致でのシアトルとの国内競合のためBIEの公認万博ではなく、独自の万博として開催された。ニューヨーク・クイーンズのフラッシング・メドーズ・コロナ・パークで2年にわたり開催され、合計5100万人以上という大きな入場者数を記録した大規模な万博である。

この万博は1939／40年のニューヨーク万博（これはBIE公認の万博であった）と同じ場所で開催された。もともとは湿原でゴミ捨て場だったところだ。1939／40年の万博ではこの土地を造成し、1964／65年の万博ではこれを万博閉会後公園にすることが計画され、結果1967年に公園として再オープンすることになり現在にいたっている。万博への参加国は約80カ国、民間パビリオンはあのディズニーが手がけた4館（第73話）も含めて14館にのぼった。

建築家エーロ・サーリネンのIBMのパビリオン

その中でひときわ目立つパビリオンがあった。巨大企業IBMのパビリオンである。この「IBMパビリオン」をデザイナーとして担当したのがエーロ・サーリネン（1910〜1961）であった。

この人物、建築家としてはミズーリ州セントルイスのジェファーソン・ナショナル・

エーロ・サーリネン

「チューリップチェア」photo by Holger. Ellgaard（CC BY-SA 3.0）

エクスパンション・メモリアルの記念碑「ゲートウェイ・アーチ」やニューヨークJ・F・ケネディ空港のTWAターミナルビルを手がけ、そしてまた家具デザイナーとしては、誰もが一度は見たことがあるだろう「チューリップチェア」のデザインで有名である。また、彼は過去IBMのトーマス・ワトソン・リサーチ・センターのデザインも手がけている。そういったつながりもあったのか、1964／65年ニューヨーク万博のIBM館はエーロ・サーリネンに任されることになった。

このIBM館の最大の呼び物は巨大な高さ90フィート（約27メートル）のシアターだった。毎回500人の観客はまず1階外部にある「ピープル・ウォール」と呼ばれた12段の座席に着席する。そしてその巨大な座席全体が水圧で上部の「インフォメーション・センター」と名付けられた楕円のシアター内に一挙に持ち上げられる、という仕組みだった。外から見ると建物は大きな白い卵型をしており、外部壁面を覆う表面は全て無数のIBMという文字のレリーフのパターンでかたどられたものだった。

エーロ・サーリネンは、これまた高名なデザイナー、チャールズ・イームズ（1907〜1978）と数々の協業をしているが、このパビリオンでもイームズ制作の約15分の映像と、作曲家エルマー・バーンスタインの音楽が、それと同期した14のプロジェクター、9つのスクリーンで脳とコンピューターの働きを描いていた。またヘッドホンで同時通訳も聞けるようになっていた。

このプロジェクトはエーロ・サーリネン存命のときに手がけ始めたが、彼が完成前の1961年に51歳で早すぎる死を迎えたため、彼自身はその成果を見届けることが

1964／65年ニューヨーク万博のIBMパビリオン
photo by Bill Cotter

できなかった。しかし、彼の死後、彼の後継者であるケビン・ローチとジョン・ディンケルーによって完成されたこの「ＩＢＭパビリオン」は、その斬新《ざんしん》な建築デザインと映像システムで、１９６４／65ニューヨーク万博の人気パビリオンとなったのである。

父のエリエル・サーリネンと1900年パリ万博

さて、そのエーロ・サーリネンが大きな影響を受けたのが父親のエリエル・サーリネン（1873～1950）であった。父・エリエルはフィンランドで生まれ建築家として活躍した。なので実はエーロもフィンランドで生まれたフィンランド人である（後にアメリカ国籍）。エリエルが仕事の関係でアメリカ行きを決断し渡米したとき、エーロは13歳だった。エーロは20代後半から１９５０年の父の死まで一緒に働き、父から大きな影響を受けた。

その父親のエリエル・サーリネン。実は歴史に残るあの１９００年パリ万博で母国フィンランドのパビリオン・プロジェクトに中心的に携《たずさ》わっていたのだ。

エリエルはヘルシンキ工科大学で建築を学んでいたとき、学友の2人と建築設計事務所「ゲゼリウス、リンドグレン、サーリネン（ＧＬＳ建築設計事務所）」を立ち上げ、様々なコンペを勝ちとっていく。この１９００年パリ万博「フィンランド館」の設計コンペもその一つで、このコンペでＧＬＳ建築設計事務所は1等を受賞している。

高い評価を得た「フィンランド館」

この１９００年パリ万博の「フィンランド館」は今も写真や図面が残っている。

１９００年パリ万博「フィンランド館」

２０２１年には東京の「パナソニック汐留美術館」で「サーリネンとフィンランドの美しい建築展」という展覧会が開催された。この展覧会図録によると、１９００年パリ万博の「フィンランド館」で最も重要なイベントは「イーリスの間」であろう、とある。「フィンランドの画家アクセリ・ガレン＝カレラが招致されて、部屋の家具やテキスタイルをデザインした」とのことで、「フィンランド館」に実際に展示されていた椅子「イーリスチェア」や伝統織物等も見ることができ、大変興味深かった。これらの展示物はパリ万博で複数の賞を獲得した。

画家アクセリ・ガレン＝カレラに万博で贈られたメダルの展示もあった。

「フィンランド館」は、セーヌ川の南サイドの外国パビリオンゾーンに位置していたが、残されている１９００年パリ万博の写真を見ると、セーヌ川から見て左に「ノルウェー館」、右に「ドイツ館」という2つの大型のパビリオンに挟まれて小さく建っている。

このパビリオンの実施にあたっては、ロシアの圧力があっていろいろと大変だったようだ。当時フィンランドはロシアの支配下にあり、「フィンランド館」のゲートの左右に「ロシアセクション」と表示するように要求されたりしたらしい。

しかし、結果このパビリオンは内外から非常に高い評価を受け、エリエルは建築家としての名を挙げることになる。その後彼はアメリカに活躍の場を求め、そして一緒に行った息子エーロが半世紀以上を経て、アメリカの万博でアメリカを代表する企業のパビリオンを手がけることになったのだ。

73　ディズニーと万博の相乗効果とは

巨大パノラマ映像「サーカラマ」

世界でもっとも有名なテーマパークといえばディズニーランドだろう。1955年、アメリカはカリフォルニア州アナハイムに、ウォルト・ディズニー（1901〜1966）が、自らの夢の世界を具現化するものとして建設した。総面積は73・5ヘクタールで、大人も子どもも、そこでは平和に幸福になれることを願って造られ、世界中から来る人の絶えない一大アミューズメントである。

ウォルト・ディズニーが初めて万博とかかわったのは、ベルギーで開催された1958年ブリュッセル万博だった。彼は「アメリカ館」のために、360度スクリーンの巨大なパノラマ映像「サーカラマ」を企画した。「サーカラマ」はスケールの大きな映像と音で、身体感覚でアメリカ周遊の旅を体験できるというもので、この万博一番の人気パビリオンだったといわれている。

続く1964／65年のニューヨーク万博では、ディズニーはフォード社の「マジック・スカイウェイ」館、ペプシ社の「イッツ・ア・スモール・ワールド」館、ゼネラル・エレクトリック社の「進歩の回転木馬」館、イリノイ州の「リンカン氏との素晴らしいひととき」館という4つのパビリオンを担当することとなる。

「イッツ・ア・スモール・ワールド」も万博から

「オーディオ・アニマトロニクス」という、音楽に合わせて人形が自動的に動く技術を開発したディズニーは、この万博でいかんなくそのノウハウを発揮した。今も東京ディズニーランドで体験できる「イッツ・ア・スモール・ワールド」も「オーディオ・アニマトロニクス」を使用しているが、このニューヨーク万博のペプシ館が起源なのである。ニューヨーク万博の「イッツ・ア・スモール・ワールド」館はユニセフと共同で製作されたものだが、万博終了の翌年、ロサンゼルス郊外アナハイムのディズニーランドに移設されて常設のものとなった。

また、フォード社の「マジック・スカイウェイ」館でも、ディズニーの「オーディオ・アニマトロニクス」を採用しており、その内容は、前史時代から宇宙時代までを約12分で旅するというものだった。

ゼネラル・エレクトリック社の「進歩の回転木馬」館では、観客は、円形舞台の周りを回転しながら4つのパートを順々に体験していく。そこでは、ある家族の時間の経過とともに家電製品の歴史が紹介されていたという。

イリノイ州の「リンカン氏との素晴らしいひととき」館では、第16代アメリカ大統領のアブラハム・リンカンを模した人形（トーキング・リンカン）が、リンカンの昔の演説を、身振りを交えて話すという演出がなされていた。

ディズニーの夢見た「恒久的な万博」

4つのパビリオンで大きな人気を博したディズニーは、万博後、万博会場跡地に「恒久施設としてのテーマパークを造りたい」という希望を持っていたが、実現しなかった。しかし、この万博で展開したものの多くは、カリフォルニア

1964／65年ニューヨーク万博の「イッツ・ア・スモール・ワールド」館 photo by Paul Turner (CC0 1.0)

州アナハイムのディズニーランドに移設されることとなる。

　ペプシ社の「イッツ・ア・スモール・ワールド」館は１９６６年に移転されたが、それより先にイリノイ州の「トーキング・リンカン」は、複製が作られ、１９６５年に同じくディズニーランドのメインストリートのオペラハウスに置かれていた。

　ゼネラル・エレクトリック社の「進歩の回転木馬」館は、最初、アナハイムのディズニーランドに設置されていたが、１９７１年にアメリカ・フロリダ州中央部のオーランドにディズニー・ワールドがオープンした後、１９７３年にその中の施設の一つであるマジック・キングダムに移された。

　ディズニー・ワールドは、アナハイムの１００倍以上ある1万１１００ヘクタールの広大な敷地があり、１９８２年、そこに１０５ヘクタールの「エプコット・センター」が造られた。ＥＰＣＯＴ（Experimental Prototype Community of Tomorrow）と名づけられたこのテーマパークは、「ワールド・ショーケース」と「フューチャー・ワールド」という、「世界」「未来」といった非常に万博的な要素から構成されていた。*ディズニーがニューヨーク万博の跡地で実現しようとした「恒久的な万博」が、ここに実現したものだといえるだろう。

＊「フューチャー・ワールド」は２０２１年10月より「ワールド・セレブレーション」「ワールド・ネイチャー」「ワールド・ディスカバリー」の３つに分割された。

74 ファースト・フード元年――１９７０年

大阪万博に実験店

今や街中にあふれるように存在するファースト・フード店は、日本では１９７０年の大阪万博から始まった。それ以前にもうどん・そばなどの和風ファースト・フードはあったが、この年に上陸したアメリカのファースト・フードは、飲食物に対して、それまでの日本にはない概念を持ちこんだのである。

「ファースト・フード」として日本で初めて、万博に実験店を出店したのは、アメリカ生まれの「ケンタッキーフライドチキン」だった。「ケンタッキーフライドチキン」は、大阪万博に出店した同じ１９７０年、名古屋に日本での第1号店もオープンさせる。

ついで１９７１年には、「ミスタードーナツ」が大阪に第1号店を、同じく7月には「日本マクドナルド」が東京・銀座三越に第1号店を、9月には、「ダンキンドーナツ」がやはり銀座に開店する。そして、翌１９７２年3月には、「モスバーガー」が第1号店を東京の成増《なります》にオープンし、73年には「日本ピザハット」「日本シェーキーズ」など、ファースト・フードのオープンラッシュとなる。このように、１９７０年は「ファースト・フード元年」といってよい、画期的な年になった。

第2次資本の自由化と万博

１９７０年にファースト・フードが次々と開店し始めたのには、万博前年の１９６９年に、飲食業が１００パーセント自由化**された影響も大きかったようだ。ファースト・

１９７０年大阪万博の実験店「ケンタッキーフライドチキン」写真提供／日本ケンタッキー・フライド・チキン

**農林水産省ホームページには次のように解説されている。「１９６９年3月、第2次資本の自由化により、飲食業が自由化業種に指定され、米国の外食企業が我が国に進出。これに伴い、チェーン経営によるファストフードやファミリーレストランの業態が登場」 https://www.maff.go.jp/j/wpaper/w_maff/h22_h/trend/part1/kanmatsu/k02_02.html

フードは、大量の仕入れ・生産・販売をおこない、低価格で飲食物を供給する。また、サービスをマニュアル化してアルバイトやパートタイマーでも対応できるようにしたことで、人件費を削減し、サービスの均質化と雇用の柔軟性も可能にした。つまり、飲食業では時間や曜日、季節によって客に大きな変動がでるので、仕入れや従業員にロスがでやすいが、セントラル・キッチン（集中調理方式）の採用とアルバイトやパートタイマーの増減によってカバーした。アメリカ大資本ならではの合理的な経営ノウハウといっていいだろう。

万博会場では、手軽に楽しめる食べものが大量に消費される。その食べものの提供にはスピードと均一さが要求される。ファースト・フードが登場するには、これ以上適切な場所はないといえる。大阪万博には、国内外から６４００万人以上の人々が訪れ、大盛況だった。万博での出店効果は想像以上に大きかったようである。

ファミレスも出店

実はまた、大阪万博では「ロイヤル」も、ステーキハウスやカフェテリアなどを、アメリカゾーンに出店している。そして万博終了後、「ロイヤル」は翌年12月に「ロイヤルホスト」1号店を北九州市に出店することになるのだ。また、１９７０年、「すかいらーく」が東京の国立《くにたち》に第1号店を出店した。ファミリー・レストランが急成長するのは、ファースト・フードより少し遅れて、70年代も後半になるが、こうしたことを考えると、１９７０年は「ファースト・フード元年」に加えて、「ファミレス元年」ともいえ、業界では１９７０年を「外食産業元年」と呼んでいる。

１９７０年大阪万博のロイヤルステーキハウス（写真提供：ロイヤルホールディングス株式会社）

1893年シカゴ万博や1904年セントルイス万博で、ホットドッグやハンバーガーがすでに流行していたことを考えると、外食産業の日本席巻《せっけん》は思いのほか遅い。

しかし、本家のアメリカでもファースト・フードの業界としての成長は1950年代も半ばからだったから、原材料の大量購入や集中調理方式は、冷凍技術の向上に支えられて可能になったといっていいかもしれない。こうして、日本の伝統的な食習慣は、万博という国際的な大イベントをもって初めて、変わり始めた。

カジュアル・ウェア「元年」

ところで、男性の「カジュアル・ウェア」も、1970年大阪万博が日本にもたらしたものである、という話を故・堺屋太一氏（1935〜2019）から直接お聞きしたことがある。この万博では、開会式のときは、観客の男性はほとんど全員背広姿だったが、半年後の閉会式のときには多くがカジュアル・ウェアになっていた、ということである。

大阪万博の「公式長編記録映画」で確認すると、季節的なものもあるかもしれないが、確かに、開会直後あたりでは背広にネクタイの男性が多いが、会期末のあたりになるとカジュアル・ウェアを着ている男性が多い。男性ファッションの転換点が、この1970年大阪万博だったということなのだろう。

75 幻《まぼろし》の「太陽の塔」があった!?

岡本太郎が造った「ベラボーな」塔

「太陽の塔」といえば、日本で初めて開催された1970年大阪万博のシンボルであり、「芸術は爆発だ!」の芸術家岡本《おかもと》太郎《たろう》(1911〜1996)の顔を思い浮かべる人は多いだろう。大阪万博当時、この塔の内部には、全長50メートルの「生命の樹」という展示が展開され、そこには、地球上に生命が誕生した40億年前から未来へ向かっての生命の進化が表現されていた。

岡本太郎はフランス留学中、ドイツの思想家ニーチェやフランスのジョルジュ・バタイユの影響を受け、民族学に興味を持ち始め、パリ大学で講義を受けて本格的な研究を始めた。それが縄文のモチーフの集大成、「太陽の塔」へとつながっていく。この万博の企画を引き受けたとき、岡本太郎は「ベラボーな」ものを造ってやる、と考えたそうだが、この高さ70メートルの塔はまさに、建築家丹下《たんげ》健三《けんぞう》が創案した「お祭り広場」の大屋根を突き破る、「ベラボーな」ものだといえるだろう。

万博史に眠る「太陽の塔」

ところで、「太陽の塔」というネーミングだが、万博の歴史からいうと、この岡本太郎の作品が最初のもの、というわけではなかった。

まずは、大阪万博からさかのぼること約80年、1889年の第4回パリ万博で、360メートルという、それこそ「ベラボーな」高さの「太陽の塔」を造ってやろうと考えた人物がいた。その名をジュール・ブールデ。1878年第3回パリ万博の際に建てられた「トロカデロ宮」を、ガブリエル・ダヴィウーと共同設計した人物である（第35、38話）。

大理石造りの「太陽の塔」が完成すれば、パリ中はアーク灯の照明で、夜でも昼間のように照らし出される予定だった。

しかし、そこに立ちはだかったのが、ギュスターヴ・エッフェルだった。パリ万博に先立つこと3年、1886年におこなわれたコンペで選ばれたのは、エッフェルの300メートルの鉄の塔だったのである。最有力候補であり、当時の首相シャルル・ド・フレシネの支持も受けていたブールデの大理石の塔は、時間と費用がかかりすぎるという理由で却下されてしまい、この元祖「太陽の塔」は、実現することはなかった。

サンフランシスコに存在していた「太陽の塔」

一方、実現した「太陽の塔」もあった。

1939年、サンフランシスコ。第2次世界大戦の足音が間近まで迫っていた2月18日から翌年9月29日まで2期に分けて、人工島トレジャー・アイランドにおいて、「ゴールデン・ゲート万博」という万博が開催された。この1939／40年「サンフランシスコ万博*」は、今もサンフランシスコの観光名所となっている「ゴールデン・ゲート・ブリッジ」と「ベイ・ブリッジ」の完成を記念して

岡本太郎が造った1970年大阪万博のシンボル「太陽の塔」写真提供：大阪府

＊第54話の1915年サンフランシスコ万博、別名「パナマ太平洋万博」とは別のもの。時期的には第58、59話のニューヨーク万博と重なっていた。

開催された（第54話）。

そして、この万博のシンボルが、４００フィート（約１２２メートル）の高さの「太陽の塔」（Tower of the Sun）だった。この「太陽の塔」は実現はしたが、会場となったトレジャー・アイランドは、その後勃発《ぼっぱつ》した戦争のために海軍が使うことになり、塔も撤去されて今は残っていない。

その一方、岡本太郎の「太陽の塔」は、今も大阪は千里丘陵《せんりきゅうりょう》の万博跡地に残り、６４００万人以上の人々を集めた祭りの後を、静かに見守っている。

ゴールデン・ゲート万博「太陽の塔」

76　丹下健三が語る大阪万博の「構造」

日本を代表する建築家、丹下健三の登場

２０２１年に取り壊しが始まった「築地《つきじ》電通旧本社ビル」。この築地のランドマークとなったユニークな建物の設計をしたのが建築家丹下健三《たんげけんぞう》（1913～2005）である。

丹下健三といえば日本を代表する建築家であり、１９６４年東京オリンピックの際、「国立代々木《よよぎ》競技場（代々木第一体育館、第二体育館）」を設計している。これらの建築物は57年たった今回の東京２０２０オリンピック、パラリンピック（実際の開催は２０２１年）でもハンドボール、パラリンピックの車いすラグビー、バドミントン等で使用された。

この2つの体育館の独特なデザインは一度見たら忘れられないもので、当時の記念切手にもそのデザインが採用されている。この建築が高く評価され、丹下はIOCから日本人初、建築家としては異例の「オリンピック功労賞」を受賞した。

そして、その9年前の1955年に竣工した広島平和記念公園、広島平和記念資料館（重要文化財に指定されている）も手がけており、丹下の名前はすでに世界的に有名になっていた。

そんな丹下に1970年大阪万博の会場設計の依頼が来るのは当然の流れだったのだろう。丹下は1967年2月に大阪万博の「基幹施設プロデューサー」を委嘱されることになる。

「おもちゃ箱をひっくり返した万博」にしないために…

先日スマホでラジオを聴いていたところ、『NHKラジオアーカイブス「声でつづる昭和人物史～丹下健三」』という番組に出会った。この番組では1980年11月20日に、NHK総合テレビ『わたしの自叙伝　建築・道・広場』という番組に67歳、文化勲章を受賞したタイミングで出演したときの丹下の音声が紹介されていた。そこで彼の建築家人生を振り返っており、非常に興味深かった。

丹下は、広島平和記念公園の仕事で、2つのことを考えた、と語っている。

1つ目は「日本の伝統を現代建築にどう活かすか」ということで、2つ目は「平和公園、会館といった象徴的な場所（被爆地、中心地）を『都市』を考える機会にしよう」というものであった。

こういった建築物は「単独で生存できるものではなく、『都市』の中でお互いの関係の中でしか生きられない」と考え、ここから1959〜60年「構造主義」というものを思いついたという。

そしてこの考え方が大阪万博の会場設計に活かされていく。

丹下の言葉を引用しよう。

「次に1970年の万博の会場の全体の計画を立てるという、非常に恵まれた機会を与えられたわけですけど、そのときに博覧会のようなものっていうのは、いろんな100カ国近くの人たちがそれぞれに国を表現する、かなり特殊な建築をたてるわけであります。で、下手をいたしますと、おもちゃ箱をひっくり返したようになってしまうのが、今までの万博の世界的な経験であるわけであります。やはりそれに対しても、何がしかの構造を与えてあげなければいけない、と考えたわけであります。」

と語っている。

確かに、いろいろな過去の万博の会場写真、特に第2次世界大戦後のものを見れば、その多くが「おもちゃ箱をひっくり返したようになって」しまっていると気づくだろう。各参加国、参加企業は自分のパビリオンを特徴的にしよう、と独自のデザインの建築物を展開するが、万博全体としてみればそれらがなんの統一性もとれず勝手気ままにちらばってしまっている、という状態だ。そうなると来場者の視点からすると、どこをどう見たら何がわかるのかがわからず、混乱したまま観覧を続ける、ということになる。そうすると、万博全体として伝えたいテーマが伝わりづらい、ということになるだろう。

パビリオンは「枝」に咲いた「花」

ということで、丹下は万博会場にもなんらかの「文法」、すなわち「構造」が必要だと主張する。少し長いが再びそのまま引用する。

「私はそれを木に例えまして、幹とか枝をきちっと与えておけば、そこにいろんな形の花が咲いても、一応全体としては何か調和が保てるのではないか、というふうに考えました。

その幹というのは何かと言いますと、全体のメインのゲートを含んで『お祭り広場』に繋がっている、真ん中の大きないわゆる『シンボルゾーン』と呼んでるところが、私にとっては幹であるわけであります。その人の流れもまた幹でもあるわけであります。

その幹から、東西の2次的なゲートに向かって細い枝が伸びております。全体で4本ばかり伸びているわけであります。その枝に沿って『動く歩道』がついておりまして、そこを人が流れるように動いていく、というシステムであります。その枝のところどころに溜まりがありまして、その溜まりで人は降りて、そこからそれぞれのパビリオンに行く、というふうな形で、それぞれのパビリオンはその枝に咲いた花、と言ってもいいかと思います。

花である以上、ま、非常に華やかで、あるところは黄色であっ

丹下健三の会場計画が反映された大阪万博の会場
写真提供：大阪府

てもいいし、あるところは赤であってもいいし、ですから変化があっても一つの統一と調和が保てる、というふうに考えたのでございます。」

なるほど、こうやって説明されると大阪万博の「構造」、会場設計の考え方がよりクリアにわかってくる。万博会場に、テーマ性に沿ってある種の軸を作っていく、という丹下のアイデアは、現在にいたるまであらゆる万博の会場設計の元になっているといってもいいだろう。

淡々とした語り口の、しかし深い知性を感じさせる丹下の声を聞くとき、日本初の万博を創造した、という確かな自信を感じるのだ。

77 海外の「万博史家」が見た「大阪万博」と「沖縄海洋博」

海外の万博史家にもインパクトのあった1970年大阪万博

日本では今まで5つの万博が開催されている。1970年大阪万博、1975〜76年沖縄海洋博、1985年つくば科学博、1990年大阪花博、2005年「愛・地球博」である。

ここに1冊の本がある。英語の本であるがそのタイトルは、

『The Great Exhibitions 150 years』『万博、その150年の歴史』とでも訳せるこの本は、もともとイギリスの万博好事家《こうずか》ジョン・オールウッドが1977年に出版した本を、いずれもBIEのトップを務めたイギリスのテッド・アラン、カナダのパトリック・レイドの両氏が、最近の万博の情報を追加して2001年に再出版したものである（そのため2005年「愛・地球博」についての記述はない）。

彼らのような万博史家は、いろいろな万博を調べ尽くしているために個々の万博への記述が厳しくなる傾向がある。では彼らは、日本で開催された過去4つの万博をどう見ているのだろうか。

まず、1970年大阪万博である。

「アジアで初めておこなわれた万博であり、東西の相互理解に貢献する『人類の進歩と調和』をテーマに3000万人の入場者を目指して開催されたが、実際は万博史上新記録である6400万人が来場した」ことを記述している（この記録は同書が出版された時点では最多だったが、2010年上海万博で40年ぶりに更新された）。また、「明治維新で日本が『世界』の仲間入りをしてから100周年を記念したもの（筆者注：正確には102周年）」であるとか、「モントリオール万博から3年後にもかかわらず、高度成

大阪万博のお祭り広場のにぎわい
写真提供：大阪府

長を続けていた日本の経済力とその消費熱にひかれて多くの国が出展をためらわなかった」ことが記述されている。

あとは、丹下健三《たんげけんぞう》の「お祭り広場」の巨大さや岡本太郎《おかもとたろう》の「太陽の塔」、さらに「動く歩道」「月の石」などのトピックスを述べ、写真などを含め、なんとこの万博のために6ページも費《つい》やして詳しく記述しているのである。ちなみにその前の1967年モントリオール万博は4ページ、1964／65年のニューヨーク万博も4ページ程度である。いかに1970年大阪万博が、海外の万博史家にとってもインパクトのあった万博であったかをうかがい知ることができる。

「健闘」した沖縄海洋博

次に1975〜76年の沖縄海洋博である。

この万博については、結構厳しいことが書かれている。「日本で開催された他の万博のどれよりも『災難』に近いものであった」とか、「会場となった本部《もとぶ》半島ほど万博会場らしくないところは想像するのが難しかった」とかそういった類《たぐい》の記述がされている。また、「会場は荒地で毒蛇《どくへび》しか住んでいないところで、万博用に作ったピクトグラム（絵記号）にはその『毒蛇注意』というものもあった」と記されている。これは明らかにハブのことを指していっているのであろう。

その後は、「沖縄がアメリカから返還された（1972年）のを記念した万博であった」ことや、会場となった「水上に浮かぶ未来都市」と呼ばれた「アクアポリス」の話などが書いてあり、30カ国と4つの国際機関（筆者注：実際には36ケ国と3つの国際機関）が出展したことが述べられている。

「この万博は４５０万人を目標入場者としていたが結局３４８万人の入場者で終わった。しかし、これは沖縄に１００万人しか住んでいなかったことや、県庁所在地の那覇《なは》に60万人しか住人がいなかったことを考えると健闘したほうであろう」という結びになっている。

筆者も80年代前半にこの跡地を訪れたことがある。那覇からは相当に遠く、レンタカーで結構な距離を走って、アクアポリスのレストランで食事をした覚えがある。ここに３４８万人が訪れたというのは、確かに相当「健闘したほう」であるといえるだろう。

公式長編記録映画『沖縄海洋博』を見ると、当時はそれなりに盛り上がりをみせ、サンフランシスコから沖縄へのヨットレースなど、大がかりなイベントも開催された模様だ。また、アクアポリスへの入場には長い列ができていたことも確認できる。

ちなみにこのアクアポリス、１００メートル四方、高さ32メートルという巨大な人工島で、世界初の海上実験都市であった。展示プロデューサーは手塚治虫《てづかおさむ》がつとめている。しかし、総工費１２３億円だったこのアクアポリスは、その後老朽化が進み、解体・廃材再利用を前提に、２０００年には米国企業に１４００万円で売却され、中国・上海へ曳航《えいこう》されてしまい、今はもう存在していない。

沖縄海洋博の会場と「アクアポリス」
写真提供　共同通信社／ユニフォトプレス

78 海外の「万博史家」が見た「つくば科学博」と「大阪花博」

「コンピューターとロボットにあふれた」つくば科学博

さて、引き続き、海外の「万博史家」が見た日本の万博を見ていこう。

次の1985年つくば科学博については、「コンピューターとロボットにあふれた万博である」としている。ロボットについては、「いろんな程度の効率性で無数の仕事をしていた。松下パビリオンでは観客の似顔絵を描いていた。日本政府館では、ピアノを弾《ひ》いていた。……アメリカの展示は『考えるロボット』というテーマで、ジャズを作曲するロボットがいた」などの記述をしている。ほかにも、TDK、芙蓉グループ、ソニー、JAL、富士通、NECなどの日本企業がさまざまなアトラクティブな展示をしていたことを述べている。筆者もこの会場内で仕事をしたが、海外からの来訪者として、なかなか的確な記述をしているという気がする。

「デザイン・グル」泉眞也氏

1990年大阪花博については、「この花の万博でも2300万人の観客を主にひきつけたのは日本企業のパビリオン群である」と記述している。しかし、「この企業パビリオン群も、『自然と人間との共生』をテーマとして、過度なコマーシャリズムを展開することはなかった」としている。また、「2005

1985年つくば科学博
photo by ころぞう (CC BY-SA 2.5)

年日本国際博覧会」（「愛・地球博」）の総合プロデューサーもつとめた泉眞也《いずみしんや》（1930～2022）氏＊を「デザイン・グル」と称《たた》え、日本政府出展について、「彼の指揮下で、お互いに関連しているパビリオン群や庭園が、素晴らしく配置されていた」と賞賛している。その上で、この万博を記念して創設され、人類と自然の共生の理解に資する研究をした科学者に贈られる「コスモス国際賞」について言及し、「環境のノーベル賞とでもいえ、その権威は増してきている」と評価している。

このように、日本の万博は想像以上に海外の万博史家から注目され、評価されてきたのである。

継承される大阪花博の成果

ちなみにこの「コスモス国際賞」は現在でも続いている。1990年大阪花博を記念して創設され、1993年から始まった。この賞については「公益財団法人国際花と緑の博覧会記念協会」ホームページに詳しい。この協会は、この博覧会の基本理念「自然と人間との共生」の継承・発展のため、基金を設けて諸事業をおこなうために設立されたものだが、この協会が中心となって「コスモス国際賞」を実施しているのである。

この「賞の名称『コスモス』は、秋桜『コスモス』が咲き乱れる会場を最後に閉幕した国際花と緑の博覧会を記念する意味と、花の万博の理念である『自然と人間との共生』の考え方につながる『秩序ある宇宙』（Kosmos）を示す」ということで、まさに万博がきっかけでできた「万博の理念を継承する賞」といえるだろう。この賞では「地球的視点からの統合的な方法論の重要性」を提起し、この分野における優れた業績を評価、顕彰す

＊本書執筆中の2022年1月2日、悲しい知らせが飛び込んできた。泉眞也先生の訃報である。泉先生には万博についていろいろと教えていただき感謝に堪えない。ご冥福をお祈り申し上げます。

泉眞也氏（妻・瀬間千恵様より写真提供）

るということだ。

また、この協会は「ＢＩＥコスモス賞」という賞の運営も実施している。これについて、

「ＢＩＥ（博覧会国際事務局）が、今後の国際博覧会における『時代の革新と社会の進歩に貢献する市民活動』を顕彰するため、２００８年に創設したもので、国際花と緑の博覧会記念協会が、その実施を支援しています」

とある。賞の受賞対象者は個人あるいはグループによる非営利の活動、ということで、これは２００５年「愛・地球博」のさまざまなプロジェクトで、万博で初めて市民活動が注目された結果といえるだろう（第92話）。

ＢＩＥコスモス賞は「おおむね2年に1回開催される国際博覧会の会場にて授与される」とある。5年に1度の「登録博」とその間に1回開催が認められている「認定博＊」の会場にて授与される、ということだろう。具体的には、通常閉会式の1日前に開催される「ＢＩＥデー」で授与式がおこなわれている。実際に賞の創設以来、２００８年サラゴサ、２０１０年上海《シャンハイ》、２０１２年麗水《ヨス》、２０１５年ミラノ、２０１７年アスタナのそれぞれの万博で各1つの市民プロジェクトが「ＢＩＥコスモス賞」を受賞している。

１９９０年大阪花博
写真提供　朝日新聞社

＊「登録博」と「認定博」の詳細に関しては第93話参照。

79 アメリカがBIEを脱退していた!?
——アメリカと万博の紆余曲折①

アメリカといえばニューヨーク万博やシカゴ万博など万博史に名を残す偉大な万博**を手がけてきた、フランスと並ぶ万博のメッカといってもいい存在である。しかし、実はアメリカと万博の関係は最近にいたるまでいろいろと紆余曲折があった。その辺りを振り返ってみたい。

万博のメッカだったアメリカ

19世紀後半、アメリカでは主だったものだけで1853～54年ニューヨーク、1876年フィラデルフィア、1893年シカゴ、と3回の万博が開催されている。20世紀になると1901年バッファロー、1904年セントルイス、1905年ポートランド、1915年サンフランシスコ、1926年フィラデルフィア、1933／34年シカゴ、1939／40年サンフランシスコ、同じく1939／40年ニューヨーク、1962年シアトル、1964／65年ニューヨーク、1968年サンアントニオ、1974年スポーカン、1982年ノックスヴィル、1984年ニューオリンズと多くの万博が開催されている。20世紀の万博はアメリカが席巻《せっけん》したといってもいいだろう。

アメリカはBIEを脱退していた!

しかし、1984年以降アメリカでは万博は開催されていない。何があったのか。さらに、アメリカは、1968年5月24日から加入していたBIE条約（国際博覧会条約）

＊＊アメリカでは正式にはInternational Exposition やInternational Exhibition も使われるが通常は World's Fair と言った方がわかりやすいようだ。

からも２００1年4月27日に脱退していた。なんと20世紀万博のメッカ、アメリカはＢＩＥから脱退していたのだ。そのため、その後アメリカでは万博は開催されておらず、アメリカの万博への関与は他国で開催される万博への出展ということに限られている。

いろいろと調べていくと、これは１９８４年ルイジアナ州で開催されたニューオリンズ万博の推進母体「ルイジアナ万博株式会社」が破産したのが大きかったのだろうと思われる。

小泉八雲も訪れた１８８４年ニューオリンズ万博

実はニューオリンズでは、この１００年前の１８８４年にも、小規模ではあるが万博が開催されている。その名は「The World's Industrial and Cotton Centennial Exposition」というもので、さらにその１００年前の１７８４年に、綿が初めて米国から輸出されたことを記念して開催された万博であった。

ちなみにこの万博にも日本は出展していた。当時ニューオリンズでジャーナリストとして活動していたラフカディオ・ハーン（小泉八雲　1850〜1904）は、その日本展示を見て、日本への思いを強くしたといわれている。

しかし、この１８８４年万博も資金難に苦しんだ。４００万人を見込んだ入場者数は、実際は１１５万人しか入らず、入場料収入は運営費用すらまかなえなかったという。最終的な赤字は約47万ドルに達したと推計されている。

どうもそもそもニューオリンズと万博の経済的な相性はよくないらしい。

万博会社が破産した1984年ニューオリンズ万博

さて、1984年ニューオリンズ万博に戻ろう。

この万博は「河川の世界――水は命の源」というテーマで開催され、730万人の入場者を集めたものの、入場者数は計画を大きく下回り、経営的には悲惨な結果を迎えた。まず、この万博の推進窓口として、ルイジアナ州により「ルイジアナ博覧会公社」が設立され、その後、推進母体として「ルイジアナ万博株式会社」が設立された。

この万博は当初から資金に問題があったが、いろいろとやりくりして開催までこぎつけた。しかし、前売り券の販売状況も悪く、そのためさらに魅力的な施設を作らねばならず、そのためにさらにコストがかかるという悪循環に陥っていた。万博のシンボルとなるはずだったテーマ・タワーも資金不足のため建設中止になるありさまだった。

日本はこの万博への参加を最初に決めた国だった。さぞかし感謝されたことだろう。他の国もアメリカからの要請に応じて参加を表明したが、特に企業パビリオンは相当に苦戦したらしい。主だったものといえば巨大なクライスラー館くらいだったようだ。

万博はどうにか開会にこぎつけたが、事業的にペイするためには1日7万人の入場者が必要だった。しかし、入場者数も伸びず、万博株式会社は、結局万博閉幕を待たずに推定1億2000万ドルの赤字を出して破産してしまったのだ。

当時のアメリカ大統領ロナルド・レーガンも開会式に参加するかと思われたが、結局欠席となった。大統領のサポートも得られず、初日の入場者も7万人を下回った。

ちなみに、この万博でミシシッピ川ほとりのルイジアナ・パビリオンだったところは現在コンベンション・センターとなっており、いろいろなイベントやコンベンションが開催されている。世界最大のコンピュータ・グラフィックスのカンファレンス「シーグラフ Siggraph」がここで開催されたとき、一度筆者も訪れたことがある。その際にはこの万博跡地であるコンベンションセンターはそれなりに賑わいもあり、ちゃんと活用されているのでは、と感じた。

ちなみに、この万博は、万博史上初めてマスコットを設定した万博である。そのマスコットとは「セイモア・D・フェア」という青いタキシードをまとった白いペリカンであった。

財政的に苦労した万博は多いが、万博の推進母体の会社が破産したのはこれが初めてだった。そしてこの破産がアメリカの万博への取り組み方を再考させることになるのだ。

万博キャラクター第1号の「セイモア・D・フェア」photo by Ddj001（CC BY-SA 4.0 トリミングして掲載）

80　曲がり角だった世界の「万博運動」——アメリカと万博の紆余曲折②

インターネットの普及と万博

1984年ニューオリンズ万博の万博株式会社は閉幕前に破産してしまった。

それから7年後の1991年、アメリカ議会で一つの法案が可決した。その法案は、「(万博で)アメリカの国家パビリオンの建設や運営のために政府の予算を使ってはいけない」というものであった。必要な全ての資金は私企業やNGOから集められたものでなくてはいけないというのである。この法律の可決に伴って、アメリカは1992年セビリア(スペイン)、1998年リスボン(ポルトガル)、2000年ハノーバー(ドイツ)の各万博には参加していない。

ニューオリンズ万博会社の破産は、アメリカの威信を損なう大きな出来事であった。一方、1990年代からインターネットが急速に普及し始め、世界では、そもそも万博というものがいよいよ時代遅れになってきたのではないか、という風潮もでてきた。インターネットがあればその国に行かずして世界の情報があっという間に手に入る。

1996年には早くも「The Internet 1996 World Exposition」が試行され、130の国からおよそ5000万人が「来場」した。* 2000~01年には日本でも堺屋太一《さかいやたいち》経済企画庁長官(当時)主導による「インターネット博覧会『インパク』」が開催された。すでにリアルな万博は不要、という風に考える人も多かった。

ハノーバー万博の大苦戦

また、そんな中、2000年にドイツで開催されたハノーバー万博は、入場者数4000万人を目指したが、実際に来場したのはその半分以下の1810万人に過ぎなかった。事業的にも大失敗したのだ。リアル万博の集客力の乏しさを露呈させた形となっ

*インターネット白書(The Internet 1996 World Exposition) https://iwparchives.jp/files/pdf/iwp1997/iwp1997-ch01-11-p048.pdf

た。

　また、悪いことは重なるもので、久しぶりに万博のメッカ、フランスのパリ郊外で開かれる予定だった２００４年セーヌ＝サン＝ドニ万博（「images 2004」と名付けられた）も、ＢＩＥで「認定博」（第93話）として承認されたにもかかわらず、財政的な問題や、万博に対する国際的な関心の低さ（開催まで2年を切った時点で参加表明が10カ国未満）等が理由で開催不能となって取り下げられた。筆者もパリ郊外のサン＝ドニまで行って事務局長と面談した思い出もあり、実現せず残念な思いだったが、ハノーバーの惨状を見れば開催に世論が反対したのも頷《うなず》ける。

　２００５年「愛・地球博」も、２０００年前後は会場の環境破壊問題等もあり、開催が危ぶまれた時期もあった。世界的に見て、万博運動も終末を迎えたと考えられてもおかしくない、まさに絶体絶命、風前の灯《ともしび》状態であったといえるだろう。インターネットを主導するアメリカが万博は不要、したがってＢＩＥ不要、というふうに考えたとしてもおかしくない。アメリカの脱退にＢＩＥは並々ならぬ危機感を持っていた。

「愛・地球博」で見えた万博復興への光

　さて、そんな中、日本で開かれた、一時は開催が危ぶまれた２００５年「愛・地球博」に、ようやくアメリカは参加表明した。さすがに日米関係を考えると無視はできなかったのだろう。このときの費用も当然、在米日系企業含め民間からの拠出金で賄《まかな》われている。

２０００年に開催されたハノーバー万博の日本館
photo by Jens Bludau（CC BY-SA 3.0）

そして、「愛・地球博」は、幸運なことに結果的には大成功となった。1500万人の想定入場者数に対して、2200万人以上の人が万博を訪れた。事業的にも黒字を達成した。この成功が、ぎりぎりのところで「万博運動」を盛り返したといえよう。インターネットも大事だが、やはりリアル（あるいはリアルとネットの融合）でなければできないことがある、と証明できた万博だったと言っていいだろう。アメリカの万博関係者も参加してよかった、と胸を撫《な》で下ろしていたに違いない。

さて、続く2008年のサラゴサ万博ではアメリカは不参加だったが、2010年上海万博には参加となった。この上海万博で「万博運動はもうだめだ」という杞憂《きゆう》は過去のものになるのだが、さて、それでは次にアメリカと中国の万博をめぐる動きを見ていこう。

81 アメリカが再び万博招致へ！ ——アメリカと万博の紆余曲折③

アメリカで開催された万博への中国の出展

中国はアメリカで開催された万博に多く出展してきた。古くは1904年のセントルイス万博に清《しん》王朝が独立パビリオンを建てている。1915年サンフランシスコ万博でも大規模出展し、グランプリ57、74の名誉賞、２５８の金メダル、３３７の銀メダル等全部で１２２１の賞を獲得している。グランプリに輝いたものの中には、江蘇省《こうそしょう》の沈寿《シェンショウ》（1874～1921）のキリストの肖像を刺繍《ししゅう》したものもあったし、金メダルを獲得したものの中には貴州《きしゅう》の茅台酒《まおたいしゅ》もあった。その後１９２６年フィラデルフィア、１９８２年ノックスヴィル、１９８４年の問題のニューオリンズ万博にも中国は参加している。

上海万博へのアメリカ出展招致

こういったこともあり、現在（２０２２年）ほど米中関係も悪くない時代で、中国サイドも、中国初開催となる万博である２０１０年上海《シャンハイ》万博にはぜひアメリカに参加して欲しかった。アメリカが参加しないと中国も「メンツが立たない」というわけである。

アメリカ政府の出費が認められない中、アメリカサイドも中国サイドもスポンサー集めに奔走《ほんそう》し、結果、５つのグローバル企業、３つのプレミアスポンサー、47のパビリオンスポンサー、合計約５４００万ドル（約60億円）の獲得に成功した。そして開催まで1年を切った２００９年7月10日、アメリカ政府は公式な参加契約書にサインしたのである。

スポンサーの中にはもちろん中国系企業であるハイアール・アメリカといった会社もあったが、これらの協賛金のおかげで、アメリカは外国政府出展中、最大区画である６０００平方メートルの敷地で出展することになった。しかしとにかく時間がない。７月17日にはもうパビリオン建設が始まるという、超スピード作業だった。

ヒラリー・クリントンの奮闘

　そしてその裏には、当時国務長官だったヒラリー・クリントンの存在があった模様だ。彼女はアメリカの上海万博参加の重要性を認識し、資金集めのキャンペーンを自ら主導した。そればかりでなく、個人的にも民主党、共和党の両議員や民間企業へのロビー活動もおこなった。また、彼女自身、上海万博会場を２度も訪問している。１回目は２００９年11月16日で、オバマ大統領（当時）に同行して上海を訪れたときだった。忙しいスケジュールの合間をぬって、会場内に建設中のアメリカパビリオンを訪れている。２回目は万博開催中の２０１０年の５月22日。この日彼女は、アメリカパビリオンと中国パビリオンを訪れ、米中友好につとめた。相当に個人的な思い入れもあったに違いない。こういった努力もあって、アメリカ館は会期中７００万人を越す入場者を集めたのであった。

　２０１０年上海万博で大規模に出展したアメリカは、続く２０１２年の麗水《ヨス》万博（韓国）、２０１５年ミラノ万博（イタリア）にも出展した。

アメリカのＢＩＥ復帰

　こうしてみると、アメリカは実質的には２００５年以降、万博運動に復帰しているかに思える。そしてそれを追認するように、ついにアメリカがＢＩＥ条約に戻ってくることになるのだ。

　２０１７年５月８日、アメリカでＢＩＥ条約への再加入を規定する法律が制定され、

２０１５年ミラノ万博でもアメリカは出展した
photo by Michael Wahl (CC BY-SA 2.0)

アメリカがＢＩＥに速やかに加入することを議会の意思とし、国務長官に再加入手続をおこなう権限を与えた。ヒラリー・クリントンを破って大統領の座を獲得したドナルド・トランプ大統領の英断といえるだろう。トランプ政権になって孤立主義に戻ったかに見えたアメリカだが、しっかりＢＩＥ条約には復帰していた。

アメリカの積極的な万博招致

ＢＩＥのホームページを見ると、２０１７年5月10日、アメリカは１７０カ国目の加盟国としてＢＩＥに復帰している。さらに、その直後の２０１７年6月14日のＢＩＥ総会で、アメリカのミネソタが２０２２／23年開催の「認定博」開催に手を挙げることになる。

ポーランドのウッジ、アルゼンチンのブエノス・アイレスもこの年の万博開催に立候補していたが、結局、２０１７年11月15日のＢＩＥ総会で、２０２３年開催予定のブエノス・アイレスが選定され、あの１９８４年ニューオリンズ万博以来、約40年ぶりのアメリカ開催の万博は今回は夢に終わった（その後、このブエノス・アイレス博も２０１９年のアルゼンチンの政権交代により白紙に戻ってしまっている）。

しかしＢＩＥ条約に戻った以上、アメリカは万博開催への挑戦を続ける決意があるようで、２０２１年7月29日、アメリカに関する新しいニュースが飛び込んできた。

アメリカが２０２７年万博（認定博）を招致したい、というブリンケン国務長官の書簡をＢＩＥに届けたというのだ。開催候補地は再びミネソタ州である。テーマは「Healthy People, Healthy Planet: Wellness and Well-Being for All（健康な人々、健康な惑星：すべての人々のための健康と幸福）」というもので、予定会期は２０２７年5月15日～8月15日だ。

この２０２７／28年「認定博」の状況については、第93話で述べることとしたい。

ドバイ万博のアメリカパビリオン

ちなみにアメリカは、２０２０年ドバイ万博*にも参加している。今回の巨大なアメリカパビリオンは、真っ白な壁面に50州を表す無数の星型がかたどられて、外部にはスペースXのロケットが展示されていた。

館内では「Life, Liberty and the Pursuit of the Future（生命、自由、そして未来の追求）」というテーマのもと、アメリカの「自由」の歴史が語られ、独立宣言の序文などのほか、１８７６年フィラデルフィア万博で資金集めのために展示されたあの『自由の女神』の松明《たいまつ》部分（第30話）が、もちろんレプリカではあるが再び展示されていた。また、これも１８７６年フィラデルフィア万博で登場したグラハム・ベルの電話機（第27話）が再び展示され、「iPhone」初代モデル（２００７年）もスティーブ・ジョブズ（1955～2011）とともに登場している。１５０年近くの間に電話の進化もここまできたかという感じだ。また、最後のアポロ計画であるアポロ17号が１９７２年に持ち帰った「月の石」も展示され、今回は実際に来場者が触れることができるようになっていた。そして館内は曲線状に進める進化版「動く歩道」（第42話）で観覧できるようになっていたのである。

＊ アラブ首長国連邦で開催。コロナ禍により延期され２０２１年10月1日から２０２２年3月31日までの会期となった。

２０２０年ドバイ万博でアメリカが出展したスペースXのロケット
写真提供　ユニフォトプレス

82 開催はこうして決まった――「愛・地球博」事始め

万博のターニング・ポイント、21世紀型の「愛・地球博」

愛知県で開催された「２００５年日本国際博覧会」（正式名称）。「愛知万博」（略称）、「愛・地球博」（愛称）とも呼ばれるこの万博の構想は１９８０年代まで遡《さかのぼ》る。この経緯について、まとめてみよう。

これから先の「愛・地球博」についての記述には、資料としては主に「２００５年日本国際博覧会公式記録」（以下、「公式記録」）、現存する「愛・地球博」公式ウェブサイト、また「愛・地球博」事務総長を務められた中村利雄《なかむらとしお》氏の『愛・地球博 回顧録』（以下、『回顧録』）を参考にする。この『回顧録』は事務総長を務められた中村氏自らがその経験や思いを率直に記された大変貴重な超Ａ級の資料である。これは一般には市販されていないが、国立国会図書館のデジタルコレクションとなっており、誰でも閲覧することができる。*また、書籍は一般財団法人地球産業文化研究所のホームページから購入することができる。**

1980年代にさかのぼる開催の構想

さて、１９８５年つくば科学博が大成功に終わった興奮も冷めやらぬ１９８０年代後半、愛知県や国（主に当時の通商産業省）の双方から、21世紀初頭に日本・中部地区で国際博覧会を開催したい、という構想がでていた。

いろいろと双方で動きはあったが、最終的には、中部地区地元の鈴木礼治《すずきれいじ》愛知県知事、

* https://dl.ndl.go.jp/info:ndljp/pid/10206485

** https://www.gispri.or.jp/expo_docs/nakamura_toshio

中部経済界代表らが、当時の竹下登《たけしたのぼる》首相、田村元《たむらはじめ》通商産業大臣、宇野宗佑《うのそうすけ》外務大臣らに愛知県での国際博覧会開催について支援要請し、それを受けた形で、日本国政府は誘致推進に積極的に協力していきたい旨を表明した。

そして１９８８年12月14日、パリで開催されたＢＩＥ第１０４回総会において、今川幸雄《いまがわゆきお》日本政府代表が「日本政府は21世紀初頭の国際博覧会を愛知県で開催したいと考えている」と事実上の立候補宣言をおこなっている。開催の17年も前の出来事である。

それを受けて愛知県・名古屋市等は「21世紀万国博覧会誘致準備委員会」（その後「21世紀万国博覧会誘致委員会」に改称）を設立、次に「21世紀万国博覧会誘致推進協議会」が中部9県下の自治体、経済界、各種団体により設立された。その後もさまざまな委員会、議員連盟等が設立されて万博招致のための準備が進められた。

そして１９９５年12月19日、「愛知県における国際博覧会の開催申請について」が閣議了解されるにいたった。

「愛知県における国際博覧会については、２００５年に開催することとし、国際博覧会条約上の開催申請手続きを進

「愛・地球博」長久手会場　©GISPRI

めることとする」ということで、政府として２００５年愛知万博招致を正式に決定した瞬間であった。

1996年に正式に立候補

その４カ月後の１９９６年４月18日、ＢＩＥ日本政府代表がパリのＢＩＥ事務局を訪問し、ビセンテ・ゴンザレス・ロセルタレスＢＩＥ事務局長に、「２００５年に愛知県で万博を開催したい」という開催希望通告書を提出した。

実はすでにカナダ・カルガリーが２００５年万博に立候補しており、その後、オーストラリア・クイーンズランド州も開催を申請した。その結果、愛知を含めた３つの候補都市で２００５年万博開催権が争われることとなった。

その後、１９９７年３月17日にパリで開催されたＢＩＥ臨時総会で、２００４年末まで万博の開催を凍結した１９９３年の「モラトリアム決議」が解除され、それに伴い、オーストラリアは「認定博」（小規模な万博）へ変更し、２００５年レースからは撤退した。したがって、２００５年万博は日本とカナダの２カ国で争われることになった（ちなみに、オーストラリアは２００２年の認定博開催を目指していたが、これは結果的には実現せず、フランス・パリ郊外のセーヌ＝サン＝ドニでの２００４年認定博開催がＢＩＥで決定した。しかしそれもその後諸般の事情で中止となっている《第80話》）。

「日本・愛知」に決定

そこで日本、カナダ両国はＢＩＥ加盟国へ働きかけるとともに、まだ加盟していない国にＢＩＥに加盟してもらって自国に投票してもらう、という「作戦」も実行した。結果１９９７年１月に47カ国だった加盟国は、同年６月の投票までのわずか５カ月間で35カ国も増え、合計82カ国になった（ちなみにこの「作戦」はその後も万博開催権を争う各国により繰り返され、現在、ＢＩＥ加盟国は１７０カ国まで増加している。なんとこのときの2倍以上だ）。

そして、ついに開催都市を決める投票がおこなわれる第１２１回ＢＩＥ総会がモナコ公国で開催された。１９９７年６月12日の出来事であった。

投票の集計は、

「日本52票、カナダ27票、棄権1票、無効1票。ジャマイカは総会欠席」

というものであった。

結果、日本・愛知が勝利ということになり、２００５年に日本・愛知で万博が開催されることになったのである。そしてここから、筆者をふくめ数多くの人々の人生が「愛・地球博」に巻き込まれていくことになったのだった。

83 会場変更の叡智——オオタカが会場を変えた万博

会場予定地の里山で確認されたオオタカの営巣

１９９７年６月12日、ＢＩＥ総会にて日本・愛知での万博開催が決定した。それからは国をあげての準備が始まった。財団法人２００５年日本国際博覧会協会も設立され、会長には豊田章一郎《とよだしょういちろう》氏（経団連会長、トヨタ自動車会長）が就任した。「自然の叡智《えいち》」（Nature's Wisdom）というテーマも決まり、順調に進捗《しんちょく》しているかに見えたが、一つ大きな問題が発生した。

この万博は、もともとは瀬戸《せと》市南東部の里山「海上《かいしょ》の森《もり》」を会場にして、できるだけ環境に配慮し、自然と人間の共生の視点からこれまでに例を見ない万博を目指していた。約５４０ヘクタールという万博史上最大の会場面積、また、２５００万人という想定入場者数であった。今図面を見ても非常にチャレンジングで魅力的なプランだったと思う。

しかし、１９９９年５月12日、会場予定地だった「海上の森」で「オオタカ」の営巣が確認された。オオタカは当時国内希少種に指定され、「レッドデータブック」で「絶滅危惧II類」に分類されていた、成鳥の体長50～60センチのタカ科の鳥類である。

万博のための「海上《かいしょ》の森《もり》」の開発によってオオタカは絶滅してしま

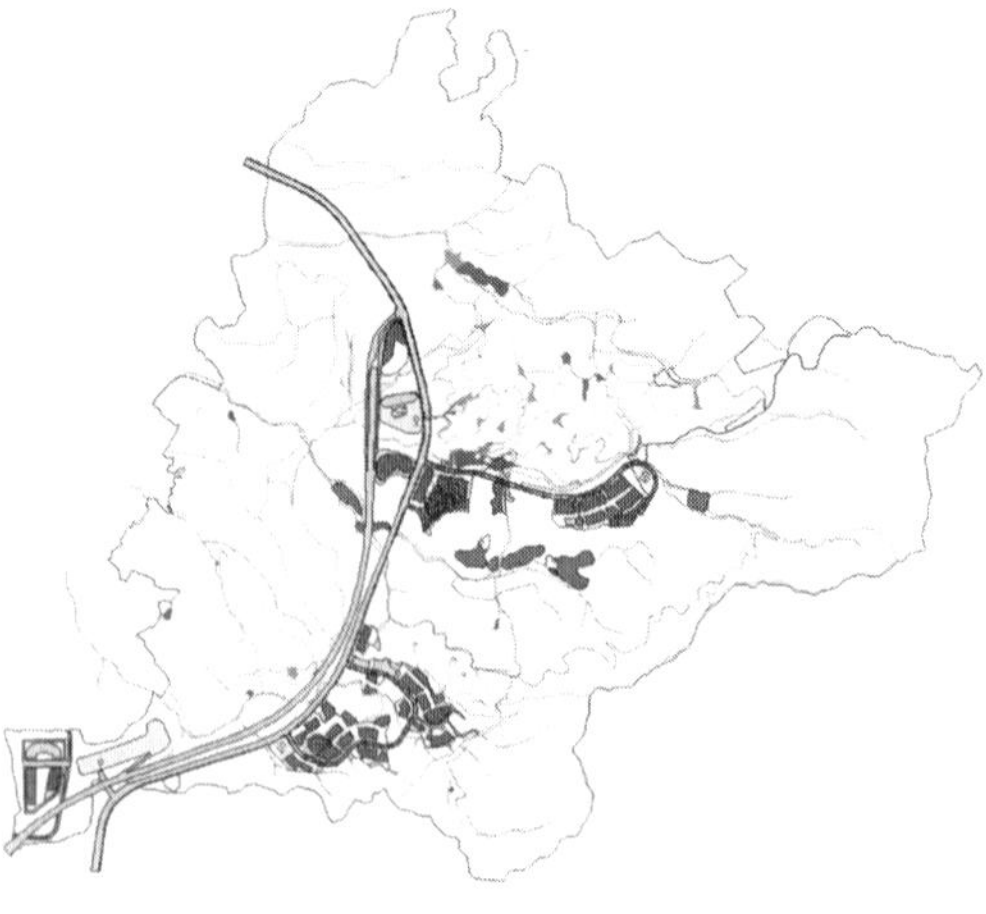

「愛・地球博」当初の会場プラン
©ＧＩＳＰＲＩ

うかもしれない。ここまで何度も練り直してきた会場計画はどうなってしまうのか。１８５１年ロンドン万博から脈々と続く万博反対派は声を大にし、推進側は頭を悩ませた。実は推進側にいた心ある人たちが一番悩んでいたのではないかと思う。今回は、反対派の人たちといっても、その多くは別に理不尽なことを言っていたわけではなく、環境問題をテーマにする今回の万博にとってしごく当然のことを主張していた、と思う（中には何がなんでも万博反対、という人もいたかもしれないが）。また、今回は第9話で紹介した１８５１年ロンドン万博のときのように、背の高い楡《にれ》の木を守るためにクリスタル・パレスの屋根を円形にして、切らないで済むように収納すればいい、というレベルの話ではない。会場計画を根本的に見直す必要がでてきたのだ。

１９９９年当時、絶滅危惧Ⅱ類に分類されていた「オオタカ」〈写真は幼鳥〉 photo by TOKUMI (Gin tonic)

会場変更の英断

しかし、なんと驚くべきことに、オオタカの営巣の確認からたった約1カ月半後には、これまでの「海上の森」会場の劇的な縮小と、近接する長久手《ながくて》町の愛知青少年公園地区をメイン会場にする検討が始まったのだ。これだけ巨大な国家事業にして、オオタカの営巣確認の1カ月半後には会場をオオタカのために変えようと決断する。このプロセス、この英断こそが「自然の叡智」というテーマを体現したものであり、「愛・地球博」最大の成功要因の一つといえるだろう。

結果、長久手会場（「愛知青少年公園」地区）１５８ヘクタール、瀬戸会場（「海上の森」地区）15ヘクタール（５４０ヘクタールから激減）の合計１７３ヘクタールを会場とし、想定入場人数は２５００万人から１５００万人に下方修正された。そしてここから本格的な準備が急ピッチで進められることになる。

長久手会場に長久手日本館、テーマ館、外国館、企業館等を収容し、瀬戸会場は極力環境に配慮した会場施設とし、市民パビリオン、海上広場、瀬戸日本館、瀬戸愛知県館、里山《さとやま》遊歩ゾーンといった、環境負荷の小さい施設配置とすることとなったのである。

また、長久手会場には高低差が最大で約40メートルあった。それを克服し、できるだけ地形を変えないように、全長２・６キロ、標準幅員21メートルの「グローバル・ループ」という空中回廊が登場し、「愛・地球博」のシンボルの一つとなった。これにより６つの「グローバル・コモン」（外国館エリア）がつながれ、会場をほぼ水平に一周できる非常にアクセスのいい万博が可能となった。

「グローバル・ループ」
©ＧＩＳＰＲＩ

新時代の万博を体現したプロセス

「愛・地球博」の会場計画を大きく変えたオオタカ。１９８４年には生息数約４００羽とされていたが、保護の甲斐があって、その後、数が急速に回復した模様である。「愛・地球博」が開催された２００５年に環境省が公表した「オオタカ保護指定策定調査」において、全国のオオタカの繁殖個体数は少なくとも１８２４～２２４０羽であると推計された。

そして２００６年の第３次レッドリストでは初めて絶滅危惧種から外れ、準絶滅危惧種にランクダウンした。２０１３年時点では関東地区とその周辺だけでも３３９８～１０３９２羽が生息するとされている。*

「海上の森」がほぼ手付かずで守られ、そのために里山での生息が引き続き可能とな

* https://www.env.go.jp/press/press.php?serial=16718

り絶滅を逃れたオオタカ。長久手会場を新しいメイン会場にすることで、大成功に導かれた「愛・地球博」。今後、世界のどこでも、万博などの大きなイベントを開催しようとしたり、大規模な開発をしようとすると、問題の大小はあろうが、人類は同じような問題に直面するに違いない。

思えば１９９４年6月8日のＢＩＥ総会で「すべての万博は、地球的規模の課題の解決に貢献するものでなければならない」とする決議が採択された。人類共通の課題を解決するための万博にすべし、と決議されたのである。そういった新しい万博の方向性を示すものとして、「愛・地球博」はその開会までのプロセスだけをとってみても、立派に新時代の万博のモデルを世界に示したといえるだろう。

84 万博にマンモスがやってきた!?

万博のテーマを象徴するマンモス

「愛・地球博」の一番の目玉は何だった?　と聞かれて「マンモス!」と答える方も多いだろう。

マンモスは、約1万年前に絶滅したといわれている。氷河期が終わって地球温暖化が始まり、それがシベリアの気候に影響した。結果、マンモスが暮らしていた草原(ステップ)

が森林やツンドラに変わり、草原の暮らしに適応していたマンモスは絶滅してしまったらしい。地球温暖化がいかに生物の生存に影響するかということを考えさせられる。つまりマンモスは「愛・地球博」のテーマを象徴する存在、といえるものであった。

「愛・地球博」に展示された冷凍マンモスは、およそ1万8000年前から地中の永久凍土に埋まっており、現代でも不完全とはいえ当時の姿を保った状態で残っていたものである。これがどういう経緯で「愛・地球博」で展示されることになったのだろうか。

目玉は2つ要る——豊田章一郎会長からの宿題

これについては2020年12月30日の日本経済新聞に掲載された福川伸次《ふくかわしんじ》氏「私の履《り》歴書《れきしょ》(29)」に触れられている。福川氏は元通産次官で、次の引用からもわかるように「愛・地球博」の立案者ともいえ、このマンモスプロジェクトの発端を作った人物でもある。

引用しよう。

「21世紀初頭に愛知で国際博覧会を開く方針は、私が通産次官当時に田村元《たむらはじめ》・通産大臣に進言し、鈴木礼治《すずきれいじ》知事の了解を得ていた。政府と中部経済界の緊密な誘致活動によって2005年開催が決定した。愛称は『愛・地球博』、テーマは『自然の叡智《えいち》』。私も構想立案に協力した。

日本国際博覧会協会の会長はトヨタ自動車の豊田章一郎《とよだしょういちろう》氏。その豊田氏から『目玉は2つ要りますね。1つはトヨタが最新鋭のロボットを用意します。ぜひもう一つ考えてほしい』と頼まれた。」

ということで、そこから「もう一つの目玉」としてマンモスプロジェクトがスタートすることになる。

中村総長ハンズオンのプロジェクト

この先は中村利雄《なかむらとしお》氏の『回顧録』を参考にしてみていこう。この『回顧録』ではマンモスプロジェクトだけで12ページもさかれており、いかにこれが中村事務総長がハンズオンで自ら手がけられた、思い出深い重要プロジェクトであったかがわかる。

それによると「冷凍マンモスの提案があったのは、2002年11月頃であった」ということで、そこから福川氏に紹介されて、中村氏が関係者に会いに行った経緯等、いろいろな試行錯誤があったことが記されている。ただし、その当時の関係者の話では「発見の可能性は20パーセント程度」とのことであったという。中村氏はそれでも発掘の費用等の手当てに走り、多少の目処がついたところで着手を決断したという。

「もし発見できれば資金協力を得られるであろうし、発見できなければそれ以上の資金を必要としないであろう。いわば、見切り発車である。」(『回顧録』より)

ということでこれは事務総長としては大変重い決断だっただろうと想像できる。

マンモスラボに展示されていた「ユカギルマンモス」
第84話の写真いずれも ©GISPRI

結果、幸運なことに、永久凍土に冷凍状態で保存されたマンモスが、ロシア連邦サハ共和国のユカギル村というところで見つかったのである（なので「ユカギルマンモス」と呼ばれた）。そして、マンモスが発見されたサハ共和国、ロシア連邦政府、万博を担当していたロシア商工会議所、マンモスハンターとそのスポンサー等々あらゆる利害関係者との気の遠くなるような交渉・調整を経て、「愛・地球博」にお目見えすることになったのである。

この交渉や手続き等を、中村事務総長みずから何度も現地に赴《おもむ》いて直接おこなったということで、いかにこの事業が難しいものであったかを推《お》しはかることができる。

そして、来日した「ユカギルマンモス」は、福川氏が館長をつとめる「グローバル・ハウス」の「マンモスラボ」に、無事展示されることになったのである。

「グローバル・ハウス」と「マンモスラボ」

この「グローバル・ハウス」というのは「愛・地球博」のテーマ館である。環境問題もあり、できるだけ無用な開発を避けるため、会場となった青少年公園にあった、「市民プール」と「アイススケート場」が隣接して一つの建物になっていた施設を再利用してテーマ館としたものだ。「愛・地球博」長久手会場のセンターゾーンに「愛・地球広場」と「こいの池」に挟まれるように位置していた。

「グローバル・ハウス」は「オレンジホール」「ブルーホール」「マンモスラボ」という3つのゾーンからなっていたが、「オレンジホール」は元市民プール、「ブルーホール」

「愛・地球広場」

「こいの池のイヴニング」

は元アイススケート場でそれぞれ約２０００平方メートルの面積だった。そしていよいよマンモスが本当に来そうだ、となって新しくその「こいの池」側に新設で「マンモスラボ」を超特急で建てることになった。

「グローバル・ハウス」は「愛・地球博」テーマ館であり、できるだけ多くの入場者に見ていただきたいという意図から「オレンジホール」「ブルーホール」別々の動線になっていた。すなわち、「オレンジホール」を選んだ人は「オレンジホール」の展示・映像を観覧してから、最後に「マンモスラボ」に入る。「ブルーホール」を選んだ人は「ブルーホール」の展示・映像を観覧後、「マンモスラボ」でマンモスを見る、といった具合だ。

「オレンジホール」と「ブルーホール」の観覧にかかる所要時間は異なっていたため、各ホールから来場者が出てくる時間が異なり、それで「マンモスラボ」もスムーズに観覧できる、といった運営方法であった。

さらに「マンモスラボ」は非常に人気が高かったので大変な混雑が予想された。そのため、２レーンの「動く歩道」が導入された。巨大なガラスのショーケースに零下15度で保管されたマンモス。その近くを動くレーンが１つ、その後ろでちょっと高くなったレーンが１つ、といった具合だ。

１８９３年シカゴ万博でお目見えし、１９００年パリ万博で大人気のアトラクションとなり、１９７０年万博でも導入された「動く歩道」（ちなみにこの日本語のネーミングだが、あの「デザイン・グル」泉眞也《いずみしんや》氏が大阪万博のときに命名されたそうだ）、また、１９６４／65年

「グローバル・ハウス」外観
手前中央～右側が「マンモスラボ」

マンモスと「動く歩道」

のニューヨーク万博でミケランジェロの『ピエタ』観覧のために導入された「動く歩道」

が、また2005年「愛・地球博」の「マンモスラボ」で登場したのだ。

「マンモスラボ」専用動線の導入

最初はこのような運営であったが、「オレンジホール」からの観覧者と「ブルーホール」からの観覧者が「マンモスラボ」を通過する間に、さらに空き時間があることが判明した。「せっかくの目玉のマンモスをできるだけ多くの人に見てもらいたい、このままではもったいない」ということで、開会から1カ月もたたない4月20日には「マンモスラボ」専用の単独別動線がもうけられることになった。

「グローバル・ハウス」は大人気のパビリオンだったので、毎朝整理券を配っていた。その整理券の列は、朝一番で「愛・地球広場」の周囲を半周以上とりまくことが常態となっているほどの人気だった。整理券は「オレンジホール」「ブルーホール」別に配っていたが、それに加えて、「マンモスラボ」だけを見たい人のために別の並び列を作ることになった。

これは「マンモスラボ」付近を先頭に「こいの池」の南側をとりまくように並び列を作ってもらうという作戦だ。それで「オレンジホール」からの観覧者が途切れたときに「マンモスラボ」の並び列から順番に「マンモスラボ」に進んでもらい、そろそろ「ブルーホール」の観覧者が来そうだという時間にストップする。その後また「ブルーホール」からの観客が途切れたら、「マンモスラボ」の並び列から観客を誘導する。こういった、一見簡単そうに思えるが、実のところ大変高度で複雑な運営方法を採用することになった。

とにかく事故が起こらないことを一番のポイントとして、スタッフをどう確保・配置しローテーションさせるか、「オレンジホール」「ブルーホール」「マンモスラボ」各運営担当スタッフとの連絡をどうするか、並び列の誘導をどうするか、観客が走らないように安全に観覧してもらうにはどうしたらいいか等を検討し、現場で少しずつ実験・改善しながら実施することになった。

こういった運営サイドの努力もあって、事故も起こらず、マンモスは大評判になり、マンモス関連グッズは多数発売された。記念切手にもなった。

こうして「マンモスラボ」は会期中約７００万人の観客を集め、「もう一つの目玉」の役割を立派に果たしたのである。

85 「愛・地球博」のテーマ館「グローバル・ハウス」とは

ＮＨＫの最先端映像技術「スーパーハイビジョン」

マンモスが大評判となった「愛・地球博」のテーマ館「グローバル・ハウス」。

しかし、「マンモスラボ」に行く前の「オレンジホール」「ブルーホール」にも「愛・地球博」を代表するさまざまな最新展示映像技術が使われていた。

オレンジホールの超高精細システム「スーパーハイビジョンシアター」第85話の写真　いずれも©ＧＩＳＰＲＩ

まず、「オレンジホール」である。

「オレンジホール」は、「スーパーハイビジョンシアター」「グローバルショーケース」「グローバルスタジオ」の３ゾーンで構成されていた。

最初の「スーパーハイビジョンシアター」では、ＮＨＫが開発した当時最先端の、４３２０本という、ハイビジョンの4倍の走査線の数を誇る「スーパーハイビジョン」により、横13メートル、縦7メートルという６００インチの大型スクリーンと、22・2チャンネルの立体音響で構成した映像を提供していた。

万博会期前半は日本全国各地の美しい自然と人間、かけがえのない地球の姿を表現した『The Earth : Life』、後半は季節によってさまざまに変化する色を、各地の自然とともに鮮やかに表現した『The Earth : Colors』、という各約8分弱の2作品を上映した。

特に特殊なメガネ等をかけて見るわけでもないのに、画面が超高精細というだけで、不思議なことにまるでそこにいる、まるでそこにあるように、手に触れられるように立体的に見える映像に、来場者は固唾《かたず》をのんで見入っていた。当時は誰しもが画期的な技術だと驚いたが、「愛・地球博」から15年以上経った今、この当時最先端だった技術も「８Ｋテレビ」として家庭に入るようになったとは感慨深い。

世界のお宝が集まった「グローバルショーケース」

次の「グローバルショーケース」は展示コーナーである。人類と環境の歴史を探る最先端の研究成果を世界から持ってきて展示していた。たとえば、次のようなものが展示されていた。

・2001年にアフリカのチャドで発掘された約700万年前の最古の人類「トゥーマイ」の頭骨をもとに復元した「人類最初の顔」

・「マンモスラボ」で公開したユカギルマンモスのデータに基づく全身復元模型

・ビートルズの『ルーシー・インザ・スカイ・ウィズ・ダイアモンズ』のタイトルのもとになった320万年前のアファール猿人の化石「ルーシー」

・「月の石」が大評判となった1970年大阪万博開催後の1972年、最後のアポロ計画となったアポロ17号が持ち帰った「月の石」（1970年大阪万博に展示されたものとは異なるが、日本で開催された万博では2度目の「月の石」となる）

・紀元前1600年代に作られたとされる最古の天文盤「ネーブラ天文盤」

こういった、万博でなければ一度に見ることは不可能な、貴重なものが集められて展示された。来館者は、カード型の新しいオーディオ解説装置 Aimulet GH を使って展示を楽しんだ。このカードは厚さ5ミリ、重さ28グラム。角に耳を当てるだけで解説を聞くことができるというものだった。

「読売地球新聞」の発行

「グローバルスタジオ」ではスタジオからバーチャルセットを使って博覧会情報を世界に発信したほか、デイリーグローバルとして、希望者から抽選で記念写真を撮影し、マンモスと合成する「読売地球新聞・記念版」を発行し、無料進呈していた（おわかりのように読売新聞グループがスポンサーとなっていた）。新聞一面タイトルは「○○さん一行、

「月の石」

笑顔の万博」。一面写真の下のキャプションは「『愛・地球博』グローバル・ハウスの読売新聞編集センターを訪れた○○さん一行」、記事は「○○県○○区○○（住所）、○○さん一行が、○日、愛知県長久手町で開かれている『愛・地球博』のシンボルパビリオン『グローバル・ハウス』にある読売編集センターを訪れた。」という文章から始まる各人オリジナルのもの（別バージョンもあり）。さぞかし来館者のいい記念になったことだろう。

端から端まで50メートル――ソニーの超絶映像

さて、ではもう一方の「ブルーホール」はどんな内容だったか。

これがとんでもない、世界をびっくりさせるようなものだった。なんと横50メートルという巨大スクリーンが登場したのだ。現存する動物の中では最大という、約30メートルの体長のシロナガスクジラが原寸大で十分に泳ぎ回れるという恐るべき大きさである。スクリーンの高さは10メートルあり、画面サイズは「２００５インチ」。２００５年「愛・地球博」にぴったりの大きさである。

「オレンジホール」のスーパーハイビジョンシアターはＮＨＫが手がけていたが、「ブルーホール」のシアターはソニーが手がけていた。「レーザードリームシアター」と呼ばれるこのシアターではＧｘＬ《ジーバイエル》システムといわれる映像システムを使っており、画面比は48：9。16：9を３つ横に並べたものだった。

ここで放映された『2005 Our Planet』というタイトルの約19分の作品は、いろいろなデータと映像で「Our Planet ＝ 現在の地球」の状況をわかりやすく伝えた。

２００５インチの巨大スクリーンのあるブルーホール

たとえば、この1分間で152人の人が生まれている、世界で約8000万人ずつ毎年人口が増えている、が、現在（2005年当時）の世界人口64億5021万人を満員電車のように詰め込むと東京都に収まる、世界の食糧は現在の20億トンの穀物で足りるが分配システムが問題、地球に降り注ぐ太陽エネルギーは1秒で41兆7000億キロカロリーで、これを上手く使えば全人類が1年で消費するエネルギーを36分でまかなえる、などなど。

日を分けて「オレンジ」「ブルー」両方見た人も

「グローバル・ハウス」は評判が評判を呼び、オレンジ、ブルーと両方見たい人が続出し、日を分けるなどして両方見た人も多かった（つまりマンモスは2回見ることができたことになる）。

しかし、オレンジ、ブルー、両方のホールとも、もともとは市民プールやアイススケート場だったのである。よって音響の問題や運営の問題等、施設にまつわる課題は山積していた。博覧会に携《たずさ》わったことのある方ならわかるだろうが、パビリオンはゼロから企画に合わせて新しく建てる方がよほどやりやすいのである。が、「グローバル・ハウス」はそんな幾多の困難を克服し、「愛・地球博」のテーマである環境問題をみずからの「リユース」という形で体現した、まさに「愛・地球博」の「テーマ館」にふさわしいパビリオンだったといってもいいだろう。

86 「悲観も楽観もしていない」――日々改善の185日

小雪のちらついた開幕日

「愛・地球博」の開会式は開幕前日の3月24日午後2時から天皇皇后両陛下、名誉総裁である皇太子殿下、小泉純一郎《こいずみじゅんいちろう》内閣総理大臣等、1970年大阪万博と同様のVIP列席者のもと、盛大におこなわれた。

そしてついに開幕当日3月25日を迎える。開幕式は午前9時から長久手会場北ゲートおよび瀬戸会場ゲートで行われ、当日の一般入場は9時30分からの予定だった。その日、会場周辺は小雪がちらつく真冬なみの寒さだった。その寒い中、ゲート前には朝早くから多くの人々が開場を待っていた。そのため開場時間を早め、9時20分に開場することになった。

多くの人がかかわり、会場問題等の難局を乗り越えどうにか開催にこぎつけた「愛・地球博」。

この日やっと開幕を迎えた。

しかし、初日の入場者数は4万3023人に終わった。会期185日間で目標入場者数1500万人。目標を達成するためには、単純に割り算すると1日8万1081人の入場者数が必要である。しかし、初日はその半分程度に終わった。

初日は金曜日だったので、翌日からの土日に期待がかかる。

「愛・地球博」開会式
第86話の写真・画像いずれも
©GISPRI

しかし、26日（土）は4万6115人、27日（日）も5万6597人と冴《さ》えない。その後もずっと10万人未満が続いた。

関係者は心配になってきた。出展しているパビリオン関係者も不安になる。「愛・地球博」の前に開催された万博、2000年ハノーバー万博で想定4000万人のところ1810万人しか来場者がなかった悪夢が頭をよぎる。2004年フランス・セーヌ＝サン＝ドニ万博も中止となった。そもそもインターネットの時代、万博が役割を終えたという主張も世界を席巻《せっけん》していた。

中村利雄事務総長の名文句

博覧会協会の中村利雄《なかむらとしお》事務総長は毎週木曜日午後3時からを基本に、定期的に記者会見を実施していた。この不調ぶりを見た記者たちに、開幕後すぐの時点で「今の入場者数をどう思うか」「目標入場者数を下げた方がいいのでは？」と聞かれたとき、

「悲観も楽観もしていない」

とお答えになっていたのが17年経った今でもとても印象に残っている。今回本書をまとめるにあたり、このあたりの当時の本音を、ご本人にお会いして聞いてみた。内心実は不安だったのか、あるいは自信があったのか。

「実際に悲観・楽観半々くらいだった。旅行代理店等にヒアリングしたところ、チケットは相当程度売れていた。また、過去事例を調べると、万博は会期が6カ月あるので、

当初は様子見している人が多いということも把握していた。1970年大阪万博でも最初のころの入りは悪かった。言葉どおりそれほど悲観もしていなかったが、かといって楽観もしていなかった」

というお答えであった。打つべき手はすでに打ったはずであり、チケットも売れており（前売り券は開幕前に目標800万枚を大きく上回る938・8万枚売れていた）、ゴールデン・ウィークころからの団体バスの駐車場予約等見えている部分はあった、ということだろう。

「悲観も楽観もしていない」という言葉は他にも転用可能な（？）「愛・地球博」が、そして中村事務総長が生んだ名文句であるといっていいだろう。

そして、ついに、初めて10万人を超えたのが4月23日（土）。11万2332人が入場、その次の24日（日）も10万7468人が入った。そしてゴールデン・ウィークを迎えると10万人超えの日も珍しくなくなってくる。ゴールデン・ウィーク後にまた10万人を切る日がしばらく続き、関係者をやきもきさせたが、5月中旬以降は、ほぼコンスタントに10万人超えの日が続くようになってきた。この辺りからスタッフの間にも安堵感が漂うようになり、「どうもこの万博は成功のようですね」という楽観論が支配的になってきた。

しかし油断は禁物、今度は多すぎる来場者への対策、サービスの改善、暑さ対策等が必要になってきた。

天皇皇后両陛下と中村利雄事務総長

「日々改善」の185日

博覧会協会は「日々改善」の努力を継続していた。

「問題があれば3日以内に結論を出す」

をモットーに、柔軟でスピーディな運営改善が実現していたのだ。その結果、会場の運営改善にかけた費用総額は80億円にも上った。そのうち30億円は雨除け・日除けのためのものであった。

6月以降、入場者が増え、しかも暑くなってくる。暑くなってくると熱中症等のリスクも高まる。暑さ対策は来場者の安全を確保するためにも非常に重要なものだった。そのためにドライミスト等の先端技術も取り入れられた。また飲料水の無料配布、観客輸送体制の見直し、来場時間の平準化、会場内の混雑緩和など、さまざまな「日々改善」を徹底的に実践した。

具体的には、4月1日手作り弁当持ち込み解禁、4月26日には長久手会場の開場時間を午後10時までに延長、5月7日には地球市民村に日除け・雨除けを設置、6月1日に全期間入場券専用改札装置運用開始、そして6月18日には無料給水サービス開始、といった具合だ。

キーワードは「観客の安全かつ効率的な輸送」「場内における来場者の満足」「集客の平準化」の3つとされ、当初は入場者数が振るわず入場料収入の確保が見えない中、しかしこれらのためには費用をつぎ込む、という重要な英断だった。

「愛・地球博」に対する祝意と賛辞

また、来場者向けだけでなく、外国パビリオンなど公式参加者に対しても、誠実で迅速《じんそく》な対応がおこなわれ、ＢＩＥも参加各国も、協会を全面的に信頼するようになっていく。

その証拠として、会期半ばの２００５年6月にパリで開催されたＢＩＥ総会において、『愛・地球博』に対する祝意と賛辞」という前例のない宣言文が採択された。中村事務総長は、「公式記録」の中で次のように述べている。

「6月24日、パリのＢＩＥ総会で愛・地球博の中間報告を行ったが、その際、ＢＩＥは『愛・地球博に対する祝意と賛辞の決議』を満場一致で採択した。このような前例のない決議の採択は、正念場にあった万博に対するＢＩＥの危機意識の表れと同時に、参加国の高い満足度を示したものであり、我々に対する激励でもあった。この決議の文面にこそ、万博に対する諸要請と評価が集約されているように思う。」

各国の代表も参加する運営委員会最終報告書では、「博覧会協会が信頼できる相手として認められ、博覧会協会の的確な対応が評価され、この国際博覧会は大成功を収めた」という総括を得た。

目標を大きく超える来場者数と１４０億円の黒字

終わってみると「愛・地球博」は目標の１５００万人を大きく超える２２０４万９５４４人という来場者を記録した。夏休み中の8月18日には目標としていた１５００万人を達成、9月16日には２０００万人達成、そして、9月18日（日）に、

大人気のマスコット「モリゾー」と「キッコロ」

1日あたり入場者数が会期中最高となる28万1441人を記録した。筆者もその日会場にいたが、とにかく人、人、人で大変な賑《にぎ》わいだった。

結果、好調の入場者数により「愛・地球博」の事業収支は好転し、結果的には約140億円の黒字を計上することになった。また、総計7兆7000億円に上る経済波及効果が生みだされた、と記録されている。

思えば開幕当日は4万3023人しか入らなかった。しかし結果的には、この雪のちらついた初日が、会期中「最少」入場者数を記録した日となったのである。

87 「愛・地球博」が泣いた！ ミスチルが奏でた伝統の「赤十字館」

1867年初出展の伝統を持つ「国際赤十字館」

2005年に開催された「愛・地球博」。大規模なパビリオンが人気を集めるなか、「グローバルコモン2」に敷地面積324平方メートルと小規模ながらも、熱烈な人気を得たパビリオンがあった。

佐野常民《さのつねたみ》が1867年パリ万博で見て感銘を受け、日本でも赤十字が必要だと思い立ったという「国際赤十字館」。国際赤十字は1867年パリ万博に初めての出展をす

長久手会場

るとともに、記念すべき第1回赤十字国際会議がこの年8月にパリで開催されていた（第22話〜24話）。

この伝統の「国際赤十字館」が「愛・地球博」でも出展していたのである。

最近では「国際赤十字・赤新月《せきしんげつ》運動」として万博に出展しており、今回のパビリオン名も「国際赤十字・赤新月館」であった。国際赤十字はご存知の方が多いと思うが、「赤新月」とは聞き慣れない方も多いのではないだろうか。

「愛・地球博」の今も残る公式ホームページには次のようにある。

「国際赤十字・赤新月運動は、戦場において差別なく負傷者を保護することを目的に1863年にスイスで誕生したのが始まりであり、赤十字条約（ジュネーブ条約）には192カ国が加入し、日本は1887年に加入した。現在は、赤十字国際委員会、国際赤十字・赤新月社連盟、各国赤十字・赤新月社の3つの機関の活動を総称して「国際赤十字・赤新月運動」（International Red Cross and Red Crescent Movement）と呼び、世界各地で武力紛争犠牲者保護のみならず、災害救援、疾病《しっぺい》予防、社会福祉事業をも行っている。」

「赤十字」のマークがキリスト教を連想させる十字を使っているので、同じ志を持つ多くのイスラム教の国では、その代わりに新月（三日月）を使っているのである。これが「赤新月」である。実は基本的にどちらのマークも宗教的な意味はなく、赤十字のマークは、創設者アンリ・デュナンの祖国・スイス国旗の色を反転させたもの、赤新月のマークはオスマン帝国の国旗の色を反転させたものとなっている。

ミスチルが奏でた国際赤十字・赤新月館
第87話の写真いずれも
©GISPRI

なので、いずれにしてもこのパビリオンは、１８６７年パリ万博の「国際赤十字館」の精神を21世紀まで引き継いだものといえる。

感動を誘った『タガタメ』

さて、今回の「国際赤十字・赤新月館」は３つのゾーンで構成されていた。まずは「ギャラリー・ゾーン」。これはこのパビリオンのイントロダクションともいえるゾーンで「国際赤十字・赤新月運動」の歴史や活動が紹介されている。

そして、メインのシアターへと入る。

この「マインド・シアター」と名付けられたシアターでは、リラックスできるソファーのような座席に座ると、天井に設置された４面の大スクリーンに約７分間の映像が流れる。しかしそれがただの映像ではなかった。

世界中の戦争、地震や津波といった自然災害、疾病等によって苦しんでいる人たちの姿を、あの Mr. Children が特別提供したメッセージ・ソング『タガタメ』に合わせて淡々と流していく、というもの。しかし、この演出方法が素晴らしく、鑑賞した人の多くが感動を抑えきれず涙した。

十数年経った今も、ときにメディアから、

＊

子供らを被害者に 加害者にもせずに
この街で暮らすため まず何をすべきだろう？
でももしも被害者に 加害者になったとき

「マインド・シアター」内部

出来ることと言えば
涙を流し 瞼を腫らし
祈るほかにないのか?

＊

と歌う桜井和寿《さくらいかずとし》氏の声が流れてくるたびにあの感動がよみがえってくるようだ。

来場者から寄せられたメッセージ

またシアターの後には、映像観賞後の感想を書く３つ目のゾーン「メッセージ・ゾーン」があった。そこに書かれた、来場した人たち、子供たちからのメッセージを読んで、再び涙を抑えきれなかった人も多かった。

「愛・地球博」で一番「泣けるパビリオン」だったといっていいであろう。

あのころは、まだその6年後に日本で未曾有《みぞう》の大災害が起こるとは誰も予想していなかった……。

ちなみに、２０１１年の東日本大震災にあたって、日本赤十字社は世界から届いた１０００億円の海外救援金で医療救護活動、救援物資の配布等の大規模な支援活動をおこなった。素晴らしいのはその報告をちゃんとウェブでおこなっていることで、ご関心のある方はぜひ日本赤十字社のホームページを訪れてみてほしい。あの佐野常民の志が立派に継承されていることが実感できるだろう。＊

ＪＡＳＲＡＣ 出２２０１１８４-２０１

「メッセージ・ゾーン」

＊ https://www.jrc.or.jp/shinsai2011/

さて、このパビリオン、開会当時はそこまで混雑しておらず、筆者などはまだ空いているうちに並ばずに入ることができたくらいだった。しかし、そのうちクチコミ等で評判が広がった結果、長い待ち列ができるようになり、「愛・地球博」の人気館の仲間入りを果たしたのである。

88 「愛・地球博」で褒賞制度が復活！

約半世紀ぶりに復活した褒賞制度

１９５８年のブリュッセル万博が最後となっていた万博の褒賞《ほうしょう》制度（第3話）。

２００５年「愛・地球博」で新しい形で復活していた。

「愛・地球博」の公式ホームページによると「１９５８年のブリュッセル万博が最後となっている褒賞制度が約半世紀ぶりに復活しました。表彰式は9月24日（土）のＢＩＥデーに行われました。」とある。

実は、「愛・地球博」開催直前の２００４年12月16日の第１３６回ＢＩＥ総会において、「褒賞に関する第14号特別規則」が承認されており、それに従って褒賞を復活することになったのだ。

「愛・地球博」での褒賞は以前とは異なり、その対象は「公式参加者」に限られており、企業等は対象ではない。したがって、企業や産品は含まれておらず、過去の万博のように、エルメスが銀メダルを獲《と》った、とかバカラが金メダルを獲ったというような仕組みではない。

テーマ重視の賞に進化

また、その賞も、名前や目的について明確に決められている。万博のあり方が変わって、当然褒賞の考え方や基準も変わってきたのだ。

今回の褒賞復活にあたって最も重視されたのは、各国の出展内容が「愛・地球博」のテーマ「自然の叡智《えいち》」に沿ったものだったか、それがうまく、広く来場者に伝わったか、といった視点である。

そしてその褒賞の名も「自然の叡智賞」。対象は前述したように１２０カ国の公式参加国ならびに国際機関など、公式参加者のパビリオンである。日本館や自治体、企業パビリオンは対象外となっている。日本館が除かれたのは、主催国が自ら賞を取るというのも公平性が保たれないからだと思われる。審査は呉建民《ウージエンミン》ＢＩＥ議長、ロセルタレスＢＩＥ事務局長、フィリプソン国際諮問《しもん》委員会委員長等日本人含め９名の識者によって構成される「審査委員会」によっておこなわれた。

同規模のパビリオン内での金・銀・銅

審査と褒賞は２回おこなわれた。

第１回褒賞は「自然の叡智」の具現化に向けた公式参加パビリオンの外観、内装および展示内容などが評価され、賞が決定している。これは会期始まって約2カ月経過した２００５年5月26日に発表された。

ジャンルとしては、カテゴリーＡ（4モジュール以上）、Ｂ（1・5〜3モジュール）、Ｃ（1モジュール以下）、Ｄ（共同館）に分かれており、それぞれに金賞、銀賞、銅賞がもうけられた。

ちなみにモジュールというのは各パビリオンの敷地面積の単位で、１モジュールは３２４平方メートル（18メートル×18メートル）。つまり4モジュール以上というのは大型のパビリオンであり、１モジュールというのは小型のパビリオンということになる。

たとえば、アメリカ館や中国館は１６２０平方メートルで5モジュール、イエメン館や第87話で登場した「国際赤十字・赤新月《せきしんげつ》館」は３２４平方メートルで1モジュールといった具合だ。

結果、この第1回褒賞では、カテゴリーAで韓国館、カテゴリーBでトルコ館、カテゴリーCでフィリピン館、カテゴリーDでベネズエラ・ボリバル共和国（アンデス共同館）が金賞を受賞している。

そして、会期末の9月に第2回褒賞がおこなわれた。第2回褒賞では、「自然の叡智」のテーマに基づき、「自然保護、生物多様性、文化多様性、相互理解、国際交流の促進など、今日のグローバルな問題を解決するため、世界に向けて発信している公式参加者のメッセージが評価」された。結果、カテゴリーAでドイツ館、カテゴリーBでメキシコ館、カテゴリーCでオランダ館、カテゴリーDでは再びアンデス共同館が金賞を受賞している。この結果は、会期末間近の２００５年9月19日に発表された。

第1回褒賞で金賞に輝いた韓国館
第88話の写真いずれも
©GISPRI

カテゴリーAの金賞は韓国館・ドイツ館へ

ちなみに、第1回褒賞で金賞をとった韓国館は、陰陽《いんよう》五行《ごぎょう》思想の五行の運気と直結した基本色とされる「青」「赤」「黄」「黒」「白」をテーマ色として展開されていた。「青のゾーン」では「水」を、「赤のゾーン」では「火」を、「黄のゾーン」では「土」を、黒のゾーンでは「炭」を、白のゾーンでは「光」をそれぞれモチーフにして、ウォータースクリーンやOLED（有機発光ダイオード）等の先端映像技術を活用したり、実際の陶磁器の展示をするなどして、来場者へのプレゼンテーションがおこなわれた。

第2回褒賞で金賞に輝いたドイツ館では、バイオロジーとテクニクスの合成語であるバイオニクスという言葉から「ビオニス」という単語を作り、この新しい単語をテーマとした。自然を研究することで発展・実現した技術や、近未来に実現するだろう技術を紹介した。

たとえば、サメの肌にヒントを得た競泳用水着、ペンギンの流線型の体を模した小型潜水艦や航空機、車両や水中船。鳥の羽にヒントを得た航空機の羽などである。

ドイツ館では、外国パビリオンでは珍しかった「ライド」型の展示を取り入れ、来場者はこの「エクスペリエンス・ライド」で6人乗りのキャビンに乗ってジェットコースター気分を楽しみながら9つのエリアを体験し、「ビオニス」の歴史を学ぶことができた。また、ライドを降りた後の「エクスペリエンス・ラボ」では実際に技術を体験することができた。

第2回褒賞で金賞に輝いたドイツ館

このように、「愛・地球博」では以前とは違った形で、しかし万博の目的からすると非常に理にかなった方式で褒賞制度が復活したのである。

89 「愛・地球博」後の褒賞制度

上海万博に引き継がれた新しい褒賞制度

「愛・地球博」では、以前の褒賞《ほうしょう》制度からは進化した形で新しい「褒賞制度」が復活した。そしてこの制度は2010年上海《シャンハイ》万博にも同じような形で受け継がれていく。規模によってカテゴリーA～Dに分かれているのは同じだが、今回は「テーマ展開」「創造的展示」「パビリオンデザイン」という3つの視点でそれぞれ金、銀、銅賞が与えられた。

それでは、カテゴリーA（大規模パビリオン＝6000平方メートル）の金賞獲得のパビリオンを見ていこう。

「テーマ展開」ではドイツ館、「創造的展示」ではサウジアラビア館、「パビリオンデザイン」ではイギリス館が選出されている。

まず、ドイツ館は、「バランシティ」（「バランス」と「シティ」を合わせた造語）と名付けられたパビリオンを展開した。上海万博のテーマ「ベターシティ・ベターライフ」に合

上海万博サウジアラビア館
photo by Jens Schott Knudsen
(CC BY 2.0)

わせて、リニューアルと保護の、イノベーションと伝統の、都市化と自然の、社会と個人の、仕事とリクレーションの、そして最後に、グローバリゼーションとナショナル・アイデンティティの間の「バランスの取れた都市」をプレゼンテーションした。ドイツ館はいつも真面目にテーマに取り組んでいるという印象だ。

サウジアラビア館は上海万博で人気のパビリオンで、いつも長蛇の列。現場で最大11時間待ちの表示を目撃したことがある。朝並んで夜やっと入れるという感じだが、IMAX《アイマックス》を活用したダイナミックな映像が人気の要因だった。

「Seed Cathedral」（中国語では「種子聖殿」）と名付けられたイギリス館は、とにかくパビリオンのデザインがユニークだった。全体としてはタンポポの綿のような形だが、それは6万本の細長いアクリル線の集合体で、その根本には一つ一つ異なる植物の種子が入っている、という、建物というよりはコンセプトアートのようなもので、一度見たら忘れられないものであった。

日本館は上海で銀、ミラノで金

ちなみに、日本館はカテゴリーAの「創造的展示」で銀賞を獲得している。金賞を獲得したサウジアラビア館含めほとんど全てのパビリオンを見た筆者の目から見れば、外観デザインや内容でも余裕で金賞でもおかしくなかったと思うが、この結果は、2010年9月7日に発生した尖閣《せんかく》諸島中国漁船衝突事件に端を発した、中国における大規模な反日デモ等の影響が多少ともあったのではないかと個人的には睨《にら》んでいる。その影響で日本館でも反日運動家がスクリーンに卵を投げつける等の事件が起こった。過

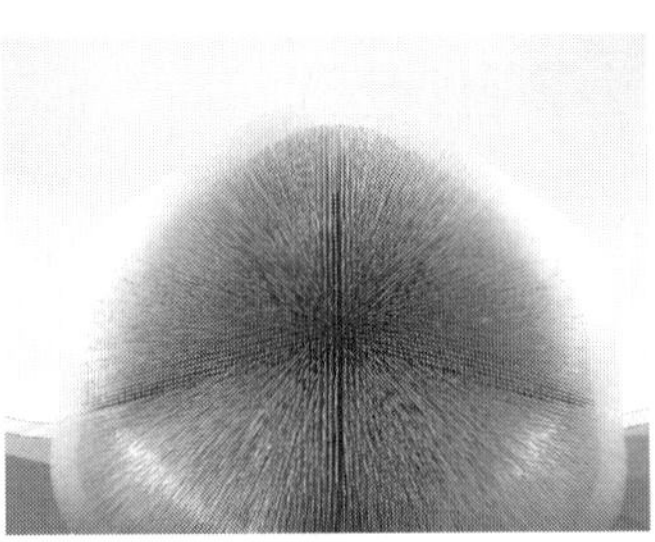

上海万博イギリス館
photo by Carsten Ullrich (CC BY-SA 2.0)

上海万博日本館

去5年くらい上海に通ってずっと反日運動はなかった（むしろ基本親日の人が多かった）ので個人的には幸運な日々だったが、一度何か起こるとすぐに仕事に影響してくる。特に万博は結局は政治から逃れられない運命なのだ。

さて、褒賞制度であるが、その後の2015年ミラノ万博でも「パビリオンプライズ」として継続している。日本館は「Harmonious Diversity ── 共存する多様性 ──」をテーマとしたパビリオンで、「2000平方メートル超の自己建築型パビリオン」の「展示デザイン部門」で金賞を受賞している。*

このように「愛・地球博」で復活した新しい褒賞制度は、現在にいたるまで万博に確実に継承されているのだ。

*2022年3月31日に閉幕したドバイ万博でも日本館は「展示部門」で金賞を受賞した。

90 「愛・地球博」への世界からの「祝意と賛辞」

BIEの「祝意と賛辞の決議」を改めてとらえ直す

その会期中の2005年6月24日、パリで開催されたBIE総会で「『愛・地球博』に対する祝意と賛辞の決議」が満場一致で採択されたという「愛・地球博」（第86話）。

その理由は順調な入場者数や運営上の迅速《じんそく》な対応だけではなかった。万博にとって、この万博は何のために開催され、それが達成できたか、ということが一番重要なはずである。

1994年6月8日のBIE総会で「すべての万博は、地球的規模の課題の解決に貢献するものでなければならない」とする決議が採択されたことは以前にも書いた（第83話）。「愛・地球博」はこの決議に正面から真摯《しんし》に取り組んだ最初の万博になったと思うが、結果はどうだったのか。

この万博のテーマは「自然の叡智《えいち》」だった。英語では「Nature's Wisdom」。当初、欧米の人たちからは「自然に叡智などない、人間にこそ叡智があるのだ」と理解を得るのは難しかった。しかし、これからの人類と自然や環境の共生、持続的発展を考える上では、この一見西洋の人たちにはわかりにくい東洋的な思想を貫いたことが重要であった。過去の万博を学んだ上で、この万博を評価するにはいくつかのポイントがあると思う。再度、「公式記録」をもとに主に3つのポイントとして振り返ってみたい。

第1のポイント：テーマへの真摯な取り組み

第1の、そしてすべての前提になるポイントは、やはりテーマに真摯に取り組んだ、ということだろう。単にお題目としてのテーマ、という扱いではなく、本気でそのテーマに取り組むという姿勢だ。

地球温暖化や環境問題等は待ったなしの地球的課題だ。こういった課題に対して、解決に向けてどんな最先端技術があり、それらがどう役に立つのかを来場者に体験してもらおう、という姿勢であらゆる企画がたてられ、それらが実現されていた。

たとえば燃料電池やソーラーパネル、複数の新エネルギーを組み合わせた次世代エネルギー。ちなみにこれらの次世代エネルギーは、博覧会協会管理施設と日本政府館の電力を100パーセント賄《まかな》うことができるだけの実用能力を備えていたのである。

また、「愛・地球広場」巨大スクリーン裏には「バイオ・ラング＊」という大規模な緑化システムも設置された。会場内のレストランでは、会期中、トウモロコシを原料にした生分解性プラスチックの食器1000万個を使って食事が提供された。我が家では、いまだに「愛・地球博」終了後にいただいた生分解性プラスチックの食器用トレーが活躍していたりする。

博覧会協会のガイドライン

2005年は、京都議定書の発効年であった。2003年には博覧会協会は「エコ宣言」を発表、全ての参加者がおこなうべき、環境に配慮した取り組みについての基本方針を定め、遵守《じゅんしゅ》すべき細かなガイドラインを作成し、その徹底を図った。たとえば会場の自然を改変せず、公園となっていた既改変地のみに施設を建設するといった会場づくりをおこなった。

また、環境影響評価（環境アセスメント）を、会期前、会期中、会期後に徹底しておこなった。撤去工事を含む種々の工事、整備、催事実施等の影響、また、大気質、騒音、振動、

＊200種類20万株を使った、世界最大規模の植物の壁。長さ150メートル、高さ約12メートルの巨大サイズだった。

汚れやカケなどの試験（左上）を経て、会場内のレストランでは、トウモロコシを原料にした生分解性プラスチックの食器が使われた
©GISPRI

地形・地質、動植物、生態系、景観、廃棄物、温室効果ガス等の予測・評価を実施した。２００６年３月時点で、環境への影響はおおむね回避されている、と記されている。

そしてもちろん、マンモスプロジェクトもテーマを訴えるためのものであった。

このようにテーマに向かって真面目に取り組んだ姿勢が、これからの万博の一つの新しいモデルを示し、世界から惜しみない評価、「祝意と賛辞」を得たといえるだろう。

91 「ロボット」、「最先端テクノロジー」にあふれた万博

第２のポイント：最先端科学技術・最新展示映像技術のプレゼンテーション

「愛・地球博」の評価の第２のポイントは、やはり万博のＤＮＡともいえる最先端科学技術・最新展示映像技術のプレゼンテーションということだろう。最先端科学技術や最新展示映像技術は、テーマを訴求するのに効果的であるだけでなく、それ自体を見るのを楽しみに来る人も多く、集客力もあるものである。具体的にどんなものがあったのか、「公式記録」の記述をもとに紹介していこう。

「トヨタグループ館」

第91話の写真いずれも©ＧＩＳＰＲＩ

「トヨタグループ館」のロボット楽団「コンチェロ」

ロボットの万博

「愛・地球博」は「ロボットの万博」でもあった。３月24日におこなわれた開会式も、トランペットを吹くトヨタのロボットや、ホンダのアシモが登場して盛り上げた。

「トヨタグループ館」では、楽器演奏が7台、ＤＪが1台で構成されるロボット楽団「コンチェロ」に加え、「i-unit（アイユニット）」や「i-foot（アイフット）」という今まで見たこともないような洗練されたデザインのモビリティの手段が、音楽に合わせて実際にステージを動き回り、未来の生活を予感させた。そして福川伸次《ふくかわしんじ》氏の「私の履歴書《りれきしょ》」（第84話）にある、マンモスと並ぶ立派な「目玉」となっていたのである。

「プロトタイプロボット展」ではロボット65体が集合。美貌の司会ロボット、人とワルツが踊れるダンスロボット、太鼓が叩けるロボット等が登場した。

「ロボットステーション」では２０１０年に実用化を目指す「接客」「警備」「チャイルドケア」「車いす」「掃除」の５分野９種類のロボットが展示され、実際に働き、来館者がいつでもロボットと触れ合うことができた。

ユニークな展示技術の数々

また、展示映像技術も最新のものやユニークなものが展開されていた。

「グローバル・ハウス」についてはすでに述べたが（第85話）、その他にも特筆すべきものはあった。

「三井・東芝館」では、来館者は20人ずつ12のグループに分けられ、そこで３Ｄスキャナーで一人ひとりの顔が瞬時にＣＧ化され、映像の登場人物として活躍する、という「世

「三井・東芝館」

「日立グループ館」

界初」の「フューチャーキャスト」というシステムがお目見えした。自分や家族の顔が突然映像に出てくるので面白いし、ストーリーが自分ごと化できるすぐれた映像システムだった。

「日立グループ館」では、MR（Mixed Reality）技術を採用し、スコープ越しに3DCGで現れる希少動物にハンドセンサーで餌を投げたりして、双方向のコミュニケーションを楽しむことができた。ライドとこのMRの組み合わせでたいへんな人気を博した。

「JR東海　超電導リニア館」（東海旅客鉄道株式会社）では、縦10メートル×横18メートルの3Dハイビジョンで、超電導リニアの浮上する瞬間や時速500キロで疾走するシーンが体感できた。また実車「超電導リニアMLX01-1」も展示されていた。1939年のニューヨーク万博でレイモンド・ローウィが手がけた流線型の蒸気機関車が屋外展示されていたことや、1970年大阪万博の日本館で早くもリニアモーターカーの模型が走っていたことが思い起こされる。

「ワンダーサーカス電力館」（電気事業連合会）では、ロボット運転手が案内する電車型ライド「フク丸エクスプレス」に乗って8つのシーンを楽しむことができた。ライドの一部は外部の会場が見えるところもあったりして変化のあるライドであった。

「夢見る山」（中日新聞プロデュース共同館組織委員会）では、テーマシアター「めざめの方舟《はこぶね》」が展開された。これは、世界初の「床面プラズマ・マルチ・

「JR東海　超電導リニア館」

「夢見る山」

「ワンダーサーカス電力館」

「ガスパビリオン」

マルチ・ディスプレー・システム」を駆使した、床面映像などによる体感型映像空間だった。このシアターでは押井守《おしいまもる》監督総合演出の映像が展開され、押井ファンをはじめとして大きな人気を集めた。

「ガスパビリオン」（社団法人日本ガス協会）では、「炎のマジックシアター」で映像と俳優による演技を組み合わせた12分間のライブショーが連日上演され、不思議な炎のマジックが人気を得た。ライブショーを連日185日間実施しつづけるという困難なチャレンジは無事成功した。

「三菱未来館＠earth もしも月がなかったら」（三菱愛知万博綜合委員会）ではロボット「wakamaru ワカマル」が登場した。そのメインシアター「IFXシアター」は客席326席を備え、「巨大映像とミラー、音響などの効果を複合させることで未体験映像空間に変貌する」という壮大なものだった。

「ワンダーホイール　展・覧・車」（社団法人日本自動車工業会）は、第41話にも登場した1893年シカゴ万博で登場した「観覧車」を、パビリオンの演出装置として活用した「万博史上初」のパビリオンだった。演出がない部分の上空に飛び出たときは万博会場の様子が一望できるという、「観覧車」としての機能も兼ね備えた画期的な「パビリオン」だった。

「長《なが》久《く》手《て》日本館」（日本国政府《経済産業省》）では、「世界初」の「360度全天球型映像システム」（直径12・8メートル。地球の100万分の1スケール）が展開され人気を博していた。この「地球の部屋」と名付けられた空間

「三菱未来館＠earth もしも月がなかったら」

「長久手日本館」

「ワンダーホイール 展・覧・車」

「長久手愛知県館」

では、足元から頭上までの継ぎ目のない映像を体験できた。観客は真ん中を貫《つらぬ》くブリッジの上から周囲全部映像という不思議な感覚を楽しむことができた。

「長久手愛知県館」でもライブショーがおこなわれた。「地球タイヘン大講演会」というもので、「地球温暖化による危機と、それに立ち向かう人類の英知としてのモノづくりを訴える『江《え》古《こ》野《の》守《まもる》博士』の講演会」という設定だった。約20分間のステージショーが連日おこなわれ、多くの観客を楽しませた。

「名古屋市パビリオン『大地の塔』」は、高さ47メートルという巨大な塔だった。藤井《ふじい》フミヤ氏がプロデュースしたもので、この塔の内部は、直径40メートルもの球体をした万華鏡《まんげきょう》となっていた。天気や太陽の動きによってその万華鏡の表情は刻々と変化した。この万華鏡はギネスワールドレコードに「世界最大の万華鏡」として認定されている。

以上、企業パビリオン、政府・地元自治体パビリオンを中心に、主だったパビリオンの展示映像技術を簡単に紹介したが、書いているうちにあの2005年にタイムスリップしたような思いがしてくる。それぞれのパビリオンはそれぞれの関係者の最大限の努力によって製作・運営され、一つ一つが、丹下健三のいう、「万博に咲いた非常に華やかな花」になっていたと思う。

それぞれその演出内容において「自然の叡智《えいち》」というテーマにもしっかり取り組まれており、「愛・地球博」ホームページ上でも「パビリオンについて」や「環境への取り組み」といったコーナーを設けてその取り組みを紹介していた（今でも閲覧可能）。

「名古屋市パビリオン『大地の塔』」

会場内情報ディスプレイ

万博史上初の観覧予約システムと先端的情報配信システム

また、来場者へのサービスとしては、ＩＣチップ入り入場券を利用した観覧予約システムが導入された。これは万博史上初の出来事であった。

また会場へのアクセスを支援するため、ケータイやパソコン、会場周辺駅での情報ディスプレイ等を活用して、交通機関運行状況、混雑情報等のリアルタイム配信をおこなった。また、「情報センター編集室」を設置し、動画による取材映像等も含めさまざまなデータを、ケータイ、パソコン、情報ディスプレイ等のデバイス特性に合わせて編集・編成・配信管理をおこなった。

「愛・地球博」は、来場者の多くがケータイを持つという初めての万博であったが（スマホはまだなかった）、携帯サイトにも会期中1億ページビューのアクセスがあり、ケータイへの情報提供は非常に有効であった。

また、会場内外では化石燃料を低減した各種次世代型新交通システム（ＨＳＳＴリニモ、ＩＭＴＳ無人隊列バス、燃料電池バス、電動トラム等）が導入された。

このように、「愛・地球博」ではさまざまな初めての試みがなされており、それが万博の集客や効率的な運営に寄与するとともに、テーマ訴求に大きく貢献したのは間違いないところであろう。

「ＩＭＴＳ無人隊列バス」（右）、「ＨＳＳＴリニモ」（左上）、「燃料電池ハイブリッドバス」（左下）

92　万博の新しいトレンド――市民参加

第3のポイント：市民参加

そして、第3のポイントとして、万博の新しい試み――「市民参加」も高く評価された。今までの万博は、「見せる側」（国、国際機関、自治体、企業等）と「見に行く側」（市民）が分かれており、市民が万博でいろいろなテーマでいろいろなプロジェクトを幅広く展開する、という本格的な実例はなかった（1876年フィラデルフィア万博の「婦人館」等の個別事例を除く）。

「愛・地球博」ではボランティア、ＮＧＯ、市民団体の参加を積極的に促した。「自分たちにも、地球的課題の解決のためにできることがある」と一人ひとりに感じてもらうことが一番重要だという考えからだ。

目標を大きく上回る2・7万人が登録したボランティアセンター

ボランティアセンターには、目標1・5万人を大きく上回る2・7万人が登録した。また、瀬戸《せと》会場の「市民パビリオン」では、海外との連携プロジェクト約70件を含む235件もの市民プロジェクトが実施された。内容は、地球温暖化や持続可能な開発、循環型社会等の地球的課題について、市民の連携を図るための対話イベントやワークショップ、といったものだった。

長久手会場の「地球市民村」では、ＮＰＯ／ＮＧＯが主体となっ

「市民パビリオン」
第92話の写真いずれも
ⒸＧＩＳＰＲＩ

て各1カ月という長いスパンでプログラムを展開した。公募・審査を経て選ばれた国内のNPO/NGO 30団体+そのパートナーとなる海外NPO/NGO 47団体、および国内のNPO/NGO 15団体が選出され活動をおこなった。開会翌日に「来村」した、ノーベル平和賞受賞者ワンガリ・マータイ ケニア環境副大臣から「(地球市民村は)『愛・地球博』のたましいです」と称賛の言葉をいただくほど高く評価されたものであった。

来場者の行動変化を促す試み

そして「愛・地球博」といえば「ゴミ箱」を思い出す方も多いだろう。会場内では、来場者にゴミを9種類に分別してもらい、リサイクルに回す試みがなされた。来場者はみんな真面目に、楽しみながらゴミ分別をおこなっていた。

また、日常生活での買い物の際にレジ袋を断るなど、環境に配慮した行動によってポイントがたまる仕組みであるEXPOエコマネー等、人々の行動変化を促す試みも実施され、会期中21万5000人を超える人々が登録した。現在では一般のお店でもレジ袋が有料化され、エコバッグを持ち歩く人が増えている。これも万博が人々の行動変容を実際に促したともいえる。こういったことも立派な市民参加といえるだろう。

「地球市民村」

また、博覧会協会は、客観的な評価を得るため、会期3カ月目の7月から、数次にわたってより詳細な調査を実施した。

内容はテーマがちゃんと具現化されているかどうか、や、本当に理解されたかどうか等であった。

この調査にはアンケート、グループインタビュー、直接面談などの方法がとられたが、特に10代の来場者は、90パーセント以上が万博のテーマに対して実感・理解を示し、95パーセント以上が今後こうした活動に積極的にかかわっていきたいと回答したという。今の20代～30代の人たちだ。「愛・地球博」が新たな社会を築くための行動喚起をしたことが示されている。

BIEが高く評価した市民参加

オーレ・フィリプソンＢＩＥ名誉議長は、「公式記録」で、

「市民参加は非常に目新しいことで、そのＮＧＯの参加ということが『愛・地球博』の最大特徴、特記すべき成果」

と指摘している。

これまで多くの万博で、市民はただ「私＝見に行く人」であったことを考えれば、市民参加がこれほど本格的に実施されたのは画期的な出来事だったといえるだろう。

また、ロセルタレスＢＩＥ事務局長も「公式記録」に寄せた文章で、「愛・地球博」で共有された経験が、今後の万博運動と全人類にとってかけがえのないものになり、

ＥＸＰＯエコマネーセンターでは、ポイントをエコ商品に交換できた

ＥＸＰＯエコマネーのポイントは入場券に内蔵されたＩＣチップにためることができた

「愛・地球博」は卓越した無形遺産を作り出した、とした上で、

「今後開催される国際博覧会が、『愛・地球博』から学ぶべきもう一つの点は、市民の直接参加です。……世界的意味を持つ活動に愛知県のNGOや非営利グループに所属する身近な人々が関与したということに、多くの人が驚きを感じました。小さな一歩を重ねることが地球規模の効果に結びつくことを人々に気づかせたことは、『愛・地球博』の大きな功績です。」

と述べている。

また、第78話で述べた、大阪花博由来の「BIEコスモス賞」は、「国際博覧会における時代の革新と社会の進歩に貢献する市民活動」を顕彰するものとして「愛・地球博」開催後の2008年に創設され、万博が開催されるたびに個人、あるいはグループによる非営利の活動を表彰している。

「愛・地球博」での「市民参加」の導入の試みは、世界から高く評価され、その後の万博では、市民参加が必須のものとして認識されているのである。「愛・地球博」は、「市民参加」という万博の大きな転換点を築いた万博として、万博史に名前を残すことになろう。

93 「愛・地球博」後の万博

現在の万博の「種類」

万博が衰退したかに見えたネットの時代に、大成功裡に終わった2005年「愛・地球博」。

さて、その後の万博はどうなっているのだろうか。「愛・地球博」以前のように再び万博運動は低迷していないか。あるいは、「愛・地球博」をきっかけに勢いを取り戻しているのか。

さて、その前に、万博といってもいろいろと種類があるが、そのカテゴリーのルールはどうなっているのか。専門的には、後述のように、時代によってその時々の博覧会条約のもとでの異なった条件と区分けがあるが、まずは現時点のものをここで簡単に整理しておこう。

現在、BIE（博覧会国際事務局）のホームページでは4種類のEXPOに分かれている。「World Expo（登録博）」「Specialised Expo（認定博）」「Horticultural Expo（花博）」「Triennale di Milano（ミラノ・トリエンナーレ）」の4つである。

そして現在の規定では原則、次のようになっている。

「World Expo」＝「International Registered Exhibition（登録博）」

規模が大きく（最大会場面積は決められていない）、テーマが総合的、5年に1度しか開催できない、会期は6カ月以内のもの。

「Specialised Expo」＝「International Recognised Exhibition（認定博）」

会場面積25ヘクタール以下で「海洋」「水」など特定テーマを扱う、2つの登録博の間に1回だけ開催可能、会期は3カ月以内のもの。

「Horticultural Expo（花博）」＝「International Horticultural Exhibition（国際園芸博覧会）」

ＡＩＰＨ（The International Association of Horticultural Producers　国際園芸家協会）が公認した「世界園芸博覧会（Ａ1カテゴリーの花博）」をＢＩＥが公認してもよいことになっているもので、「少なくとも前の花博と2年の間隔が空いていて、前回の花博とは違う国での開催であること、同じ国では少なくとも10年の間隔が空いていること」が条件となっている。また、会期は6カ月以内、会場面積に上限はない、とされている。現在、横浜市が２０２７年花博開催を推進している。

「Triennale di Milano（ミラノ・トリエンナーレ）」＝「The Milan Triennial Exhibition of Decorative Arts and Modern Architecture（装飾芸術と現代建築のミラノ・トリエンナーレ博覧会）」

１９２８年に成立したＢＩＥ条約の中で、ＢＩＥが公認することが認められているものであり、「ミラノ・トリエンナーレ・インスティチュート」が主催するもの。会期は6カ月以内、歴史的にミラノのドゥォーモ近くの「Palazzo dell'Arte（芸術王宮）」を会場として、その名のとおり原則3年に1度おこなわれているものである。

現在、ＢＩＥホームページによると、日本で開催された万博の中で「World Expo」カテゴリーに入っているのは、１９７０年大阪万博と２００５年「愛・地球博」の２つである。沖縄海洋博、つくば科学博は「Specialised Expo」カテゴリー、大阪花博は「Horticultural Expo」カテゴリーに入っている。＊

＊大阪花博は、後述のように１９７２年修正条約下の「特別博」でもあった。

「愛・地球博」の「登録博」への変更と過去のＢＩＥ条約

ちなみに、中村利雄《なかむらとしお》氏『回顧録』によると、実は「愛・地球博」については、実質的には「登録博」として実行されたが、当初はいろいろな事情で「特別博」としてＢＩＥに申請され、そのままになっていたという。その後、中村氏等の尽力で、手続き上も正式に「登録博」としてＢＩＥ総会で承認・変更されたのは、「愛・地球博」終了から14年もたった２０１９年11月27日のことであった。

これをちゃんと理解するには、過去のＢＩＥ条約の変遷を正確に理解する必要があるので、下記にまとめてみる。

ＢＩＥは１９２８年にオリジナルの条約が定められてから、２回大きな条約改正をおこなっている。それぞれの条約下での規定、万博の種類は、次のとおりとなっている。＊＊

＊＊以下の情報はＢＩＥホームページならびにJohn Allwood. Ted Allan, Patrick Reid著『The Great Exhibitions 150 years』による。

①１９２８年条約

「General Exhibitions - 1st Category（第１種一般博覧会）」***

広範なテーマを扱い、参加国が自分でパビリオンを建設するもの。

これにあたるのは下記の４万博である。

１９３５年ならびに１９５８年ブリュッセル万博、１９６７年モントリオール万博、１９７０年大阪万博。

「General Exhibitions - 2nd Category（第２種一般博覧会）」****

広範なテーマを扱い、パビリオンは参加国のために主催国により提供されるもの。

これにあたるのは下記の４万博である。

１９３７年パリ万博、１９３９年ニューヨーク万博、１９４９〜50年ポルトープランス万博、１９６２年シアトル万博。

「Specialised Exhibitions（特別博）」

特定のテーマを扱い、参加国には展示スペースが貸し与えられる、一般に短期間（6週間プラスアルファ）のもの。

この条約下では全部で40の特別博が開催された。花博、ミラノ・トリエンナーレもこれに含まれている。当初は小規模なものが多かったが、後半になると大型で、会期6カ月のものも開催されるようになった。*****

この中には１９６８年サンアントニオ万博、１９７４年スポーカン万博、１９７５年沖縄海洋博が含まれる。

、*いずれも会期は6カ月以内、会場面積に上限はなかった。

*****小規模なものが想定されたが、規約上は会期6カ月以内、会場面積に上限はなかった。

②１９７２年修正条約（１９７２年11月締結、発効は１９８０年６月）

「Universal Expositions（一般博）」*

広範なテーマを扱い、参加国は通常自分でパビリオンを建設する、開催には10年のインターバルが推奨されるもの。

１９９２年セビリア万博、２０００年ハノーバー万博の２つがこれにあたる。

「Specialised Expositions（特別博）」**

特定のテーマを扱い、参加国には展示スペースが貸し与えられるもの。

この条約下では全部で26の特別博が開催された。花博、ミラノ・トリエンナーレもこれに含まれている。

代表的なものとしては、１９８４年ニューオリンズ万博、１９８５年つくば科学博、１９８６年バンクーバー万博、１９８８年ブリスベン万博、１９９０年大阪花博、１９９３年テジョン万博、１９９８年リスボン万博、１９９９年昆明花博がある。

以前はこのカテゴリーに２００５年「愛・地球博」も含まれていた。

③１９８８年修正条約（現行条約）（１９８８年５月締結、発効は１９９６年７月）

これが、先ほど述べた現状のものとなる。

「愛・地球博」は、１９７２年修正条約と、１９８８年現行条約のはざまにあった万博なのである。

ふたたび中村利雄氏『回顧録』から引用しよう。

＊、＊＊いずれも会期は６カ月以内、会場面積に上限はなかった。

「万国博覧会は、1988年の条約改正（条約発効は1996年7月、従って、愛・地球博の場合、1996年4月の申請は旧条約で、1997年6月の決定は新条約の下で行われた）により、一般博・特別博の区分から登録博・認定博の区分に、また、不定期開催から5年に1度の周期開催に、いわゆるオリンピック方式に変更されたのである（かつてBIEは開催時期が競合した場合にのみ時期を調整していた）。

愛・地球博は正しくその第1回に当たる。この変更は大いなる意味を有する。」

いろいろな経緯があったものの、現在「愛・地球博」は、正式に1988年修正条約下の「登録博」第1回目の万博、ということになっているのである。

そして2010年上海万博がその2回目、ということになる。ちなみに1988年修正条約下の最初の「認定博」は2008年サラゴサ万博、ということになる。

「愛・地球博」以降の万博とテーマ

それでは、「愛・地球博」からの万博についてざっと流れを摑《つか》むために、BIE（博覧会国際事務局）の公式ホームページから「愛・地球博」以降の万博を抽出してみる。＊＊＊

2005年 日本・愛知万博（「愛・地球博」、「登録博」）
テーマ：自然の叡智《えいち》

2008年 スペイン・サラゴサ万博（「認定博」）
テーマ：水と持続可能な開発

2010年 中国・上海《シャンハイ》万博（「登録博」）

＊＊＊ここでは「登録博」「認定博」のみを取り上げる。

テーマ：ベターシティ、ベターライフ

２０１２年 韓国・麗水《ヨス》万博（「認定博」）

テーマ：生きている海と沿岸：資源の多様性と持続可能な活動

２０１５年 イタリア・ミラノ万博（「登録博」）

テーマ：地球に食料を、生命にエネルギーを

２０１７年 カザフスタン・アスタナ万博（「認定博」）

テーマ：未来のエネルギー

２０２０年 アラブ首長国連邦・ドバイ万博（「登録博」、実際の開催は２０２１～22年）

テーマ：心をつなぎ、未来をつくる

〈以下予定〉

２０２５年 日本・大阪・関西万博（「登録博」）

テーマ：いのち輝く未来社会のデザイン

ということになる。

実は、このほか２０２３年開催予定でアルゼンチン・ブエノスアイレス万博（「認定博」）が一旦決まっていた。しかし、その後アルゼンチンの政権交代があり、新型コロナウィルスや経済状況悪化などを理由に白紙に戻ってしまった。初めての南米での万博開催ということで期待されていたが、やはり万博は政治に大きな影響を受けてしまうのだ。ＢＩＥの万博ではないが、１９９５年東京都知事選後、東京臨海副都心で１９９６年開催

２００８年サラゴサ万博の会場風景

予定だった世界都市博覧会が中止になったことが思い起こされる。

今後の万博開催地の招致合戦

また、今後であるが、２０２７／28年開催の「認定博」は、アメリカ（開催候補地はミネソタ、以下同様）、タイ（プーケット）、セルビア（ベオグラード）、スペイン（マラガ）、そして、アルゼンチン（サン・カルロス・デ・バリローチェ）の５カ国で競われることになっている。

この「認定博」の申請については、ＢＩＥ規定により、アメリカが最初にＢＩＥに申請を出した２０２１年７月29日から（第81話）、ちょうど６カ月後の２０２２年１月28日中央ヨーロッパ標準時午後５時に締め切られた。

候補はずっとアメリカ１カ国のみの状態が続いたが、２０２２年に入って、タイが１月11日、セルビアが１月25日、スペインが１月26日、そしてアルゼンチンが１月27日に申請書提出と、締め切り間際での申請が相次ぎ、締切日を迎えてみると、５カ国で争われるという超激戦状態となった。

開催都市については、今後、提案書類の審査、ＢＩＥの調査団派遣等を経て、２０２３年６月のＢＩＥ総会の投票にて決定される予定である。

そして、２０３０年開催予定の、大規模な万博である「登録博」も同様の超激戦となっている。ロシア（モスクワ）、韓国（釜山《プサン》）、イタリア（ローマ）、ウクライナ（オデーサ）、サウジアラビア（リヤド）という、５カ国が手を挙げている。こちらの申請は２０２１年10月29日に締め切られた。サウジアラビアは締め切りの当日10月29日にぎりぎりで申

２０１２年麗水万博の日本館

請した。
今後、締め切られた２０２１年10月から、およそ2年のプロジェクト検証フェーズを経て、ＢＩＥ総会で投票により決定することとなるので、２０２３年末あたりに決定すると思われる。*

このように、２０２７／28年「認定博」、２０３０年「登録博」ともに5カ国が立候補し、熾烈な招致競争が繰り広げられている。これはともに万博史上最大の激戦といわれた２０１０年万博開催国決定時と同じ競合国数である。この人気ぶりを目の当たりにすると、万博運動は「愛・地球博」の成功をターニングポイントとして、一時の危機的状態から脱し、完全に勢いを取り戻しているように見える。

それでは、「愛・地球博」の次に開催された２００８年スペイン・サラゴサ万博を見ていくにあたり、まずはスペインと万博の関係を次話で確認していこう。

＊本書原稿最終チェック中の２０２２年2月24日、ロシアがウクライナ侵攻を開始した。ロシア、ウクライナ両国ともに２０３０年「登録博」の候補国である。万博の理念に照らすとロシアでの開催はもはやありえないだろうが、今後のＢＩＥの対応が注目される。

94 実は古いスペインと万博の関係

ガウディが活躍した１８８８年バルセロナ万博

実はスペインではサラゴサ万博以前に過去何回かの万博が開催されている。

古くは１８８８年開催のバルセロナ万博。この万博については第34話で少し触れたが、このときは30カ国が参加し、２３０万人の入場者を集めたという記録がある。会場となったのはシウタデリャ要塞《ようさい》跡地で、この万博ではガウディが、記念噴水を設計したり、彼のパトロンであるロペス家のためにパビリオンを設計したという記録がある。また、今もバルセロナのランドマークである高さ60メートルの「コロンブスの塔」はこの万博開会にあわせて完成したものだ。

この万博では日本は公式参加している。日本の展示コーナーの写真を見ると、所狭しと大小の焼き物が並べられている。これは壮観だったに違いない。記録によると、香蘭社《こうらんしゃ》（第31話、32話）のコーヒーカップなどが金賞を受賞している。この日本出展は大成功だったようだ。

この時期、他のヨーロッパ各都市と同様、バルセロナでもジャポニスムが流行し、バルセロナには日本美術に特

バルセロナのランドマークである「コロンブスの塔」
photo by Diliff（CC BY-SA 3.0）

化した専門店や美術館もオープンしており、バルセロナの多くの芸術家が日本美術から影響を受けたことがうかがえる。

1929〜30年はセビリアとバルセロナで同時開催

また、バルセロナでは1929〜30年にも万博が開催されている。このときは29カ国が参加し、580万人の来場者を記録している。会場は、今も人々を集めるモンジュイックの丘のあたりだ。1888年の万博を成功させたバルセロナは、その後1905年には、電化と工業化の目覚ましい成果をアピールするために再度万博を企画、第1次世界大戦で一度は立ち消えになったものの、その後この万博企画を復活させ、1929〜30年に実現にこぎつけたのだ。

このときのパビリオンで、後世まで語り継がれるほどの評判を得たのは、バウハウス（1919〜1933）に参加し、1930年から第3代校長も務めた高名な建築家ミース・ファン・デル・ローエ（1886〜1969）が設計したドイツ館であった。また、その中には彼がデザインしたバルセロナチェアも置かれていた。この椅子は多くの人が見たことのあるものだろう。このドイツパビリオンは万博終了後、解体・撤去されたが、ミース生誕100周年の1986年に万博会場跡地の同じ場所に復元されている。

この万博では参加29カ国中、公式参加したのは14カ国。いずれもヨーロッパの国で、日本や米国は民間企業が参加する形となった。テーマとしては「産業、アートとスポーツ」が採用されていた。スポーツというのは珍しいが、会場にはテニスコート、プールやスタジアムも設置され、スポーツのいろいろな競技も実際におこなわれた（このとき

ミース・ファン・デル・ローエがデザインした「バルセロナチェア」photo by Pawel T. Jochym（CC BY-SA 3.0）

にはオリンピックはすでに万博から独立していた)。

実はこのバルセロナ万博と同じ1929~30年には、セビリアでも「イベロアメリカ博覧会」という万博が開催されている。コロンブスがアメリカ大陸への航海をセビリアから始めた、ということもあり、当初計画のマドリードではなく、セビリアで開催されることになったものだ。そういったこともあり、会場内の川にはコロンブスの「サンタ・マリア号」の複製が浮かべられていたりした。

この「バルセロナ万博」と「セビリア万博」は同時進行的に開催され、2つ合わせて「スペイン総合万博」と呼ばれていたのである。

「スペイン・イヤー」だった1992年

そして、記憶に新しい(といってももう30年前になってしまった)のが1992年のセビリア万博だ。1929~30年以来、約60年ぶりのセビリアでの万博である。この1992年はバルセロナでオリンピック開催、セビリアで万博開催、ということでまさに「スペイン・イヤー」となった。

このセビリア万博は「発見の時代」として、コロンブスのアメリカ大陸到達500年記念として開催され、108カ国が参加し、4181万人という多くの来場者を集めた。コロンブスの大陸「到達」と、全体テーマの「発見」というのは実は違和感がある。実際この点はいろいろと議論になったらしい。

また、例によって万博は政治から逃れられない運命である。1989年にはベルリンの壁が崩壊し、1990年にはドイツが統一され、ドイツは統一ドイツとしてこの万博に参加した。1991年にソ連はロシアになり、パビリオン名も「ロシア館」となった。エストニア・ラトビア・リトアニアのバルト三国も1990〜91年の間にソ連からの独立を果たし、「バルト諸国パビリオン」の中でそれぞれの国の名前で出展することになった。また、1990年に勃発した湾岸戦争のためイラクは参加しなかった。

筆者も人工の中州であるセビリア万博跡地を訪れたことがあるが、特徴的なデザインの橋など万博の痕跡《こんせき》が残っていた。しかし、夏に訪れたために40度近い気温で大変暑く、暑さ対策等、さぞかし当時の会場運営は大変だっただろうなと想像した。このときは安藤忠雄《あんどうただお》氏設計の非常に特徴的な木造建築の日本館が評判になったことを記憶している方もいるだろう。

95 世界を感嘆させた皇太子殿下の「水の論壇」特別講演！

水をテーマにした2008年サラゴサ万博

そして、2008年サラゴサ万博である。

この万博は「水と持続可能な開発」をテーマに、6月14日から9月14日の3カ月間開催され、565万人の入場者を集めた。筆者は7月20日からのジャパン・ウィークにかけて万博会場を訪れた。

行きは成田からパリに入り、パリからマドリード。そこから電車で北東へ向けて1・5時間くらいでサラゴサ・デリシアス駅に到着する。帰りはサラゴサ空港からパリ、そこで乗り換えて成田という旅程だった。

万博会場は、認定博なのでそこまで大きくはないが、エブロ川の河岸に会場を構え、なかなか綺麗《きれい》なデザインでコンパクトにきちっとまとまっている印象だった。会場がわかりやすいし歩きやすい。エブロ川に渡された「ブリッジ・パビリオン」も、橋がパビリオンになっているというユニークな試みだった。

この万博で日本館は「水と共生する日本人――知恵と技――」というテーマで展開されていた。

皇太子殿下（今上天皇）の約45分の特別講演

7月21日はジャパン・デイだった。式典には皇太子殿下（今上天皇）、森喜朗《もりよしろう》元首相も出席され、夕刻から「気候変動と持続可能な水資源」をテーマにした国際シンポジウム

サラゴサ万博日本館

が博覧会会場内の「水の論壇（ウォーター・トリビューン）」パビリオンにおいて開催された。

この国際シンポジウムでは、皇太子殿下自ら「水との共存——人々の知恵と工夫——」と題して特別講演をされた。ご自身で撮影された写真も多数ご使用になっており、大変興味深い内容だった。世界から集まった聴衆は、殿下がご挨拶だけ、というのではなく約45分にわたる専門的で素晴らしい講演をされたことにとても感嘆しているようだった。このご講演内容については宮内庁ホームページで今も読むことができる。*

ちなみに、この国際シンポジウムは「愛・地球博」の継承事業として実施され、「一般財団法人地球産業文化研究所（ＧＩＳＰＲＩ《ジスプリ》）」が中心になって推進したものである。ＧＩＳＰＲＩは「愛・地球博」の継承事業を担当している組織で、海外で万博が開催されるたびに「愛・地球博」の継承事業を引き続き展開しており、２００８年サラゴサ万博後も、２０１０年上海《シャンハイ》、２０１２年麗水《ヨス》、２０１５年ミラノ、２０１７年アスタナ、２０２０年ドバイの各万博でも引き続き「愛・地球博」の継承活動をおこなっている。

さて、この１０８の国家・国際機関が参加し、５６５万人という来場者が集まったサラゴサ万博では、「水」というテーマに沿って各国がいろいろな知恵や事例を持ち寄って展示展開をおこない、あるいは国際シンポジウムというかたちで水問題を議論した。その姿は、１９９４年ＢＩＥ決議の「すべての万博は、地球的規模の課題の解決に貢献するものでなければならない」という方向性をまさに体現したものだったといえるだろう。

＊ https://www.kunaicho.go.jp/okotoba/02/koen/koen-h20az-saragossa.html

96 中国と万博の長〜い関係

満を持して中国が開催した上海万博

2010年5月1日〜10月31日の184日間、中国上海《シャンハイ》で万博が開催された。入場者数は「万博史上最多」の7308万4400人、会場面積は「万博史上最大」の523ヘクタール、参加国・国際機関数も「万博史上最多」の190カ国・56国際機関。また「『発展途上国』で開催された最初の万博」、という肩書きもつく。1日最大入場者数はこれまた「万博史上最多」の103万2700人（これまでの最多は1970大阪万博の83万5832人）。まさに万博史上最大、最多のオンパレードの万博だった。

2008年の北京《ペキン》オリンピックに続き、中国がそのメンツをかけて開催した上海万博。しかし中国で万博を開催するまでの道のりは、日本のそれと同様、長く苦しいものだった。

ここで中国と万博のつながりをたどってみよう。この辺りは黄耀誠《ファンヤオチェン》氏の『上海世博会(Shanghai Expo)』という本に詳しい。黄氏は上海世博会事務協調局（万博協会のような組織）の副局長を務められた人物である。おわかりのように中国では万博のことを「世博会《シーボーフェイ》」（世界博覧会《シージエボーランフェイ》）と呼ぶ。

中国と万博の初期のかかわり

中国と万博の初期のかかわりについてはあまり明らかになっていなかった。複数の書物には「中国の万博との最初のつながりが確認できるのは1867年パリ万博である。王韜《ワンタオ》（1828～1897）という清朝の思想家が参加した」といった記述がある。しかし王韜のことを調べていくと、彼がヨーロッパへの船旅に出発したのは1867年11月となっている。とすると彼がパリに到着したときにはすでにパリ万博は終わっていたはずである（会期4月1日～11月3日）。

中国サイドでも疑問に思ったのか、上海万博開催にあたってあらためて調査がおこなわれたらしい。2001年からの上海図書館の調査によると違う情報が見つかってきた。

それによると、まず、最初の1851年のロンドン万博で、すでに中国の産品が出品され、金賞と銀賞を獲得した、というのだ。出品物は伝統工芸品や農産品がメインだったようだ（ただし、第3話で触れたようにロンドン万博の賞は「評議員牌」《カウンシル・メダル》と「賞牌」《プライズ・メダル》の2種類だったので、この記述は真偽不明である）。

これによると中国人商人と、中国で働く外国人商人が、1851年のロンドン万博で、シルクや茶、漢方薬など中国の伝統物産を万博に出展したという。徐德琼《シュダーチン》（1822～1873）という人物が万博（当時は「賽奇会《シュアンチーフェイ》」と呼ばれた）に「栄記湖絲《ロンジーフースー》（Rong's Silk）」を出展し評判と

上海万博遠景

なり賞を取った、というのである。

1876年には「公式な代表団」

次に記録があるのが1876年フィラデルフィア万博であり、この万博が中国が初めて「公式に代表団を送った」ものであったとされている。

3000平方メートルという大きなスペースが中国に割り当てられ、大きな木製の門には「大清朝」という文字が刻まれていたという。そこには「18の省からの偉大で驚嘆すべきコレクションが壮麗な技能を証明し、100周年万博の祝典が偉大なる友情を示す」という対句が書かれていた。何かすごそうだ。中国は大々的に出展し、シルク、茶、磁器、絹製品、彫刻品、七宝焼が第1等賞*を獲得したと記録されている。

1904年セントルイス万博では、清朝は万博の重要性を理解し、巨大な予算を使った。中国館のみならず「中国村」を作るほどの熱の入れようだった。これが中国の政府として、初めての万博への「公式参加」といわれている。「公式に代表団を送った」とは微妙にニュアンスが異なるが実態はよくわからない。

翌1905年、ベルギーのリエージュでおこなわれた万博にも清朝政府は参加し100の賞を獲得したということだ。

積極的な万博出展と多数の賞獲得

次は1915年サンフランシスコ万博である。これは1911〜12年の辛亥革

＊「第1等賞」とあるが、この万博ではメダルはブロンズ1種類だったので、ブロンズメダルのことだと思われる（第3話）。

1904年セントルイス万博での清朝の出展
出典：Missouri Historical Society

命で中華民国が建国されてまもなくの万博であった。あの渋沢栄一《しぶさわえいいち》が最後に訪れた万博でもある。

中国からの出展物は中国館のみならず手工芸館、教育館、食品館、美術館、文学芸術館、交通館、鉱物館等で展示され、57のメダリオン、74の名誉賞、258の金メダル等を含む合計1211の賞を獲得したという記録が残っている。

そして次に記録があるのは1926年フィラデルフィア万博である。主催国のアメリカを除くと中国と日本の2カ国が、展示物の多さという意味では2大国であった。このときも中国からは生糸、茶、浙江省《せっこうしょう》のシルクとサテン、江西省《こうせいしょう》の磁器、福建省《ふっけんしょう》の漆器、手作り刺繍《ししゅう》工芸品、エメラルドなどが展示された。

第2次世界大戦を経て、1949年に中華人民共和国が成立し、共産党政権が誕生した。その後大躍進《だいやくしん》政策、文化大革命等で、1970年代まではいろいろと大変な時期であったが、1978年に鄧小平《ドンシャオピン》が実権を握り、1980年代からは経済の改革開放が進展した。

その流れもあり中国政府は、1982年アメリカ・ノックスヴィル万博、1984年ニューオリンズ万博、1985つくば科学博、1986年バンクーバー万博、1988年ブリスベン万博、2005年「愛・地球博」、2008年サラゴサ万博と、2010年上海万博が実現するまでほとんどの国外の万博への出展を続けた。

また、1999年雲南省《うんなんしょう》の省都・昆明《クンミン》で「花博」を開催している。これは花博ではあるが初めてBIE公認の博覧会を開催できたものといえる。

こういった流れの中で、いよいよ中国での万博招致の動きが本格化してくるのである。

97 上海万博の発案者は日本人？

「日本の経済人」からの提案

海外の万博に積極的に参加してきた中国。また、１９９９年には初の「国際博」といえる昆明《クンミン》花博を開催した。そこでいよいよ「登録博」の開催招致へ向けて動き出す。

当時、２００８年北京《ペキン》オリンピック招致も手がけていた中国だが、同時に２０１０年の上海《シャンハイ》への万博招致にも力を入れることになる。オリンピックをやって万博もやる、というのは日本の１９６４年東京オリンピック、１９７０年大阪万博を意識していたに違いない。首都でオリンピックをやり、経済の中心都市で万博をやる。成長真《ま》っ只《ただ》中の中国としてはどうしてもこの２つをやり遂《と》げたい。

その後の具体的な動きは、再び黄耀誠《ファンヤオチェン》氏の『上海世博会（Shanghai Expo）』という本で確認しよう。

この本によると、上海に万博を招致しようというアイデアは、１９８４年９月、中国幹部が「日本の経済人」に会う場面に遡《さかのぼ》ることになる。

その「日本の経済人」とは、「日本長期信用銀行」の人たちだった。「日本長期信用銀

昆明花博入口風景
photo by 董辰兴（CC BY-SA 4.0）

行」は１９５２年に設立され「長銀」の名で知られていたが、１９９８年にバブル崩壊の影響で経営破綻してしまった銀行である。

同書には、中国政府の幹部で、後に中華人民共和国副主席まで上り詰めた王震《ワンジェン》氏が、日本から訪ねてきた「日本長期信用銀行」の調査団と面会していたとき、彼らから「中国が上海万博を開催するお手伝いをしたい」という話があった、と書かれている。

１９８４年9月といえば１９８５年つくば科学博の前年、開会半年前というタイミングなので、日本の経済人の頭の中に万博があったのも不思議ではない。

4回にわたった上海万博招致構想

そしてその後、上海の万博招致は4回の挑戦を数えることになる。

下記、順に整理してみよう。

①１９８９年万博招致構想

北京《ペキン》で王震氏に面会した日本の調査団はその後上海に行き、葉公琦《イエゴンチー》上海副市長と会う。そして上海での万博開催について意見を交わし、汪道涵《ワンダオハン》市長もこの提案を支持したという。

その後１９８５年4月12日に上海市政府は実務部会を開き、上海市科学委員会が，上海の１９８９年万博招致についてのフィージビリティスタディをやることを決定し、１９８５年にその報告書が完成した。それによると、上海の5つの地区が候補地に上がっていたが、その中で「浦東《プードン》地区」が最善だと考えられた。しかし、いろいろな理由でこのときは進まなかった。

②１９９４年万博招致構想

１９８８年7月、上海の「浦東地区」は、１９９４年に上海で万博を開催する合同諮問団を結成した。このときはテーマ、規模、開催期間（１９９４年3月～11月）、想定入場者数（４０００万人）、経済効果について研究された。しかし、このときも実現しなかった。

③１９９９年万博招致構想

１９９３年2月、上海市計画委員会は、１９９９年に万博を開催するプロジェクトを始めた。このときはさらに詳しい具体的な数字で計画が立てられた。しかし見合わせられた。

ここまでは上海市内での検討がされていた状況で、国としての万博招致の決定はされていない。他の万博の状況やＢＩＥ総会のスケジュールに照らし合わせるといずれも難しかったのだろう。

④２０１０年万博招致構想

１９９８年の年末、上海市政府は、２０１０年に万博を開催する調査をおこなうよう上海市海外経済貿易委員会に指示した。この委員会は、「２０１０年万博招致に関する競合都市の状況」というレポートを提出し、黄菊《ファンジュ》上海市党書記、徐匡迪《シュクアンディ》上海市長が、

２０１０年万博の招致を推進するように指示をした。こうして２０１０年招致準備が始まった。

その後、北京の承認を得て、中国政府として、１９９９年12月の１２６回ＢＩＥ総会において、２０１０年万博招致に上海が名乗りを上げることを公式に宣言した。こうして4回目にして初めて、公式に招致活動に入ることになったのである。

98　史上最激戦の万博招致合戦とは？

1999年1月にBIEに申請書を提出

さて、ここから先の２０１０年上海《シャンハイ》万博招致については、周漢民《ジュオハンミン》氏の書いた『ＴＥＮ ＹＥＡＲＳ：ＥＸＰＯ ２０１０ ＆ ＭＥ』に詳しい。周漢民氏は黄《ファン》氏と同様、上海世博会事務協調局副局長を務めた人物で、上海万博の招致から実施までずっと手がけた人である。筆者も「愛・地球博」会場や上海等で数回お会いしたことがある。髪をきっちりと整え、メガネをかけたソフトな感じの学者然とした男性だ。

この本によると、１９９９年の1月、フランス大使だった呉建民《ウージエンミン》（1939~2016）氏（後にＢＩＥ議長となり、「愛・地球博」にも来場）が、ＢＩＥ事務局長のロセルタレス氏に

２０１０年万博の申請書を出した、とある。また、当時の江沢民《ジアンズォーミン》国家主席、朱鎔基《ジューロンジー》国務院総理からのＢＩＥ宛のレターも同時に提出した、とのこと。事前にロセルタレス事務局長に正式に意思表明し、その後、年末のＢＩＥ総会で公式に招致を宣言した、ということだろう。

筆者はロセルタレス氏にも「愛・地球博」担当時、パリと日本で数度お会いしたことがある。あご髭が印象的な、非常に快活でフレンドリーな紳士である。ちなみに本書の元になった２００４年出版の拙著『「万博」発明発見50の物語』もパリでロセルタレル氏にお会いしたときに贈呈し、大変喜んでいただいた（？）。今も１冊パリのＢＩＥのライブラリーに所蔵されている（はずである。少なくとも彼はそう言っていた）。

ライバル韓国の動きを詳細に把握

さて、中国・上海のライバルは、ロシア・モスクワ、韓国・麗水《ヨス》、メキシコ・ケレタロ、ポーランド・ヴロツワフ、そしてアルゼンチン・ブエノスアイレスだった。６つもの都市が万博招致を競ったケースは過去にはなかった。そのうちブエノスアイレスは国内の経済事情悪化のため２００２年12月の投票を待つことなく、同年5月8日に立候補を取り下げた（その後ブエノスアイレスは２０２３年の認定博覧会の招致をおこない成功した。しかしそれもその後政権交代により白紙に戻っている）。

中国は韓国の麗水を一番のライバルと見ていたらしい。麗水は金大中《キムデジュン》大統領（当時）の出身地と同じ全羅南道にあり、大統領自らが動いていたこと、そして、巨大企業現代《ヒョンデ》自動車グループが麗水のプロモートを担い、その会長である鄭夢九《チョンモング》氏が韓国の２０１０

年万博招致委員会の会長に任じられていたことが主な理由だ。現代自動車の世界の各オフィスが万博招致キャンペーンを手伝っていたことも中国は把握していた。

このように中国は、麗水以外のライバル都市の動きの情報も含めて詳細に収集し、ウォッチしていたことがうかがえる。そして相手の動きの情報をもとに自分の強みと弱みを分析し、戦略を練っていたことがわかる。これぞ「孫子の兵法」といえる。まさに「彼を知り己を知れば百戦してあやうからず」である。

「都市」というテーマを掘り下げ、トップ外交も

招致必勝に向け、まず、中国サイドはテーマ「ベターシティ、ベターライフ」を掘り下げ、いかにこのテーマが重要かを示す学術的な研究をおこない、それをアピールをすることにした。

万博の歴史で「都市」をテーマにした万博はなかったこと、しかし、現実的には都市化の問題は人類が避けて通れないものであること（2010年までに世界人口の55パーセントは都市に住むだろうと予測されていた）、それに対して万博でどう解決の道を探っていく動きにするのか。こういったことを深掘りすることで、このテーマの重要性をアピールするための準備を充分にした。

あとは、万博史上最大の会場の広さと利便性、人民からの大きなサポート、政府からの大規模な財政投資、発展途上国の出展に対する財政支援、また史上最多の入場者数・参加国・参加機関へのコミット、ポスト万博の万全の計画等をアピールすることにした。

その他、発展途上国で初めて万博を開催する意義をアピールすると同時に、積極的な

上海万博のテーマを表示する上海のビル
photo by Cedventure（CC BY-SA 2.5）

外交を通じて支持を取り付ける努力を継続的におこなった。また、江沢民国家主席、朱鎔基国務院総理両氏によるトップ外交も積極的に展開した。この本には具体的には書いていないが、「外交的努力」の一環として、特に発展途上国を中心に、投票と引き換えにした国レベルの経済的援助・投資のオファー等もおこなったに違いない。またＢＩＥ非加盟国に加盟してもらって自国に投票してもらう、という第82話で紹介した「作戦」もおこなったのは想像に難くない。

２００２年のＢＩＥ総会で、ついに開催決定

そして、こういった戦略と長い努力が実って、２００２年12月３日、モナコのモンテカルロで開催されたＢＩＥの１３２回総会で、他の４都市を破り、中国・上海が２０１０年の万博開催権を得たのである。

１９８４年に始まった上海万博招致の最初のきっかけが実は日本人だった、という記述が、元上海世博会事務協調局副局長という、公的な立場の人の本にあるのは興味深い。

これも知られざる万博の歴史である。「日本長期信用銀行」という名の会社は今はもう存在していないが、旧日本長期信用銀行の方でこの関係者がいらっしゃったら、ぜひ話を聞いてみたいところである。しかしきっかけはともかく、その後の国をあげての戦略的で熱心な招致活動により、この激戦の中、一発で万博招致を決めたのは見事という他はない。

99　過去の記録を塗り替えた万博

政府が威信をかけた「中国館」

２０１０年上海《シャンハイ》万博の目玉パビリオンとして中国政府が威信をかけて造った「中国館」。その「中国館」の目玉展示といえたのがデジタル版『清明上河図《せいめいじょうがず》』であろう。

『清明上河図』は、北宋《ほくそう》時代の首都開封《かいふう》で暮らすいろいろな人々の様子を描いた作品だ。もともとは全長５メートル、縦24センチの大きさだが、それを長さ１２８メートル、高さ６・５メートルと拡大・デジタル化し、その中の一人一人の登場人物（７００人以上）それぞれが昼と夜のシーンを動き、当時の風俗がわかるような映像にして展示されていた。

この中国館は真っ赤に塗られ、「東洋の冠」と呼ばれ、広い万博会場の中でもすぐそれとわかるようなランドマーク的な建築物だった。そして万博終了後も恒久施設として残され、現在は「中華芸術宮」という美術館として活用されている。以前南京西路《ナンジンシールー》にあった上海美術館を元にした美術館だ。

その他、「上海万博文化センター」（「世博文化中心」）は、今は「メルセデス・ベンツアリーナ」と名を変え、各種イベントに使われている。２０１２年には「東京ガールズコレクション」もここで開催された。

上海万博の目玉だった「中国館」
photo by Bergmann (CC BY 3.0)

また、国際会議等に使われた「万博センター」（「世博中心」）は「上海世博展覧館」としてそのまま各種コンベンションに活用されている。

このように、上海万博は終了後、いろいろな施設を残している。

周漢民氏の「10の新記録」

上海世博会事務協調局副局長であった周漢民《ジュオハンミン》氏は、著書『ＴＥＮ ＹＥＡＲＳ：ＥＸＰＯ ２０１０ ＆ ＭＥ』の中で、上海万博は少なくとも万博史上で次の10の新記録を成し遂げたとしている。

①１６０年の万博史の中でもっとも厳しい招致合戦があったこと。最初は6カ国、アルゼンチンのブエノスアイレスが辞退した後は、ロシア、韓国、メキシコ、ポーランド、中国の５カ国間で争われた。

②上海万博は世界で人口が最多の開発途上国で開催された初めての万博だった。

③上海は２０１０年に人口が２３００万人で、これまでの万博ホストシティの中で人口が最多だった。

④上海万博は会場敷地面積5・28平方キロメートル*、展示エリア面積3・28平方キロメートルとこれまでで最大であった。

⑤上海万博は１９０の国と56の国際機関が参加した。これは２０００年ハノーバー万博が当時作った記録よりさらに74**多い参加者だった。

⑥上海万博は都市にフォーカスをあて、ベストシティ実践区という都市化のショーケー

上海万博文化センター

＊ＢＩＥ公式記録では5・23平方キロメートル。

＊＊ＢＩＥ公式情報ではハノーバー万博の参加者は合計１７４なので、上海万博参加者合計２４６（１９０＋56）との差は「72」である。

スを作った初めての万博だった。

⑦「エクスポ・オンライン」を実施した初めての万博だった。

⑧７３０８万人という入場者数は、１９７０年大阪万博の６４２２万人という記録を40年ぶりに更新して過去最大だった。

⑨上海万博は１０３万２７００人（２０１０年10月16日）という、１日あたりの来場者数の万博史上最高を記録した。

⑩上海万博は国際的な著名なゲストが最も多く訪れた万博だった。１０１人の政府首脳、１０３人の副首脳クラス、97人の政府代表等。

中国の人たちは世界初、世界最大、世界最多、とかいうのがとても好きだ。しかしこれはあながち万博に対する誤った価値観ではない。誰しも「世界初」「世界最大」とかいうものがあれば、ひと目見てみたいと思うだろう。

この10個のうち、ちょっとツッコミを入れたくなるものも正直ないではないが、全体的に見て、上海万博は過去最大の万博であり、世界初のものも多かったというのは誰もが認めざるを得ないところだろう。

100　上海万博のレガシーとは

上海《シャンハイ》世博会事務協調局副局長であった周漢民《ジュオハンミン》氏が主張する「上海万博の10の新記録」。

それ以外にも筆者が特筆すべきと思うところがいくつかある。

万博と地下鉄

一つは地下鉄である。

「万博と地下鉄」といえば、１８６２年の万博のために地下鉄工事が始まり、しかし結局は間に合わず１８６３年に開通したロンドンの地下鉄や、１９００年万博のために整備されたパリ地下鉄1号線が思い浮かぶ。

上海では万博開催にあわせて地下鉄6号線～11号線、13号線と新たに7本の地下鉄が整備された。２００７年に6、8、9号線、２００９年には7、11号線、そして２０１０年には10号線が開業した。

13号線はまさに万博会場内を通っているラインで、万博会期中は会場内輸送機関として部分的に開業し、万博入場券があれば無料で乗車できた。万博会場は黄浦江《ファンプージァン》という川を挟んで浦西《プーシー》地区、浦東《プードン》地区とに分かれていたが、この13号線でその2会場を行き来できた。その後13号線は、一時工事のために閉鎖されたが、現在は第3期工事まで終了して再度この区間も営業しており、今も万博ゆかりの「世博会博物館駅」「世博大道駅」という駅名が残っている。

そしてその後も上海の地下鉄は伸び続け、２０１８年現在、上海は世界の都市の地下鉄総延長距離で1位の座を獲得している。ちなみに2位は北京、3位は１８６３年に開業したロンドンである。東京は8位となっており、１９００年パリ万博で始まったパリは14位となっている。*

World Expo Museum

また、万博で「ＥＸＰＯミュージアム」を企画提案・実施したというのも記憶に留めておくべきことの一つだ。万博を開催しても、来館者はそもそも万博が何か、ということがわかっていないことが多かった。このミュージアムの中では、１８５１年ロンドン万博のクリスタル・パレスや、１８８９年パリ万博のエッフェル塔など、十数個の過去の万博の代表的な建築物の模型も展示され、万博とは何か、について、その歴史も含めて理解できるようになっていた。

この上海万博でのパビリオンをもとにして、「Ｗｏｒｌｄ Ｅｘｐｏ Ｍｕｓｅｕｍ」（「世博会博物館」）という施設が、改めて２０１７年5月1日に万博跡地にオープンしている。前述した地下鉄13号線の、その名も「世博会博物館駅」で降りれば便利だ。これはＢＩＥによってオーソライズされた、世界で唯一の、万博のための公式ミュージアム兼資料センターで、万博研究のための拠点が整備されたことはＢＩＥとしても高く評価しているに違いない。このミュージアムには10人の理事がいるが、「愛・地球博」事務総長をつとめられた中村利雄《なかむらとしお》氏もその一人である。

* https://worldscities.net/2018/11/27/世界地下鉄都市別総延長ランキングbest25/

「世博会博物館」
photo by Brookqi（CC BY-SA 4.0)

「世界都市デー」として残る上海万博

また、この万博のレガシーの一つとして「世界都市デー」の創設がある。

２０１０年の10月31日、上海万博の最終日に、「２０１０年上海万博サミットフォーラム」にて「上海宣言」が採択された。この「上海宣言」には、上海万博最終日である10月31日を「世界都市デー」に制定する、という提言も含まれていた（そのときは「World Better Cities Day」と表記されていた）。

そして、この「世界都市デー」はその後２０１３年の国連総会で決議され、10月31日をその日にすることが制定された（制定時は「World Cities Day」と表記）。この日のテーマは上海万博のテーマと同じ「ベターシティ、ベターライフ」で、毎年異なるサブテーマが制定され、都市化に関するイベントが開催されることになっている。

このように、万博を開催期間中だけのものではなく、その意義を後世に伝えていこうという試み、万博のレガシーを残していこうという試みは万博のたびにおこなわれているのだ。

エピローグ――万博跡地巡礼

ロンドンやパリで万博と出会う

世界各地で過去170年にわたって開催されてきた万博。果たしてその跡地は今、どうなっているのだろうか。

読者の中にはパリを訪れた方も多いと思うが、パリに行くと、万博を意識しなくても万博の跡地をいつのまにか巡《めぐ》っていることになる。「エッフェル塔」「グラン・パレ」「プティ・パレ」「アレクサンドル3世橋」「オルセー美術館」、みんな万博由来のものである。ちょっとサンジェルマン・デ・プレあたりを歩いていると、ピカソが1937年パリ万博のために『ゲルニカ』を制作したアパルトマンに出くわしたりする。万博都市と呼ばれる所以《ゆえん》である。

ロンドンでは「ハイド・パーク」「ヴィクトリア・アンド・アルバート・ミュージアム」「ロイヤル・アルバート・ホール」など、万博ゆかりの施設とは知らず訪れる人は多いだろう。しかし、「クリスタル・パレス」が移設されていたシデナムなどは万博史愛好家でないと行こうとは思わなかったりする。だが行こうと思えば30分くらいで市内から行ける。そういう身近なところに万博ゆかりの場所や物があるところは結構多い。

知らずに訪れていたニューヨーク万博の跡地

たとえばニューヨーク。もちろんフェリーで行ける『自由の女神』も万博ゆかりのも

ブライアント公園の様子。右のビルがグレース・ビルディング

グレース・ビルディング

のだが、マンハッタンの中心にもゆかりの場所はある。

筆者が初めて「ブライアント公園」に行ったのは１９８７年夏。そのころはその公園が１８５３〜54年ニューヨーク万博の跡地とは全く知らなかった。当時、その北側にある、カーブのデザインが美しいグレース・ビルディングの32階に会社のニューヨーク支社があったので、そこを訪れたのである。しかしその前に公園があったのは覚えていた。

「ブライアント公園」はタイムズ・スクエアから歩いてすぐ、５番街と６番街の間、40丁目と42丁目の間にあり、「ニューヨーク公共図書館」に隣接している。そのブライアント公園でニューヨーク万博が開催されたときには、十字架の形をして中央に大きなドームのある、ロンドン万博と同じ名前の「クリスタル・パレス」というメイン会場が建てられていた。この土地は当時、今の「ニューヨーク公共図書館」が建っている場所にあった「クロトン給水所（クロトン・ディストリビューション・レゼボア）」にちなんで「レゼボア・スクエア」と呼ばれていた。

この万博では万博初となるタワー、高さ約１０７メートルの「ラッティング展望台」が「クリスタル・パレス」に隣接して建てられていた。

今回の出版を機会に詳細を再確認したところ、そのタワーは「レゼボア・スクエア」の42丁目の通りをはさんで北側に建てられていたことがわかった。ということは現在まさにグレース・ビルディングがあるあたりだ。つまりなんと電通ニューヨークは１８５３〜54年ニューヨーク万博跡地にあったのだった——。

２０１９年にニューヨークを再訪した際、また行ってみた。何か形跡はないかと調べていくと、万博の痕跡は見つからなかったが、公園名になったブライアント氏の銅像は

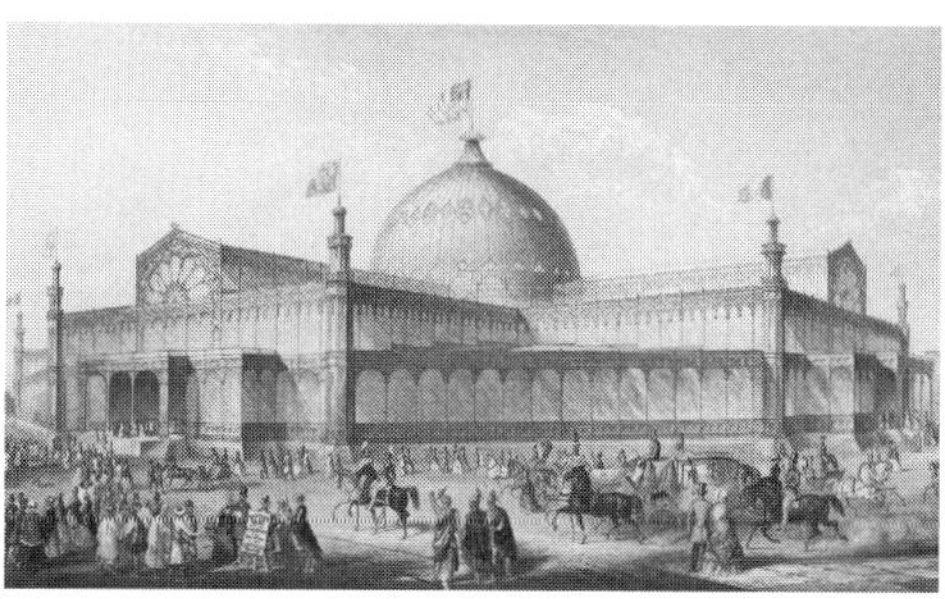

ニューヨーク版「クリスタル・パレス」

マンハッタン全域の眺望を楽しめたラッティング展望台

見つかった。

ウィリアム・カレン・ブライアント（1794～1878）はジャーナリストであり、著名な詩人であった。「セントラル・パーク」のアイデアや「メトロポリタン美術館」の創設にも中心的な役割を果たした。そして、この「レゼボア・スクエア」は、その後1884年に彼の名前にちなんで「ブライアント公園」と改名され、今にいたるのである。

ちなみに、第1話でご紹介したように、本家シデナムの「クリスタル・パレス」は80年以上存在し、1936年に火災で焼失したが、このニューヨークの「クリスタル・パレス」は、万博開催5年後の1858年には早々に火災で焼失してしまう運命だった。そして「ラッティング展望台」はさらに早い1856年8月30日にこれまた火災で焼失してしまったのである。

サンフランシスコの「トレジャー・アイランド（宝島）」

サンフランシスコの「ゴールデン・ゲート・ブリッジ」や「ベイ・ブリッジ」「シティ・ホール」等も万博ゆかりのものだが、「ベイ・ブリッジ」を途中で降りると1939／40年サンフランシスコ万博（「ゴールデン・ゲート万博」）の会場になった人工島「トレジャー・アイランド」に行くことができる。

行った当時は2011年で、ウーバーもリフトも普及していなかったのでレンタカーを運転して行ってみた。アメリカは車は右側通行なので当然「トレジャー・アイランド」に降りる分岐道も右レーンだろうと思って右側レーンを走っていると、突然、センター

ブライアント公園のブライアント像

トレジャー・アイランドに残されていた海軍の施設のサイン

に近い左側に降りるレーンのサインが見えたので、ちょっとあせりつつ左に寄って無事出口レーンへ向かう。その後いくつかのカーブを通過して「トレジャー・アイランド」に到着した。

ここは「もう一つの『太陽の塔』」が建っていたところであるが（第75話）、その後海軍の施設になっていたらしい。だがそれも1997年に閉鎖された模様だ。しかし訪問時には、まだ「U.S. NAVAL STATION」というサインが確認できた。そして「WELCOME TO TREASURE ISLAND」というサインもある。ここからみるとサンフランシスコの街並みが一望できて大変きれいだ。このビューのために来ている人たちもいるのかもしれない。ちなみにこの島には「トレジャー・アイランド・ミュージアム」があり、1939／40年万博の貴重な資料を収蔵している。

万博跡地巡礼への誘《いざな》い

最近の万博では、ポルトガル・リスボン（1998年）、ドイツ・ハノーバー（2000年）、フランス・幻のセーヌ＝サン＝ドニ（2004年）、日本・愛知（2005年）、スペイン・サラゴサ（2008年）、中国・上海（2010年）、韓国・麗水《ヨス》（2012年）の会場には筆者も訪れることができた。コロナ禍の影響で1年延期で2021年から開催されたアラブ首長国連邦・ドバイ万博（2020年）は2016年ころ造成中の会場に、別のコンベンション参加のおりに寄ってみた。しかし、イタリア・ミラノ（2015年）、カザフスタン・アスタナ（2017年）は残念ながら行けなかった（ちなみに「アスタナ」はせっかく万博を開催して名前を売ったのに、万博開催わずか2年後に「ヌルスルタン」に改名してしまった）。

「ようこそトレジャー・アイランドへ」のサインも

トレジャー・アイランドの風景

1942年に開催予定だった「イタリア版幻の万博」会場予定地だったその名も「E.U.R.（エウル）」（Esposizione Universale di Roma、直訳すれば「ローマ万博」）には40年前の卒業旅行の際、たまたま面白そうだと思って訪れ、その独特な建築群に感銘を受けたものだが、ミラノ郊外の万博跡地もそのうち訪れてみたいと思っている。開催中に行くのと、開催後に行くのとではまたその雰囲気も違っているし、跡地利用の状況も調べたいので、開催中しか訪れていないところも、もう一度機会があったら訪れたいところだ。

このように万博をテーマにして世界各地を巡るのも面白い。

今はコロナ禍で難しいが、海外に行かなくても身近に万博関連のものはある。本書でも東京都中央区でのいくつかの「幻の万博」関連の探検結果をご紹介したが、大阪、沖縄、つくば、愛知含め、当面は国内のゆかりの地を探索するだけでもそれなりに楽しめるかもしれない。

「愛・地球博」長久手会場跡地内には2022年11月にジブリパークがオープンするとのことである。

また、ネットでのバーチャルツアーもおすすめだ。

1851年以来の過去の万博跡地も含めて、リアルで全制覇するにはまだまだ時間が必要だ。万博跡地巡礼は過去への旅でもある。今はまだ難しいが、コロナ騒動が終わり次第、また万博跡地巡礼を再開したいところである。

あとがき

この本のもとになった前著『「万博」発明発見50の物語』を出版してからもう17年が経った。早いものだ。あの時はまだ「愛・地球博」も開催前で、どうなるかと不安もあった時期だったが、その「愛・地球博」も無事成功裡に終了した。筆者はその後、上海万博も担当し、5年間の上海通いの生活になった。その上海万博も2010年に無事成功裡に終了した。その後はそのまま会社の中国、台湾、香港、韓国のグループ拠点経営に携《たずさ》わることになり、万博業務からは直接は外れることになった。とはいえ、韓国で開催された2012年の麗水《ヨス》万博には業務の一環として行くことができた。しかしその後は、万博業務からは外れ、今は別の仕事をしている状況である。

そんな中、コロナ禍下の2021年3月、前著に新しい情報を少し加えて再出版しないかというお話をいただいた。

前著はおかげさまでそれなりに反響をいただいた。「愛・地球博」に際して、テレビ、ラジオ、雑誌等いろいろな取材も受けた。2010年上海万博にあたっては、中国中央電視台（CCTV）の万博特番用に取材を受け、14億人に向けてインタビュー映像が流れたりした。上海世界博覧会事務協調局の公式出版物にも、依頼を受けて寄稿した。

また、現在も、国立国会図書館ホームページ上の「電子展示会」の「博覧会」のコーナーでも複数引用いただいていたりする。

万博に関しては、前著を出版して以降も、もちろん個人的な関心は高く、都内近郊で開催されるさまざまな展覧会や書籍等でそれなりに目配りはしてきた。が、「愛・地球博」「上海万博」からもかなりの年月が経ち、万博業務からも離れているので、どれくらい追加情報が書けるか正直不安なところもあった。

しかし、２０２５年開催の「大阪・関西万博」に向けて少しでもお役に立てるのであれば、ということでお引き受けすることにした。

書き始めると不安は杞憂であることがわかった。当初は追加できるのはせいぜい10話くらいかなあと思っていたが、結果は合計１００話となった。

それでも書くべきことはまだまだ残っている（関係者ヒアリングの結果、表向き書けないことも増えた）。

執筆中にあらためて感じたのは、万博の資料に埋もれながら過去と語り合う時間は、貴重で得がたいよろこびである、ということだ。

今回の追加で多くを占めるのは、やはり「愛・地球博」関連だ。これを機会にご機嫌伺いも兼ねて何人かの関係者の方にお会いした。皆さんお忙しい中お時間を割いていただき、長い時間お話しいただいた。あれから17年経っても、万博となると皆さん思い入れもあり、楽しそうにお話しいただくのが印象的だった。筆者自身も、皆さんと再び会えるいい機会を得ることができてありがたかったし、楽しい時間を過ごすことができた。

「愛・地球博」に関しては関係者の皆さんそれぞれいろいろな思いもあると思う。この本をお読みになった方の中には、「どうしてあれを書いていないのだ」とご不満な方もいらっしゃるかと思うが、本書のトピックスの選定は筆者の独断に基づくものなので、ご容赦いただきたい。

思えば筆者の万博史研究は、１９９８年4月に担当となった「愛・地球博」というビッグ・プロジェクトにどう向き合おうか、というところから始まっている。やるからには、「万博とは何か」を知っていなくてはならない。自分はどんな歴史をもつ仕事に携わろうとしているのか。「万博史上初」の企画を実現するためには、これまでの万博で何がおこなわれてきたかを知る必要がある。

しかし、日本には意外と万博についての概略をまとめた本は少ない。故・堺屋太一さんからは「愛・地球博」担当になりたてのころ、「久島さん、『エクスポロジー』というものがあるんですよ」と「万博学」というものがあるということを教えていただき、とても興味を持った。

というわけで万博研究が始まったのである。

しかし、万博史の研究は途方もない挑戦だった。万博史を研究すればするほど、「万博世界」の巨大さに打ちのめされてしまう。本当にいろいろな人物や会社が万博に関与しているのである。この本は、筆者のパソコンに蓄積されたデータの中から、一般の人々に興味を持っていただけるだろうと思われる一部を文章化したものであるが、そのもとのデータとて、万博の巨大な世界に比べたらとても矮小《わいしょう》なものに過ぎない。調べても調べても、万博の歴史はとてつもなく奥が深いのである。

以前、パリ万博ゆかりのオルセー美術館や、ロンドン万博ゆかりのヴィクトリア・アンド・アルバート・ミュージアムの知人のキューレーターにお願いして、書庫に保管してあるパリ万博やロンドン万博の資料を見せていただいたことがある。一つの万博だけでも、山のような資料が残っている。メダルの受賞リストだけでも分厚い本何冊にもなる。公式記録を見ても、パリ万博などは縦50センチ、横40センチ以上はあろうかという、とても立派な革綴《かわと》じのものだったりする。

そんな資料の山に圧倒されながらも、一つ一つの資料を見ていくと、そのころ万博を開催した人々の情熱や思いが、いつの間にか伝わってくるような気がしてくるのだ。

万博はいろんな目的や思惑で開催されてきた。しかし、同じ「万博」という大きなイベントをやり遂げたという点で、過去の万博に関与したさまざまな人々に対し、一担当者として何か共感を覚えてしまうのである。そういったことが、万博史を深く掘りおこしていく動機ともなった。

本書はあえて、万博史のもつネガティブな部分はあまり記述していない。文化史的な、面白そうなトピックスを中心に、事実の描写につとめた。

万博に対して批判をするのはたやすい。いくらでも批判のネタはある。1851年の最初の万博から反対派は存在した。しかし、歴史が示すように、紆余曲折はありつつも、万博はそれから170年以上にもわたって存在し続けているばかりか、今でも開催権をめぐって数カ国が競うという人気のプロジェクトなのである。

その中で開催が決まった2025年の「大阪・関西万博」。本当に楽しみだ。今の計画を見るとこれまでにない魅力的な会場計画、万博初のこころみなど数々の挑戦が実際におこなわれている様子がうかがえ、万博史から見ても、新しい方向を示す万博としておおいに期待されるところである。今回の万博で、またたくさんの新しいトピックスが万博史に加わることをとても楽しみにしている。

「大阪・関西万博」が目標としている2820万人といわず、世界中から一人でもより多くの人々に、特に未来をになう子どもたちには、ぜひこの万博に参加してもらいたいところである。

万博に参加することは歴史に参加することなのである。

「愛・地球博」「上海万博」はじめ万博業務でお世話になったすべての方に感謝するとともに、「大阪・関西万博」に携わっておられるすべての方にエールを送りながら筆をおくこととしたい。

2022年3月

久島《きゅうしま》伸昭《のぶあき》

2025年日本国際博覧会（大阪・関西万博）のパース図
提供：2025年日本国際博覧会協会

謝辞

福川伸次さんには「愛・地球博」グローバル・ハウス館長でいらっしゃったとき、担当としてお世話になった。以前、電通総研所長でいらっしゃったのでもちろん存じ上げていたが、親しくお仕事させていただくのはそれが初めてだった。その後、筆者が中国で仕事をしていたころ、またご縁があって、福川さんが発起人の「清華孫文塾」という、北京の清華大学のコースの「二期生」として２０１３年に再会させていただく機会を得た。国家戦略を決めているという清華大学の大物教授たちからの講義とともに福川さんの素晴らしい講義も受けることができた。

今回はお忙しい中、お時間をつくってお会いいただき、マンモスやグローバル・ハウスの関連記述についてご確認いただいた。また、２０２０年12月に日本経済新聞で連載されていた「私の履歴書」からの引用をお許しいただいた。その「私の履歴書」を元にした御著書『ジャパナビリティ　世界で生き抜く力』（日本経済新聞出版）もサイン入りでいただいた。いろいろと本当にありがとうございました。

中村利雄さんには「愛・地球博」準備段階、中村さんが協会に着任されてから閉会にいたるまで担当としてお世話になった。今回、お忙しい中お会いいただき、あらためてお話をじっくり伺うことができた。「日々改善」、マンモスラボの「動く歩道」など、中村さんみずからの発案でハンズオンで実施までみられていたことがあらためて確認できた。

やはり万博の事務総長ともなると全体も大事だが、同時にディーテイルにこだわることも必要だということが理解できる。１９２９～30年のバルセロナ万博でドイツ館を設計したミース・ファン・デル・ローエ（第94話）は「神は細部に宿る」と言った。万博の隅々まで目を配られ、リーダーシップをもってチームを動かし、スピーディに一つ一つ解決されたのだ。それが「愛・地球博」の大成功につながった。

今回は御著書『愛・地球博 回顧録』（日本語版、英語版）をサイン入りでいただいたのみならず、本書原稿の「愛・地球博」関連事項について事実関係をご確認いただいた。たいへんお忙しい中、本当にありがとうございました。

同じく協会で事務次長を務められた藤田昌央さんには、ヒアリングのお時間をいただき、ご自身がお書きとめになっていたいろいろな個人的なメモ、記録等のコピーまでいただき、裏話や藤田さんの思いをいろいろとお聞かせいただいた。貴重な情報もたくさんいただいた。メモやお話からは我々には想像もできなかったご苦労があったことがわかる。藤田さんには協会時代からたいへんお世話になった。その後またご縁があり、上海や北京でご一緒させていただく機会もあった。今回もいろいろと本当にありがとうございました。

同じく協会で総長直轄の運営統括室長を務められた本庄孝志さんにもヒアリングのお時間をいただいた。現在関西に赴任されているにもかかわらず、東京に戻って来られた貴重なお時間をいただき、いろいろとお話をお伺いした。今回は運営統括室長として実施された「日々改善」、運営の現場状況等いろいろな話をお伺いできた。長いおつきあいながら初めてお聞きする話も多かった。皆さんのお話同様、書けないことも多々あったが、お会いできて楽しい時間を過ごすことができた。本当にありがとうございました。

福井昌平さんには、「愛・地球博」以前のもろもろのプロジェクトから、もう四半世紀以上お世話になっている。「愛・地球博」ではチーフ・プロデューサーをお務めになっていたこともあり、万博業務では表に裏に貴重なアドバイスをいただき、大変たすかった。万博に限らずあらゆる方面に知見をお持ちの、いざという時、間違いなく頼りになる「知の巨人」である。今も、弊社現役社員たちへのご指導をいただいている。これは当時から確信しているが、「愛・地球博」の成功も福井さんなくしてはなかった。本当にありがとうございました。

一般財団法人地球産業文化研究所（ＧＩＳＰＲＩ）の蔵元進専務理事には、万博関係者の方々の情報をいただくなど大変お世話になった。その上、私が紛失してしまっていた２００５年日本国際博覧会協会時代の資料までＧＩＳＰＲＩ所蔵の資料の中から探していただいた。また「愛・地球博」関連写真の使用でもお世話になった。蔵元さんのご協力なしではこの本の「愛・地球博」の部分は完成するのが難しかった。何から何まで本当にありがとうございました。

ちなみにＧＩＳＰＲＩは「愛・地球博」の継承事業を担当されているだけではなく、実はこの万博の最初のとっかかりの業務も担当されていた。平成元年（１９８９年）にはこの組織で「21世紀万国博覧会基本調査」が実施され、その一環として木村尚三郎氏を委員長とし、茅陽一氏、堺屋太一氏、豊田章一郎氏、福川伸次氏、盛田昭夫氏等そうそうたるメンバーを委員とした「21世紀万国博覧会基本問題懇談会」が設置されていたのだ。今もアクセス可能な「愛・地球博」公式ウェブサイトもＧＩＳＰＲＩの運営になるものであり、今回の執筆にあたっても大変重宝させていただいた。ちなみに、「愛・地球博」公式キャラクター「モリゾー、キッコロ」のライセンスマネジメントもＧＩＳＰＲＩで担当されている。

立川直樹さんには「愛・地球博」の「Love The Earth」プロジェクトの総合プロデューサーでいらっしゃったときに大変お世話になった。国内外からあれだけの一流アーティストを呼んでこれたのも立川さんのお力によるところだ。

今回は２０２５年開催の「大阪・関西万博」に向けて、ということで、筆者の前著を思い出していただき、再出版の構想を実現していただいた。立川さんはこの本の発案者でもありプロデューサーでもある。立川さんなくして今回の出版はなかった。立川さん自ら本書のために序文もご執筆いただいた。久しぶりに立川さんとお仕事ができてとても楽しい時間をすごさせていただきました。ありがとうございました。

杉山恒太郎さんには今回の出版の最初の機会をつくっていただいた。２０２１年３月の立川直樹さんとの最初の打ち合わせは、杉山さんが代表取締役社長を務めておられる銀座のライトパブリシティでおこなわれた。また、杉山さんには前著の出版元である講談社さんへの出版社変更についてのお話もしていただいた。

杉山さんとは電通にいらっしゃる頃から「愛・地球博」「上海万博」などいろいろなお仕事をご一緒させていただいた。その後、筆者が国内グループ会社である「電通ヤング・アンド・ルビカム」（のちに「電通イースリー」と改称）の経営に携《たずさ》わっているころにもご講演をいただくなど多々お世話になった。この本の装丁もライトパブリシティを代表するデザイナー帆足英里子さんをご指名いただいた。正直お世話になりっぱなしである。ありがとうございます。引き続き今後もお世話になる予定です（笑）。

ライトパブリシティの帆足英里子さんにはプロボノでデザインをしていただいた。斬新なデザインである。さすがあの杉山さんが推薦される、いろいろな賞を受賞していらっしゃる実力者である。本の印象は装丁で変わるものだと実感しました。とても気に入っています。ありがとうございました。

編集の細川生朗さん、鈴井優さん、小谷洋介さん、ＤＴＰの大瀧康義さん、校閲の水尾裕之さん、そして全体進行を統括いただいた吉本興業の松野浩之さん、裏方の編集作業、校正作業、写真収集等ありがとうございました。複雑な作業なので初めて万博に携わる方々には大変だったと思います。誰一人抜けてもこの本は出版に至ることはできませんでした。ありがとうございました。

また、この度、この本を吉本興業から出版することを快諾いただいた、前著の出版社である講談社さんにも、あらためて感謝の意を表したい。

そして、この出版に対して理解を示し積極的に後押ししてくれた株式会社電通、また、これまでお世話になった電通グループの各社、すべての関連各社の方々に謝意を表したい。電通が１９９８年に筆者を「愛・地球博」担当に指名してくれなかったらこの本はなかった。

ちなみに、今はこれを知る社員も少ないと思うが、汐留電通本社の車寄せのところに高さ約3メートルほどの銀色の時計がたっている。これは「愛・地球博」業務で社から万博チームが表彰を受けたときの報奨金を使って、チームから社へ寄贈したものだ。よく見ると「EXPO 2005 AICHI JAPAN MEMORIAL」と書いてあるのがわかるはずだ。

汐留電通本社にたつ「愛・地球博」プロジェクト記念時計

最後にいつも筆者を支えてくれている家族に感謝の気持ちを伝えたい。

この本の万博探索や情報収集の多くは家族と一緒におこなったものだ。こどもたちは貴重な万博探索の助手だ。助手1号は「愛・地球博」のころ中学生、2号は小学生だったが、今や1号は結婚して独立し、2号も社会人となりリモートワークの日々だ。

今回の出版にあたり、一緒に行った「愛・地球博」や「上海万博」についての体験者アンケートに答えてくれたり、探索活動につきあってカメラマンや記録係をつとめてくれたりした。校正も手伝ってくれた。妻はなにかと面白そうな展覧会情報や万博関連情報を見つけてはシェアしてくれ、大変助かっている。

おかげでなんとか出版にこぎつけました。ありがとうございました。

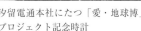

●海外書籍資料

Ten Years: Expo 2010 & Me　HanMin Zhou　(Scpg Publishing Corporation 2013)

1876 A CENTENNIAL EXHIBITION　Robert C. Post　(The National Museum of History and Technology, Smithsonian Institution Washington, D.C.　1976)

1889 L'EXPO UNIVERSELLE　Pascal Ory　(Editions Complexe　1989)

1889 LA TOUR EIFFEL ET L'EXPOSITION UNIVERSELLE　(Éditions de la Réunion des musées Nationaux Paris 1989 /Ministère de la Culture, de la Communication, des Grands Travaux et du Bicentenaire 1989)

1901 Buffalo World's Fair: The Pan-American Exposition in Photographs / Mark Bussler

1904 St. Louis World's Fair: The Louisiana Purchase Exposition in Photographs /Mark Bussler

1964　(1965) WORLD'S FAIR OFFICIAL SOUVENIR THE FLINTSTONES AT THE NEW YORK WORLD'S FAIR　(JW BOOKS, INC.　/ New York World's Fair 1964-1965 Corporation　1964)

2010 Shanghai Expo (Shanghai Expo 2010)

A Day in the New York Crystal Palace and How to Make the Most of It: Being a Popular Companion to the Official Catalogue, and a Guide to All the Objects of Special Interest in the New York Exhibition of the Industry of All Nations /William Carey Richards

A VISIT TO THE NEW YORK　WORLD'S FAIR with Peter and Wendy　Mary Pillsbury　(SPERTUS PUBLISHING COMPANY, NEW YORK　1964)

A WORLD ON DISPLAY 1904　Eric Breitbart　(University of New Mexico Press　1997)

All the World's a Fair　Robert W. Rydell　(The University of Chicago Press　1984)

America at the Fair: Chicago's 1893 World's Columbian Exposition / Chaim M. Rosenberg

American Sisters Exploring the Chicago World's Fair 1893 Laurie Lowlor　(POCKET BOOKS, Simon & Schuster, Inc.　2001)

Art and Industry: As Represented in the Exhibition at the Crystal Palace, New York--1853-4 : Showing the Progress and State of the Various Useful and Esthetic Pursuits

（English Edition）/Horace Greeley

ART AND POLITICS OF THE SECOND EMPIRE THE UNIVERSAL EXPOSITIONS OF 1855 AND 1867 Patricia Mainardi（Yale University Press /New Haven and Londeon 1987）

Baccarat JEAN-LOUIS CURTIS（EDITIONS DU REGARD 1991）

Death at the Fair / Frances McNamara

EPHEMERAL VISTAS THE EXPOSITIONS UNIVERSELLES, GREAT EXHIBITIONS AND WORLD'S FAIRS, 1851-1939 Paul Greenhalgh（MANCHESTER UNIVERSITY PRESS 1988）

EVENTS THAT CHANGED THE WORLD IN THE TWENTIETH CENTURY Edited by Frank. W. Thackeray and John E. Findling（GREENWOOD PRESS 1995）

Expo panoramic Record: 2012 Yeosu Korea World Expo / Jia Tu Wen Hua 2017

Exposition Universelle de 1855（Beaux-Arts）

Exposition Universelle et Internationale de Bruxelles 1958 FRANCE（Commissariat général de la section française á l'Exposition Universelle et Internationale de Bruxelles 1958）

Fair America WORLD'S FAIRS IN THE UNITED STATES Robert W. Rydell, John E. Findling, and Kimberly D. Pelle（SMITHSONIAN INSTITUTION PRESS 2000）

GUERNICA Joaquin de la Puente（SILEX 1985）

Historical Dictionary of World's Fairs and Expositions, 1851-1988 John E. Findling（GREENWOOD PRESS 1990）

L'Exposition Universelle de 1900 Jean-Christophe Mabire（L'Harmattan 2000）

Lalique Gallery（Calouste Gulbenkian Museum 1997）

Le livre des expositions universelles 1851-1989（éditions des arts décoratifs-herscher 1983）

Le Musée des Arts et Métiers, Paris（MUSÉE ET MONUMENTS DE FRANCE）

Les Expotitions universelles 1851-1900 LINDA AIMONE/ CARLO OLMO（BELIN 1990）

Les Grands Dossiers de L'ILLUSTRATION LES EXPOSITIONS UNIVERSELLES HISTOIRE D'UN SIÈCLE 1843-1944（LE LIVRE DE PARIS 1989）

MASTERPIECES OF ART NEW YORK WORLD'S FAIR 1940 OFFICIAL ILLUSTRATED CATALOGUE WALTER PACH （ART ASSOCIATES, INC. 1940）

MEET ME IN ST. LOUIS Gerald Kaufman （British Film Institute 1994）

Memoir of 2005 World Exposition in Aichi, Japan Toshio Nakamura （Global Industrial and Social Progress Research Institute 2020）

Milan 2015 World' s Fair: Guide to the Expo In and Around the City Massimiliano Bagioli, Manuela Villani, Armando Peres （Rizzoli 2014）

Miss Matchmaker and the Great Exhibition /Valerie Gray （Independently published 2020）

NY WORLD'S FAIR COLLECTIBLES 1964-1965 Joyce Grant （Schiffer Publishing Ltd. 1999）

OFFICIAL GUIDE BOOK OF THE NEW YORK WORLD'S FAIR 1939 （EXPOSITION PUBLICATIONS INC. 1939）

OFFICIAL GUIDE NEW YORK WORLD'S FAIR 1964/1965 （TIME Inc. 1964）

Official Guide to the World's Columbian Exposition /John Flinn

OFFICIAL SOUVENIR BOOK NEW YORK WORLD'S FAIR 1939 （EXPOSITION PUBLICATIONS INC. 1939）

OFFICIAL SOUVENIR BOOK OF THE NEW YORK World's Fair 1965 （Dexter Press, Inc. /New York World's Fair 1964-1965 Corporation 1965）

PALACE OF THE PEOPLE GRAHAM REEVES （LONDON Borough of Bromley Library Service 1986）

PAULDING FARNHAM : TIFFANY'S LOST GENIUS John Loring （HARRY N. ABRAMS INC., PUBLISHERS 2000）

PROJETS POUR L'EXPOSITION UNIVERSELLE DE 1989 à PARIS Livre Blanc （Flammarion 1985）

Remembering the FUTURE THE NEW YORK WORLD'S FAIR FROM 1939 TO 1964 The Queens Museum （RIZZOLI INTERNATIONAL PUBLICATIONS, INC. 1989）

REVISITING THE WHITE CITY AMERICAN ART AT THE 1893 WORLD'S FAIR （NATIONAL MUSEUM OF AMERICAN ART and NATIONAL PORTRAIT

GALLERY　1993）
Rodin en 1900 L'exposition de l'Alma　（Musée du Luxembourg　2001）
San Francisco 1915 World's Fair: The Panama-Pacific International Exposition / Mark Bussler（Independently published　2019）
San Francisco's 1939-1940 World's Fair: The Golden Gate International Exposition（Image of America Series）/ Bill Cotter（Arcadia Publishing　2011）
Shanghai Expo　（Shanghai Series）　Yaocheng Huang（Cengage Learning Asia 2011）
Smart Milan:Innovations from Expo to Expo（1906-2015）Mattia Granata（Springer; 2015th edition 2015）
The 1984 New Orleans World's Fair / Bill Cotter（Arcadia Publishing Library Editions　2008）
The Chicago World's Fair of 1893　A Photographic Record　with Text by Stanley Appelbaum（DOVER PUBLICATION, INC. NEW YORK　1980）
The Chicago World's Fair Of 1893: A Symbol Of Chicago's Rebirth And Pride: Worlds Columbian Exposition Architecture / Ronnie Humpert
THE CRYSTAL PALACE EXHIBITION　ILLUSTRATED CATALOGUE　LONDON 1851　THE ART-JOURNAL（DOVER PUBLICATION, INC. NEW YORK　1970）
The Great Exhibition, 1851 /Jonathon Shears（Manchester University Press　2017）
The Great Exhibition; a Sermon, Etc. /Skeffington& Southwell, 1851（Hard Press 2018）
The Great Exhibitions 150 years　John Allwood（1977）
The Great Exhibitions 150 years John Allwood, Ted Allan, Patrick Reid（Exhibition Consultants Ltd　2001）
The Great Exposition / Jessie Heckman Hirschl
THE JEWELRY AND ENAMELS OF LOUIS COMFORT TIFFANY　JANET ZAPATA（HARRY N. ABRAMS INC., PUBLISHERS　1993）
THE NEW YORK WORLD'S FAIR 1939/1940　in 155 photographs by Richard Wurts and Others Selection, Arrangement and Text by STANLEY APPELBAUM（DOVER PUBLICATION, INC. NEW YORK　1977）
THE STATUE OF LIBERTY　Marvin Trachtenberg（Penguin Books）
THE VICTORIAN VISION　INVENTING NEW BRITAIN

JOHN M. MACKENZIE（V&A Publications 2001）

THE WORLD FOR A SHILLING HOW THE GREAT EXHIBITION OF 1851 SHAPED A NATION MICHAEL LEAPMAN （HEADLINE BOOK PUBLISHING（paperback：REVIEW）2002）

The World of Science, Art and Industry Illustrated from Examples in the New-York Exhibition, 1853-54 / Benjamin Silliman Jr（Forgotten Books 2018）

TIFFANY JEWELS John Loring （HARRY N. ABRAMS INC., PUBLISHERS 1999）

TIFFANY'S 150 YEARS John Loring Introduction by Louis Auchincloss （DOUBLEDAY & COMPANY, INC. 1987）

World Expo 2010 Shanghai China Official Atlas 作者：上海世博会事务协调局 编（东方出版中心 2010）

World's Columbian Exposition: History, Facts And Significance: Collection Of Event Photographs / Vincenzo Ferch

WORLD'S FAIR E. L. DOCTOROW （A PLUME BOOK 1985）

WORLD'S FAIR COLLECTIBLES Howard M. Rossen （Schiffer Publishing Ltd. 1998）

WORLD'S FAIRS ERIC MATTIE （PRINCETON ARCHITECTURAL PRESS 1998）

World's Fairs and the End of Progress AN INSIDER'S VIEW ALFRED HELLER （World's Fair, Inc., Corte Madera 1999）

YOUR PRIVATE SKY R. BUCKMINSTER FULLER THE ART OF DESIGN SCIENCE edited by Joachim Krausse /Claude Lichtenstein （Lars Muller Publishers 1999）

世博英文读本 World Expo 2010 Shanghai China Xu Jian（上海交通大学 2010）

世博与视觉产业 World Expo & Visual Industry《上海世博》杂志编辑部 久島伸昭・他（中国出版集団、東方出版中心 2010）

●日本語書籍資料

20世紀の国際博覧会と博覧会国際事務局 マルセル・ガロパン（アルマッタン社 博覧会国際事務局、財団法人２００５年日本国際博覧会協会 1997/1999）

１９５８年ブリュッセル万国博覧会　公式記録　第1巻―組織と機能―財団法人　日本万国博覧会協会（財団法人　日本万国博覧会協会　1966）

２００５年日本国際博覧会開催記念展　世紀の祭典　万国博覧会の美術　（ＮＨＫ、ＮＨＫプロモーション、日本経済新聞社　2004）

２００５年日本国際博覧会　愛・地球博　回顧録　中村利雄（一般財団法人地球産業文化研究所　2007）

A century of the American dream「アメリカン・ドリームの世紀」展（愛知県美術館、中日新聞社　2000）

ＥＸＰＯ'70パビリオン大阪万博公式メモリアルガイド　橋爪紳也（平凡社　2010）

ＥＸＰＯ70伝説　オルタブックス編　（メディアワークス　1999）

Inter Communication 1997 Spring No.20　（ＮＴＴ出版　1997）

アール・ヌーヴォーとルイス・C・ティファニーの世界　日本美術へのオマージュ　堀内武雄編　（ルイス・C・ティファニー庭園美術館　2001）

アール・ヌーヴォーの世界１――花園の香り　ミュシャとパリ（学習研究社　1987）

アール・ヌーヴォーの世界２――ガラスの魔術　ガレとナンシー（学習研究社　1987）

アール・ヌーヴォーの世界５――光彩の魅惑　ティファニーとニューヨーク／ガウディ　（学習研究社　1987）

アール・ヌーヴォー展　（読売新聞社　2001）

アサヒグラフ　（朝日新聞社　1970）

あったかもしれない日本　橋爪紳也　（紀伊國屋書店　2005）

アルフォンス・ミュシャ――アール・ヌーヴォーの幕開け　レナーテ・ウルマー　（TASCHEN　2001）

アントニオ・ガウディ　鳥居徳敏　（鹿島出版会　1985）

イタリア陶磁器の伝統と革新――ジノリ展　マリア・マティルデ・シーマリ、井関正昭監修　（アートプランニングレイ　2001）

ウェッジウッド物語　相原恭子、中島賢一　（日経ＢＰ社　2000）

海を渡った明治の美術　再見！１８９３年シカゴ・コロンブス世界博覧会　（東京国立博物館　1997）

海を渡る浮世絵――林 忠正の生涯　定塚武敏　（美術公論社　1981）

エッフェル塔　１００年のメッセージ［建築・ファッション・絵画］　（エッフェル塔１００周年記念展実行委員会　1989）

エッフェル塔展覧会カタログ（麻布美術工芸館 1990）

エルメスの道 竹宮惠子（中公文庫コミック版 2000）

澳国博覧会参同記要 田中芳男 平山成信編輯（国会図書館蔵）

大阪人 万博30年（大阪都市協会 2000）

「岡本太郎・ＥＸＰＯ'70・太陽の塔からのメッセージ」展（川崎市岡本太郎美術館 2000）

オリンピックと近代――評伝クーベルタン 柴田元幸、菅原克也訳（平凡社 1988）

オリンピックの回想 ピエール・ド・クベルタン カール・ディーム編 大島鎌吉訳（ベースボール・マガジン社 1976）

オルセー美術館展 モデルニテ――パリ・近代の誕生 高橋明也、日本経済新聞社編（日本経済新聞社 1996）

ガウディの生涯 丹下敏明（彰国社 1978）

川上音二郎と貞奴Ⅱ 世界を巡演する 井上理恵（社会評論社 2016）

川上音二郎と１９００年パリ万国博覧会展（福岡市博物館 2000）

紀元二千六百年記念日本万国博覧会――別冊解説 加藤哲郎／監修・解説 増山一成／編（国書刊行会 2015）

「奇蹟の芸術都市 バルセロナ展」図録 監修：木下亮（神戸新聞社 2019）

奇想の20世紀 荒俣宏（ＮＨＫライブラリー 2004）

ギュスターヴ・エッフェル パリに大記念塔を建てた男 アンリ・ロワレット著 飯田喜四郎、丹羽和彦訳（西村書店 1989）

近代オリンピックの遺産 アベリー・ブランデージ（ベースボール・マガジン社 1972, 1974）

近代日本陶磁の華 シカゴ万国博覧会出品作品を中心にして（瀬戸市歴史民俗資料館 1997）

グスタフ・クリムト １８６２――１９１８ ジル・ネレー（TASCHEN 2000）

黒田清輝展 鹿児島が生んだ日本近代洋画の巨匠 鹿児島市立美術館（黒田清輝展実行委員会 2002）

芸術新潮２００２・７月号「気になるガウディ」（新潮社 2002）

ゲルニカ物語 荒井信一（岩波新書 1991）

皇紀・万博・オリンピック――皇室ブランドと経済発展 古川隆久（中公新書 1998）

ゴーガン 高橋明也（六耀社 2001）

国際博覧会歴史事典 平野繁臣（内山工房 1999）

「サーリネンとフィンランドの美しい建築展」公式図録　（企画・構成　パナソニック汐留美術館、いわき市立美術館、株式会社キュレイターズ　2021）

錯乱のニューヨーク　レム・コールハース　鈴木圭介訳　（ちくま学芸文庫　1999）

作曲家別名曲解説ライブラリー①　マーラー　（音楽之友社　1992）

佐野常民　佐賀偉人伝09　國雄行　（佐賀県立佐賀城本丸歴史館　2013）

渋沢栄一　上下　算盤篇／論語篇　鹿島茂　（文春文庫　2013）

渋沢栄一、パリ万博へ　渋沢華子　（図書刊行会　1995）

渋沢栄一自伝　雨夜譚・青淵回顧録（抄）　渋沢栄一　（角川ソフィア文庫　2020）

渋沢栄一、パリ万国博覧会へ行く　渋沢栄一渡仏１５０年企画展図録　（公益財団法人渋沢栄一記念財団　渋沢史料館　2017）

ジャパナビリティ　世界で生き抜く力　福川伸次　（日本経済新聞出版　2021）

週刊東洋経済臨時増刊　万国博読本　１９６６年版　（東洋経済新報社　1966）

週刊東洋経済臨時増刊　万国博読本　'69年度版　（東洋経済新報社　1969）

上等舶来・ふらんすモノ語り　鹿島茂　（ネスコ発行／文藝春秋発売　1999）

職業別　パリ風俗　鹿島茂　（白水社　1999）

ジョン・ケージ――小鳥たちのために　ジョン・ケージ、ダニエル・シャルル　青山マミ訳　（青土社　1982）

真珠博物館　人と真珠――そのかかわりを考える　（御木本真珠島　1990）

水晶宮物語――ロンドン万国博覧会１８５１　松村昌家（ちくま学芸文庫　2000）

図説万国博覧会史　１８５１――１９４２　吉田光邦編　（思文閣出版　1985）

世界歴史大系　フランス史2、3　柴田三千雄、樺山紘一、福井憲彦編　（山川出版社　1995, 1996）

絶景、パリ万国博覧会　サン＝シモンの鉄の夢　鹿島茂　（小学館文庫　2000）

漱石のパリ日記　――ベル・エポックの一週間――　山本順二　（彩流社　2013）

大英科学博物館展　（読売新聞社　1998）

大作曲家　マーラー　ヴォルフガング・シュライバー　岩下眞好訳　（音楽之友社　1993）

大作曲家 ヴェルディ ハンス・キューナー 岩下久美子訳（音楽之友社 1994）
丹下健三を語る 初期から１９７０年代までの軌跡 槇文彦、神谷宏治編著（鹿島出版会 2013）
中国と博覧会 ――中国２０１０年上海万国博覧会に至る道 柴田哲雄、やまだあつし（成文堂 2010）
チョンマゲ大使海を行く 高橋邦太郎（人物往来社 1967）
ティファニー展――その輝きの栄光と未来（アプトインターナショナル 1999）
デパートを発明した夫婦 鹿島茂（講談社現代新書 1991）
電気の精とパリ Ａ・ベルトラン、Ｐ・Ａ・カレ 松本栄寿、小浜清子訳（玉川大学出版部 1999）
徳川昭武滞欧記録１～３ 日本史籍協会叢書／編（東京大学出版会 1973）
日赤の創始者 佐野常民 吉川龍子（吉川弘文館 2001）
日本の万国博覧会 池口小太郎（東洋経済新報社 1968）
日本万国博覧会 公式ガイド（日本万国博覧会協会 1970）
日本万国博覧会公式記録（日本万国博覧会記念協会 1972）
ニューヨーク世界都市博覧会参加報告書 1964/1965（日本貿易振興会 1966）
紐育万国博覧会 Ｅ・Ｌ・ドクトロウ 中野恵津子訳（文藝春秋 1994）
人間の生命につかえて 日本赤十字の父 佐野常民 片岡繁男（佐賀新聞社 2019）
「農民画家」ミレーの真実 井出洋一郎（ＮＨＫ出版新書 2014）
バカラカタログ BAR WARE（店頭配布用）
バカラカタログ L'ART DE VIVRE 1996（店頭配布用）
博物学の巨人アンリ・ファーブル 奥本大三郎（集英社新書 1999）
博覧会史 財団法人 日本万国博覧会協会（財団法人 日本万国博覧会協会 1966）
馬車が買いたい！ 鹿島茂（白水社 1990）
花の様式――ジャポニスムからアール・ヌーヴォーへ 由水常雄（美術公論社 1984）
パブロ・ピカソ――天才の生涯と芸術 ニューヨーク近代美術館編（旺文社 1981）
パリ・奇想の20世紀 荒俣宏（日本放送出版協会 2000）
パリ五段活用 鹿島茂（中央公論社 1998）
パリ時間旅行 鹿島茂（中公文庫 1999）
パリ・世紀末パノラマ館 鹿島茂（角川春樹事務所 1996）
パリの日本人（新潮選書） 鹿島茂（新潮社 2009）

パリ万博音楽案内　井上さつき（音楽之友社 1998）

パリ歴史事典　アルフレッド・フィエロ　鹿島茂監訳（白水社 2000）

万国博　春山行夫（筑摩書房 1967）

万国博と未来戦略　池口小太郎（ダイヤモンド社 1970）

万国博のすべて　ＥＸＰＯ　日本経済新聞社編（日本経済新聞社 1966）

万国博の日本館　吉田光邦監修（Ｉｎａｘギャラリー企画委員会企画 1990）

万国博美術展総目録　調和の発見　富永惣一、松下隆章、河北倫明、中山公男、新藤武弘、木島俊介、奥田敬次郎（日本万国博覧会協会万国博美術館 1970）

万国博覧会――その歴史と役割　吉田光邦（日本放送出版協会 1985）

万国博覧会の二十世紀　海野弘（平凡社新書 2013）

万国博覧会の研究　吉田光邦編（思文閣出版 1986）

万国博覧会の夢　万博に見る産業技術と日本　千葉県立現代産業科学館編（千葉県立現代産業科学館 2000）

万博開封　タイムカプセルＥＸＰＯ'70と大阪万博　特別展　大阪市立博物館編（大阪市立博物館 2000）

万博とストリップ　荒俣宏（集英社新書 2000）

万博とテクノロジー（計算工学 2001vol.6 No.2～2002 vol.7 No.2 に連載）久島伸昭（日本計算工学会 2001～2002）

ピカソ　ゲルニカ　ソフィア王妃芸術センター（ALDEASA 2001）

美術手帖　１９９２年5月号「岡本太郎の世界」（美術出版社 1992）

ファーブル伝　イヴ・ドゥランジュ　ベカエール直美訳（平凡社 1992）

ブルックナー／マーラー事典　根岸一美、渡辺裕監修（東京書籍 1993）

Hemingway（ヘミングウェイ）⑥（毎日新聞社 2002）

ボードレール批評　シャルル・ボードレール　阿部良雄訳（ちくま学芸文庫 1999）

マーラー　船山隆（新潮文庫 1987）

毎日グラフ　特集開会へ急ピッチのＥＸＰＯ'70（毎日新聞社 1970）

幻の万博　紀元二千六百年をめぐる博覧会のポリティクス　暮沢剛巳、江藤光紀、鯖江秀樹、寺本敬子（青弓社 2018）

名作２００余点でたどる　工芸の世紀　明治の置物から現代のアートまで（東京藝術大学大学美術館 2003）

明治有田 超絶の美 鈴田由紀夫（佐賀県立九州陶磁文化館

長）監修（世界文化社 2015）

やぶれかぶれ青春記・大阪万博奮闘記 小松左京（新潮文庫 2018）

ユカギルマンモス ――冷涼ステップの動物―― ディック・モル編（財団法人２００５年日本国際博覧会協会 2005）

夢さめみれば――日本近代洋画の父・浅井忠 太田治子（朝日新聞出版 2012）

夢の痕跡 荒俣宏（講談社 1995）

夢の消費革命――パリ万博と大衆消費の興隆 ロザリンド・H・ウィリアムズ 吉田典子、田村真理訳（工作舎 1996）

ヨハン・シュトラウス――ワルツ王と落日のウィーン 小宮正安（中公新書 2000）

甦るオッペケペー １９００年パリ万博の川上一座（東芝EMI）

ル・コルビュジェとはだれか 磯崎 新（王国社 2000）

ルイス・カムフォート・ティファニーの世界 堀内武雄編（グレコ・コーポレーション 1994）

ワーグナーヤールブーフ 日本ワーグナー協会（東京書籍 1996）

●参照Ｗｅｂページ

１８７６年フィラデルフィア万博のタイムカプセル「センチュリー・セーフ」
https://time.com/3631863/time-capsule-history/
https://www.history.com/news/8-famous-time-capsules
https://history.house.gov/Historical-Highlights/1851-1900/The-mysterious-Centennial-safe-of-Mrs--Charles-F--Deihm/

２００８年サラゴサ国際博覧会「水の論壇」シンポジウムにおける皇太子殿下特別講演（宮内庁）
https://www.kunaicho.go.jp/okotoba/02/koen/koen-h20az-saragossa.html

ＢＩＥホームページ
https://www.bie-paris.org

The Internet 1996 World Exposition（インターネット白書）
https://iwparchives.jp/files/pdf/iwp1997/iwp1997-ch01-11-p048.pdf

U.S. Department of State
https://www.state.gov/united-states-bid-to-host-expo-2027/

アクアポリスの教訓

https://www.spf.org/opri/newsletter/32_1.html

オオタカの国内希少野生動植物種解除と解除後の対応について（環境省）
https://www.env.go.jp/nature/kisho/domestic/otaka.html

コスモス国際賞
https://www.expo-cosmos.or.jp/main/cosmos/

渋沢栄一記念財団『渋沢栄一伝記資料』
https://eiichi.shibusawa.or.jp/denkishiryo/digital/main/

世界地下鉄都市別総延長ランキング best25
https://worldscities.net/2018/11/27/ 世界地下鉄都市別総延長ランキング best25/

東日本大震災活動レポート（日本赤十字社）
https://www.jrc.or.jp/shinsai2011/

仏パリのエッフェル塔、来場者が3億人を突破
https://jp.reuters.com/article/the-eiffel-tower-idJPKCN1C404Q

平成13年度版　情報通信白書　（インパク）
https://www.soumu.go.jp/johotsusintokei/whitepaper/ja/h13/html/D3013000.htm

ラトゥール＝マルリアック社
http://latour-marliac.com/en/content/category/4-history

主要万国博覧会開催年表

・主だった万博を筆者判断で抽出。
・基本的にBIEホームページを情報源にしている。
・［　］内は各万博のテーマを表す。
＊1867年パリ万博の入場者数は、BIEホームページでは1500万人だが、他資料では680万人、906万人という記載もある。

開催年	会期（月日）	名称	開催地	参加国・機関数	入場者数（万人）	テーマ・トピックス
1851	5月1日～10月11日	ロンドン万国博覧会 The Great Exhibition of the Works of Industry of all Nations	ロンドン（イギリス）	25	604	［全国家の産業］ 「クリスタル・パレス」が会場
1853	5月12日～10月29日	ダブリン産業博覧会 Great Industrial Exhibition	ダブリン（アイルランド）	8	116	
1853～54	7月14日～11月1日	ニューヨーク万国産業博覧会 Exhibition of the Industry of All Nations	ニューヨーク（アメリカ）		115	チボリ公園設計者による「クリスタル・パレス」が会場
1855	5月15日～11月15日	パリ万国博覧会 Exposition Universelle des produits de l'agriculture, de l'industrie et des beaux-arts de Paris 1855	パリ（フランス）	28	516	［農業、産業そしてファインアート］
1862	5月1日～11月1日	ロンドン万国博覧会 London International Exhibition of Industry and Art	ロンドン（イギリス）	39	610	［産業とアート］
1867	4月1日～11月3日	パリ万国博覧会 Exposition Universelle de Paris 1867	パリ（フランス）	42	＊1500	［農業、産業そしてファインアート］
1873	5月1日～10月31日	ウィーン万国博覧会 Weltaustellung 1873 in Wien	ウィーン（オーストリア）	35	726	［文化と教育］
1876	5月10日～11月10日	フィラデルフィア万国博覧会 Centennial Exhibition of Arts, Manufacutures and Products of the Soil and Mine	フィラデルフィア（アメリカ）	35	1000	［アート、製造業、そして農業と鉱業の業績］ アメリカ独立100周年記念

1877	8月21日〜11月30日	〈第1回内国勧業博覧会〉First National Industrial Exhibition	東京（日本）			
1878	5月20日〜11月10日	パリ万国博覧会 Exposition Universelle de 1878, Paris	パリ（フランス）	35	1616	［新技術］
1880〜81	10月1日〜4月30日	メルボルン万国博覧会 International Exhibition of Arts,Manufactures and Agricultural and Industrial Products of all Nations	メルボルン（オーストラリア）	33	133	［全国家のアート、製造業・農業・産業の業績］
1881	3月1日〜6月30日	〈第2回内国勧業博覧会〉Second National Industrial Exhibition	東京（日本）			
1888	4月8日〜12月10日	バルセロナ万国博覧会 Universal Exhibition of Barcelona 1888	バルセロナ（スペイン）	30	230	［ファインアートとインダストリアルアート］
1889	5月5日〜10月31日	パリ万国博覧会 Exposition Universelle de 1889, Paris	パリ（フランス）	35	3225	［フランス革命100周年祝］
1890	4月1日〜7月31日	〈第3回内国勧業博覧会〉Third National Industrial Exhibition	東京（日本）			
1893	5月1日〜10月3日	シカゴ万国博覧会 World's Columbian Exposition	シカゴ（アメリカ）	19	2750	［アメリカ発見の400周年］
1895	4月1日〜7月31日	〈第4回内国勧業博覧会〉Fourth National Industrial Exhibition	京都（日本）			
1897	5月10日〜11月8日	ブリュッセル万国博覧会 International Exhibition of Brussels 1897	ブリュッセル（ベルギー）	27	600	［現代生活］
1900	4月15日〜11月12日	パリ万国博覧会 L'Exposition de Paris 1900	パリ（フランス）	40	5086	［19世紀のオーバービュー］第2回近代オリンピック開催
1901	5月1日〜11月2日	バッファロー汎アメリカン博覧会 Pan-American Exposition	バッファロー（アメリカ）		812	
1903	3月1日〜7月31日	〈第5回内国勧業博覧会〉Fifth National Industrial Exhibition	大阪（日本）			
1904	4月30日〜12月1日	セントルイス万国博覧会 Louisiana Purchase Exposition	セントルイス（アメリカ）	60	1970	［ルイジアナ買収100周年の祝祭］第3回近代オリンピック開催

1905	4月27日～11月6日	リエージュ万国博覧会 Universal Exhibition of Liege 1905	リエージュ（ベルギー）	35	700	［独立75周年記念］
1905	6月1日～10月15日	ルイス・クラーク100周年記念万国博覧会　Lewis and Clark Centennial and American Pacific Exposition and Oriental Fair	ポートランド（アメリカ）		255	メリウェザー・ルイスとウィリアム・クラークの1804～05年の西部探検100周年記念
1906	4月28日～11月11日	ミラノ万国博覧会 Esposizione Internazionale del Sempione	ミラノ（イタリア）	40	550	［交通］
1908	5月14日～10月31日	仏英博覧会 Franco-British Exhibition	ロンドン（イギリス）		840	第4回近代オリンピック開催
1910	4月23日～11月7日	ブリュッセル万国博覧会 Universal and International Exposition of Brussels 1910	ブリュッセル（ベルギー）	26	1300	［全国家のアートと科学の作品、農業と産業の製品］
1910	5月14日～10月29日	日英博覧会 Japan-British Exhibition	ロンドン（イギリス）		835	
1913	4月26日～11月3日	ゲント万国産業博覧会 International Universal Exhibition of Ghent 1913	ゲント（ベルギー）	24	950	［平和、産業そしてアート］
1915	2月20日～12月4日	パナマ太平洋万国博覧会 Panama-Pacific International Exposition	サンフランシスコ（アメリカ）	41	1888	［パナマ運河の開通祝］
1925	4月30日～10月15日	装飾芸術・現代産業万国博覧会 Exposition Internationale des Arts Décoratifs et Industriels Modernes	パリ（フランス）	22	1599	アール・デコ
1926	5月31日～11月30日	フィラデルフィア万国博覧会 Sesqui-Centennial International Exhibition	フィラデルフィア（アメリカ）	8	641	アメリカ独立150周年
1928	11月22日	「国際博覧会に関するパリ条約」の制定	パリ（フランス）			BIE誕生
1929～30	5月20日～1月15日	バルセロナ万国博覧会 International Exhibition of Barcelona 1929	バルセロナ（スペイン）	29	580	［産業、アートとスポーツ］

1931	5月6日～11月16日	パリ国際植民地博覧会 Exposition Coloniale Internationale	パリ （フランス）		3350	
1933／34	1933年5月27日～11月12日 1934年6月1日～10月31日	シカゴ万国博覧会 A Century of Progress. International Exposition, 1933-34	シカゴ （アメリカ）	21	3887	［進歩の世紀］
1935	4月27日～11月3日	ブリュッセル万国博覧会 Exposition Universelle et internationale de Bruxelles 1935	ブリュッセル （ベルギー）	25	2000	［民族を通じての平和］ ＢＩＥ初の「第1種一般博覧会」
1937	5月25日～11月25日	パリ万国博覧会 International Exposition of Arts and Technology in modern life	パリ （フランス）	45	3104	［現代生活の中の美術と技術］
1939／40	1939年2月18日～10月29日 1940年5月25日～9月29日	ゴールデン・ゲート万国博覧会 Golden Gate International Exposition	サンフランシスコ （アメリカ）		1704	ゴールデン・ゲート・ブリッジ、ベイ・ブリッジ開通記念
1939／40	1939年4月30日～10月31日 1940年5月11日～10月27日	ニューヨーク万国博覧会 New York World's Fair 1939-1940	ニューヨーク （アメリカ）	54	4493	［明日の世界］（1939） ［平和と自由のために］（1940） ジョージ・ワシントン米国初代大統領就任150周年記念
1958	4月17日～10月19日	ブリュッセル万国博覧会 Exposition Universelle et Internationale de Bruxelles — Wereldtentoonstelling Brussel 1958	ブリュッセル （ベルギー）	39	4145	［世界の視点：新しいヒューマニズム］
1962	4月21日～10月21日	シアトル21世紀万国博覧会 Century 21 Exposition	シアトル （アメリカ）	49	900	［宇宙時代の人類］
1964／65	1964年4月22日～10月18日 1965年4月21日～10月17日	ニューヨーク万国博覧会 New York World's Fair	ニューヨーク （アメリカ）	約80＊	5161	［理解を通じた平和］ ＢＩＥ非公認 ＊民間出展含む

1967	4月28日〜10月29日	モントリオール万国博覧会 Universal and International Exhibition Montreal Expo'67	モントリオール（カナダ）	62	5031	［人間とその世界］
1968	4月6日〜10月6日	ヘミス・フェア Hemisfair 1968	サンアントニオ（アメリカ）	23	638	［アメリカ文化の合流］
1970	3月15日〜9月13日	日本万国博覧会 Japan World Exposition Osaka 1970	大阪（日本）	77	6422	［人類の進歩と調和］
1974	5月4日〜11月2日	スポーカン国際環境博覧会 International Exposition on the Environment, spokane 1974	スポーカン（アメリカ）	10	560	［汚染なき進歩］
1975〜76	7月20日〜1月18日	沖縄国際海洋博覧会 International Ocean Exposition, Okinawa 1975	沖縄（日本）	35	349	［海——その望ましい未来］沖縄返還記念
1982	5月1日〜10月31日	ノックスヴィル国際エネルギー博覧会 The Knoxville International Energy Exposition — Energy Expo 82	ノックスヴィル（アメリカ）	16	1113	［エネルギーが世界を動かす］
1984	5月12日〜11月11日	ルイジアナ万国博覧会　The 1984 Louisiana World Exposition	ニューオリンズ（アメリカ）	15	734	［河川の世界——水は命の源］
1985	3月17日〜9月16日	筑波国際科学技術博覧会 International Exposition, Tsukuba, Japan, 1985	筑波（日本）	48	2033	［人間・居住・環境と科学技術］
1986	5月2日〜10月13日	バンクーバー世界交通博覧会 The 1986 World Exposition on Transportation	バンクーバー（カナダ）	55	2211	［動く世界、ふれあう世界］
1988	4月30日〜10月30日	ブリスベン国際レジャー博覧会 International Exhibition on Leisure, Brisbane 1988	ブリスベン（オーストラリア）	36	1856	［技術時代のレジャー］オーストラリア建国200周年
1990	4月1日〜9月30日	大阪国際花と緑の博覧会 International Garden and Greenery Exposition, Osaka, Japan, 1990	大阪（日本）	83	2313	［自然と人間の共生］「コスモス国際賞」創設

1992	4月20日～10月12日	セビリア万国博覧会 Universal Exhibition of Seville	セビリア（スペイン）	108	4181	[発見の時代] コロンブス大陸到達500年記念
1992	5月15日～8月15日	ジェノバ国際船と海の博覧会 Specialised International Exposition Genoa 1992	ジェノバ（イタリア）	54	171	[クリストファー・コロンブス——船と海]
1993	8月7日～11月7日	テジョン万国博覧会 The Taejon International Exposition, Korea.1993	大田（韓国）	141	1401	[発展のための新しい道への挑戦]
1998	5月22日～9月30日	リスボン万国博覧会 Lisboa Expo'98 — 1998 Lisbon World Exposition	リスボン（ポルトガル）	143	1013	[海洋——未来への遺産] バスコ・ダ・ガマのインド到達500周年記念
2000	6月1日～10月31日	ハノーバー万国博覧会 Expo 2000 Hannover	ハノーバー（ドイツ）	174	1810	[人間・自然・技術]
2005	3月25日～9月25日	2005年日本国際博覧会 EXPO 2005, Aichi, Japan	愛知（日本）	121	2205	[自然の叡智]
2008	6月14日～9月14日	2008年サラゴサ国際博覧会 International Recognized Exhibition Expo 2008 Zaragoza	サラゴサ（スペイン）	108	565	[水と持続可能な開発] 水の論壇
2010	5月1日～10月31日	2010年上海国際博覧会 Expo Shanghai 2010	上海（中国）	246	7309	[ベターシティ、ベターライフ]
2012	5月12日～8月12日	2012年麗水国際博覧会 Expo 2012 Yeosu Korea	麗水（韓国）	103	820	[生きている海と沿岸：資源の多様性と持続可能な活動]
2015	5月1日～10月31日	2015年ミラノ国際博覧会 International Registered Exhibition Expo 2015 Milan	ミラノ（イタリア）	139	2150	[地球に食料を、生命にエネルギーを]
2017	6月10日～9月10日	2017年アスタナ国際博覧会 Expo Astana 2017	アスタナ（カザフスタン）	137	398	[未来のエネルギー]
2020	2021年10月1日～2022年3月31日	2020年ドバイ国際博覧会 Expo 2020 Dubai	ドバイ（アラブ首長国連邦）	192	2410	[心をつなぎ、未来をつくる]
2025	4月13日～10月13日	2025年日本国際博覧会 Expo 2025 Osaka, Kansai, Japan	大阪・夢洲（日本）		2820（想定）	[いのち輝く未来社会のデザイン]

巻末索引

- 本書に登場する万博、人名、企業・団体等についてまとめた。
- 各話の最初に登場するページを基本としている。

万博（オリンピック含む）

A ～ Z

あ行

か行

さ行

た行

な行

は行

ま行

や、ら、わ行

万博100の物語

発行日　2022年6月5日　初版発行

著者　久島伸昭

発行人　藤原寛
編集人　新井治

監修　立川直樹

装丁　帆足英里子（株式会社ライトパブリシティ）
DTP　大瀧康義（株式会社ワルツ）
校閲　水尾裕之（水魚書房）

編集　細川生朗（細川工房）
鈴井優
小谷洋介
協力　増田大二（立川事務所）　雲母社　篠崎弘　山口智子　山家直子
川尻千鶴　斎藤あかね
資料撮影協力　久門易（写真道場）
進行　松野浩之

宣伝　楠秀司　村上覚　中村礼
営業　島津友彦（株式会社ワニブックス）

発行　ヨシモトブックス
〒160-0022　東京都新宿区新宿5-18-21
TEL 03-3209-8291

発売　株式会社ワニブックス
〒150-8482　東京都渋谷区恵比寿4-4-9 えびす大黒ビル
TEL 03-5449-2711

印刷・製本　シナノ書籍印刷株式会社

ISBN 978-4-8470-7186-7
C0095／¥2500E